LES ROSES FAUVES

CAROLE MARTINEZ

LES ROSES
FAUVES

roman

GALLIMARD

À Marlies, Gigi, Sabine,
Édith et Caroline, mes presque sœurs.
À Ivette Diago, cette lectrice espagnole, rencontrée
à Cavaillon au Lézard amoureux,
qui m'a inspiré ce roman.
À Maïté Hugueny
et en souvenir de tous ceux qu'on aime
et qui ne respirent plus.
Merci aux combattants
sans armes et sans armures.

L'hyacinthe, le myrte à l'adorable éclair
Et, pareille à la chair de la femme, la rose
Cruelle, Hérodiade en fleur du jardin clair,
Celle qu'un sang farouche et radieux arrose !

MALLARMÉ

Cinq cœurs sur une étagère

Des cœurs battent dans la chambre de Lola Cam. Des cœurs de femmes mortes.

Le premier est de satin bleu, c'est celui de sa mère. Le plus douloureux. Elle n'y touche jamais.

Cinq cœurs palpitent sur une étagère.

Le deuxième, celui de sa grand-mère Rosa, est un pré de velours traversé par un bourrelet de fil rose, doux comme une cicatrice. Lola le sort parfois pour le caresser, lui répéter la même phrase : « *Como el camino, asi de grande te quiero, Yaya Rosa !* »

Des cœurs de tissu, gros des secrets des mères, hantent les nuits de Lola Cam.

Le troisième, le plus réussi, est une œuvre de taffetas rouge, de fils noirs, orange et bleus : un cœur nocturne en feu.

Entre deux chansons en espagnol, sa grand-mère, Yaya Rosa, lui a parfois parlé de la folle beauté de son pays perdu, des nuits embrasées de la San Juan et de sa longue marche sous le soleil vers le nord. Mais l'histoire tournait court : son français était maladroit, les mots lui manquaient et elle était si mauvaise conteuse que sa petite-fille ne l'écoutait qu'à peine.

Les cœurs sont rangés les uns contre les autres. Enfermés dans l'armoire à trois battants de Lola. Entre le côté droit, réservé aux habits d'été, et celui de gauche, plein des habits d'hiver.

La blancheur de lin du quatrième cœur est ligotée par une tige de rose dessinée à l'aiguille. Lola ne sait rien de la femme qui l'a brodé et c'est celui qu'elle préfère. Petite, elle le volait pour le renifler, il est rêche et elle lui a toujours trouvé un parfum familier. Un parfum d'enfance et de jardin. Plusieurs fois, elle s'est endormie tenant ce cœur-là serré contre son cœur, sans savoir lequel des deux battait dans son sommeil.

Des cœurs interdits reposent derrière la porte-miroir, des coussins en forme de cœur dans lesquels les aïeules, sentant leur fin venir, ont glissé des dizaines de bouts de papier pliés où sont écrits leurs inavouables secrets. Chacune a bourré son petit ballot personnel de mots avant de le refermer à l'aiguille et de mourir légère.

Le plus ancien des cœurs est taillé dans une robe noire à paillettes, mais ça, Lola l'ignore, il est tellement usé qu'on a du mal à discerner le motif brodé en son centre, on devine un vague accordéon. Le tissu élimé, réduit par endroits à sa trame, laisse voir les morceaux de papier qu'il contient.

Des cœurs de femmes battent dans la vieille armoire de Lola. Ils racontent une histoire qui a commencé il y a plus d'un siècle en Espagne, du côté de Málaga, là où la coutume voulait que les filles aînées héritent du cœur cousu de leur mère morte. Les femmes de cette famille

14

n'avaient pas grand-chose à s'offrir, pas de terre, pas de maison, pas de bijoux, mais elles savaient toutes écrire, elles s'enseignaient ça de mère en fille, et leurs cœurs débordaient de secrets.

Un cœur bien rempli est-il le signe d'une vie riche ?

Écrit-on davantage quand on a aimé ? Quand on a vécu intensément ? Quand on a voyagé ?

C'est étrange de savoir ces cœurs tranquilles au fond d'une armoire bretonne, inviolés, pleins de vies émiettées. Des cœurs déplacés, exilés, défendus par un dérisoire verrou de fil. Des cœurs où nul n'est allé fourrer son nez, car on dit que le cœur d'une mère ne doit pas être ouvert, sinon malédiction ! Par superstition ou par respect, les Espagnols se plient à cet interdit et les cœurs ne sont jamais forcés.

Parfois Lola les entend s'emballer, enfermés dans leur armoire, s'emballer comme des petits cadavres de chevaux fous ou des fantômes de tissu furieux de voir leur bouche cousue à jamais.

Comment ne pas répondre à leur appel muet ?

Lola se demande si elle est faite de cette histoire familiale qu'ils contiennent et qu'elle ignore, si le sang des fables coule de génération en génération, s'il nous irrigue de terreurs fauves et de peines qui ne nous appartiennent pas, mais agitent nos profondeurs.

Sommes-nous écrits par ceux qui nous ont précédés ?

Il faudrait ouvrir ces cœurs pour le savoir…

Malgré les roses

C'est le jour de la Sainte-Catherine et l'automne est encore si doux que Lola Cam jardine.

La lumière, presque horizontale, s'attarde dans ses cheveux. Quelques fines mèches, rebelles à l'élastique, dessinent un léger halo lumineux autour de sa tête. Une auréole. Les rayons s'accrochent aux choses, aux ronces surtout, s'effilochent dans les recoins du jardin, jouent sur le mur du fond encore rouge de vigne vierge.

Le soleil n'a plus cette violence drue de juillet, il n'accable pas le monde, se contentant d'en effleurer l'écorce. Détrôné de son zénith, il traîne ses rais tièdes sur les chemins mouillés. Les ombres s'allongent sur la terre, molles, comme de grands bras fatigués. Les couleurs exultent dans la lumière rasante et les parfums subliment l'agonie des jardins. La mort est exquise sous cet astre affaibli. Toute transcendance a péri.

Plus de roi, plus de Dieu, plus de père souverain !

Novembre emplit l'espace d'une force immanente.

Les éléments s'enlacent, rien ne se contredit, la terre se fait boue, le ciel s'affaisse, les arbres flambent, les clochers s'embrument, les contours s'estompent, les choses s'emmêlent, lascives, débordées par leurs ombres. L'être a tendance à se noyer dans ce qui l'entoure. Lola, elle-même, se relâche enfin. Elle s'abandonne à la beauté des roses les plus tardives. Elle est un peu dans tout, et ce tout est splendide. Elle goûte son dernier dimanche de l'année au jardin. Demain, ce soir peut-être, le temps tournera, elle le sait.

Son potager n'a plus besoin d'elle, elle se contente de bouturer son cassissier, de borner la part laissée aux ronces et de planter pour le plaisir. La douceur exceptionnelle de cet automne lui a longtemps permis de ramasser des monstres : d'énormes courges posées au sol, une dernière aubergine grosse comme un nouveau-né, des potirons fantastiques assis cul à cul dans la boue.

La gravité est-elle autre en automne ?

Tout tombe : la pluie, les feuilles, les gloires.

Certes, on plante, mais avec humilité, puisque tout prend racine.

Quel bonheur d'être au monde !

Dans son portefeuille, Lola garde en permanence des photos de son potager et de ses fleurs.

Elle se réjouit d'être heureuse, une sorte de joie au carré.

Heureuse !

Elle contemple son coin de paradis avant la nuit qui vient si vite désormais, quand un chatouillis de rien du tout lui court soudain dans la nuque... Un filet d'air glacial...

Elle se redresse en frissonnant et se tourne vers le mur

du fond du jardin – ce mur très haut et très épais qui la sépare du cimetière. Elle regarde ses gants terreux et les trois rosiers de Damas qu'elle vient de planter. Elle les trouve, tout à coup, lointains, comme abandonnés, en rang d'oignons, dans une solitude à crever. Elle a pourtant pris soin de les grouper, ils fleuriront en massif.

Heureuse?

Elle remonte le vent jusqu'au mur de pierres, enlève ses gants, approche ses mains, puis son visage, de la source du courant d'air. Les quelques feuilles de vigne vierge qui masquent encore la faille découverte par son neveu quelques jours auparavant s'agitent, rouges. Elles lui caressent les joues et le cou. Délicates petites pattes végétales. D'autres pierres disjointes sont tombées.

Entre chez elle et les tombes, un passage s'est ouvert.

Ça souffle froid de là, ça souffle depuis l'au-delà, ça traverse son jardin, ça bouscule ses roses, ça la secoue.

À deux ou trois exceptions près, elle ne connaît ses voisins les morts que par ouï-dire, ils sont tranquilles et silencieux. Elle est arrivée au village après leurs enterrements, aucun d'eux n'a de raison de la hanter. Ses morts à elle sont rangés ailleurs, bien sages dans leurs boîtes en bois, croit-elle, chacun à sa place, enfermés sous la terre, loin, à des kilomètres de là. D'ailleurs connaît-elle vraiment quelqu'un dans ce lieu où elle vit et travaille depuis un bout de temps maintenant?

Heureuse et seule…

Peut-être que rien ne poussera jamais à ses côtés, hormis des fleurs et un potager. Et alors? Elle n'a rien rêvé d'autre!

Pourtant quelque chose s'écroule et pas seulement la

clôture de pierres de son coin de paradis. Ça s'effondre en elle, ça glisse sans bruit... Mais quoi ? Son assurance ?

Heureuse, mais seule...

Ses certitudes ? Sa raideur peut-être ?

Elle promène un jardin dans son portefeuille... Un jardin, mais aucun visage. Ni père, ni mère, ni enfants, ni amoureux, ni même un chat. Elle ne garde dans son sac que des photos de roses et de radis. Ses compagnons de vie...

Seule !

Trop profondément plantée dans son lopin de terre pour se laisser déraciner par un minuscule courant d'air, si glacé soit-il, elle décide de se remettre à l'ouvrage comme si de rien n'était et de ratisser les feuilles que le noyer a répandues dans l'herbe.

La beauté de tout ce désordre l'arrête.

Un tableau, une nature morte à ses pieds, et personne, non personne, avec qui partager ce moment de plénitude.

Ce samedi après-midi-là, jour de la Sainte-Catherine, alors que les roses s'attardent, énormes dans la lumière rasante, le doute la saisit pour la première fois.

Et si à force de se dire heureuse, elle était passée à côté du bonheur...

Aurait-elle pu vivre autre chose ailleurs et ne pas se retrouver solitaire au jardin ? Aurait-elle aimé vivre avec un homme ? Avec une femme ? Avec une tripotée d'enfants ? N'en a-t-elle vraiment jamais rêvé ? Que sait-elle de l'amour ? Que sait-elle du désir ? A-t-elle seulement eu le choix ?

Et ce doute soudain l'attriste tant que, sans qu'elle

comprenne vraiment comment une si légère agitation du cœur a pu la décrocher du ciel, elle découvre le grand vide dans lequel elle vit. Étrangement, cette idée qu'elle n'a peut-être pas choisi sa vie de solitude est une révélation.

Son bonheur vient de lui échapper. Voilà qu'un pet de vent de rien du tout l'a coupée de l'univers et qu'elle se sent cosmiquement séparée.

Oui, seule ! Malgré les roses...

En 2009, j'ai vécu quelques mois en Haute-Bretagne pour tenter d'y écrire mon deuxième roman. Je voulais créer une sorte de *Barbe-Bleue* contemporain, prendre appui sur un univers réaliste qui se déliterait peu à peu, tâter du fantastique. J'avais décidé de situer mon histoire dans un décor réel, à proximité d'une forêt. J'étais persuadée qu'il me fallait écrire les pieds dans la terre, créer d'après nature et surtout quitter Paris.

J'ai longtemps cherché le lieu idéal où camper mes personnages, j'ai visité des bourgs du côté de chez mon frère, feuilleté des guides touristiques, regardé des documentaires, avant de découvrir par hasard en errant sur Internet la photographie d'un village de Bretagne en bordure de bois. Cette carte postale ancienne a immédiatement exercé sur moi une étrange fascination.

Au centre de l'image, sur la route en terre, entre l'église et le bureau de poste, une silhouette de femme s'éloignait, seule dans la grisaille. Pourquoi ai-je alors pensé que cette femme-là boitait?

En y réfléchissant, je me trouve quantité de raisons. C'est un lieu commun, les Bretonnes boitent. Oui, c'est bien connu, même immobiles, même mortes depuis cent ans, elles boitent.

Bretonne : le mot lui-même est une boiterie. À l'oreille, les Normandes sont plus alanguies et les Parisiennes trottent.

Certes ! Mais cette femme-là n'avait rien d'une Bigoudène et je ne suis même pas certaine d'avoir su qu'elle était bretonne avant de l'avoir imaginée boiteuse. Et même si c'était le cas, cela n'expliquerait pas pourquoi j'ai soudain eu envie de suivre cette boiteuse-là. Oui, la question m'a longtemps hantée : Pourquoi ai-je tant désiré entrer dans cette photo ?

J'étais enchantée à l'idée de m'installer dans ce cadre, et pas seulement sur le plan romanesque. J'étais impatiente d'y débarquer pour de vrai avec mes bagages, impatiente d'y vivre seule. Je trouvais magique et inspirant que ce lieu m'appelle. Car il m'appelait, ou plus exactement cette femme en longue jupe sombre, cette passante d'un autre temps m'appelait.

L'écriture de chacun de mes livres est associée à une histoire seconde un peu mystérieuse. J'ai besoin d'une sorte d'autorisation pour écrire. C'est idiot mais, sans cela, je ne parviens pas à y croire suffisamment. La carte postale était le signe que j'attendais.

J'ai relevé le nom du lieu et décidé d'emménager là, sur cette terre en noir et blanc, en pays gallo, dans ce village de Trébuailles, dont je ne savais rien encore que cette photographie datant de presque un siècle.

Trébuailles comptait alors plus de sept cents âmes, un

relais château, un bar tabac, un cimetière, une église du xve siècle et, juste en face, un bureau de poste tenu par Lola Cam.

Dès que j'ai croisé Lola, j'ai compris que Barbe-Bleue attendrait.

Je n'écris jamais le texte que je pense écrire, il m'échappe, me condamnant à recommencer. Attirée par une sorte de lumière noire, je tourne inlassablement autour du livre dont je rêve.

J'ai loué pour trois mois un petit chalet au fond du parc d'une adorable veuve. J'y suis arrivée à la veille du printemps sans mesurer l'influence qu'une saison pourrait avoir sur mon écriture. Les saisons n'avaient pas vraiment d'importance à mes yeux de citadine, tout juste les remarquais-je quand elles étaient déjà bien installées.

Sur la table, Nelly, ma logeuse, m'avait gentiment laissé en cadeau de bienvenue un bouquet de roses très parfumées, une boîte de chocolats, dont j'ai gardé les emballages dorés en souvenir, et une bouteille de calva. Des oiseaux brodés chahutaient sur le couvre-lit et des coussins dépareillés en forme de cœur étaient disposés sur le canapé. Je me souviens d'avoir rangé mes affaires dans l'énorme armoire bretonne, sorti la carte postale en noir et blanc que j'avais imprimée, mon ordinateur et tout un lot de cahiers aux couvertures fleuries. Je me revois parcourant lentement le studio dans lequel je comptais m'enraciner et passer la plus grande partie de mon temps, seule, à m'imaginer une histoire. J'espérais me faire du lieu un allié silencieux.

Sur les murs, une toile de Jouy répétait inlassablement la promenade bucolique d'un couple rouge dans une barque rouge sur une rivière rouge bordée de saules et de pêcheurs rouges, la barque se retournait et les petits visages souriants flottaient à la surface de l'eau rouge, ballottés tout autour de la pièce, emportés dans une sorte d'éternel retour sous mes yeux et ceux des pêcheurs. Accrochées aux murs, de vieilles photos en noir et blanc encadrées d'or ponctuaient la promenade rouge. Sur l'une d'elles, deux enfants, main dans la main, posaient avec un grand sérieux devant une maison en pierre. Quelques romans d'amour, un livre sur les poilus, et des biographies de femmes célèbres garnissaient la petite bibliothèque. Comme je feuilletais l'un des recueils, deux lettres anciennes sont tombées sur les lattes du plancher. Cinquante lattes, je m'en souviens, je les ai souvent comptées pour calmer mes angoisses.

Dans les toilettes, des magazines people racontaient la vie intime de stars comme Madonna, Johnny Depp, Liam je ne sais quoi, Omar Sy, William D.H., Sophie Marceau…

Durant mon séjour à Trébuailles, j'ai beaucoup rêvé, beaucoup écrit, pour finalement ne rien achever, ni mon *Barbe-Bleue* à peine entamé, ni ce roman sur Lola que je tente de reprendre aujourd'hui. De retour à Paris, j'ai préféré tout mettre de côté et imaginer les murmures d'une jeune recluse au XIIe siècle.

Cette escale dans ma vie m'avait troublée. L'histoire de Lola était à la fois trop belle pour que je ne m'en empare pas et trop proche pour devenir aussitôt matière à fable. J'ai laissé reposer les mots, les morts, les roses, les cœurs des mères, j'ai refermé la grande armoire de noces. Oui, j'ai tout caché derrière un rideau de ronces, j'ai endormi Lola, je l'ai enterrée au fond de mes tiroirs, mais son histoire n'a pas cessé de me hanter.

La parole du père

Lola tente de se dégager du souffle qui la ligote, de retrouver la douceur de cette fin de journée, en se concentrant sur l'odeur d'humus de la forêt voisine. Un parfum puissant contre lequel l'eau de toilette de son père ne pouvait rien jadis.

Tiens, pourquoi songe-t-elle soudain à son père ? Le souvenir de son eau de toilette, comme contenu dans le parfum des bois, prend peu à peu le dessus.

En automne, lors de leurs promenades dominicales en forêt, son père lui paraissait toujours moins impérial. Planté sur les talons de ses santiags, il s'enfonçait dans la boue et peinait à garder l'équilibre dans le silence troué de chants d'oiseaux. Il craignait de se tordre les chevilles qu'il disait fragiles et souffrait de ce léger vertige que peuvent éprouver les citadins lorsqu'ils sont brutalement confrontés au calme d'un monde sans hommes. Son parfum, lourd et épicé, ultime rempart, ne le protégeait plus. La forêt l'étouffait. Le moindre craquement le désarçonnait. Il avait beau en rire pour tenter de reprendre le dessus, il ne faisait que montrer les dents.

Son empire s'écroulait, dévoré par la mousse. Le père détestait ces lieux où la nature violait ses frontières, il se plaignait d'être trop perméable. Il avait peur de se dissoudre, de crever dans cette forêt qui l'avalait. Mais la mère, qui n'avait pas encore abandonné toute volonté, ne cédait pas et les traînait, lui et ses angoisses, dans les bois en famille.

À l'approche de l'arrière-saison, le père perdait l'ascendant en regardant ses pieds et, une canne improvisée en main, Lola passait la première sur les sentiers sans craindre d'être moquée !

Des souvenirs remontent, agités par l'étrange courant d'air froid.

Lola s'est enfuie du monde paternel et réfugiée ici, entre cimetière et forêt, dans ce modeste jardin clos, où elle ne se sent jamais ni trop grande ni trop petite, juste à sa place.

Mais voilà que, pour la première fois, elle s'y découvre seule à respirer cet automne magnifique et à penser à n'importe quoi pour combler le vide, même à son père !

Sécateur en main, elle se penche dans la faille qui s'est ouverte en elle et se revoit petite fille.

Très tôt, toujours peut-être, elle a su contenir ses émotions. Mots pesés, phrases calibrées, pensée cadrée, elle a été première de classe tant qu'il a suffi d'apprendre ses leçons et de les recracher telles quelles. Une fillette idéale aux cheveux tirés et tenus si serrés par plusieurs tours d'élastique toute la journée que son cuir chevelu lui faisait mal quand elle les détachait le soir pour les brosser et les natter.

Aujourd'hui encore, ses sentiments sont toujours sous

contrôle, lisses, retenus par quelque lien intérieur. Pas d'agitation, pas de trouble, pas d'émoi. Son père lui a inculqué le goût de l'ordre et de la maîtrise, il est mort, mais il faut toujours le satisfaire : marcher droit, coûte que coûte, marcher droit, ne pas se plaindre, ne pas jouer les mijaurées, marcher droit, ne pas faire sa midinette, espérer lui plaire.

Elle est restée cette enfant sage, tirée à quatre épingles, cette enfant qu'un mot a durcie, passée au feu. Un mot projectile, lancé par son père dans un drôle de sourire, comme une insulte, une méchante plaisanterie ou un caillou, répété à tout bout de champ jusqu'à devenir obsédant. Un mot crié à ses oreilles dans la cour de récréation, un mot lu sur les lèvres des garçons dans les bals de village entre deux sourires gras, un mot murmuré derrière elle dans les couloirs de la fac et plus tard dans le métro parisien, un mot contre lequel elle s'est battue en vain, un mot enkysté en elle, accroché à ses pas comme une ombre.

Elle avance dans sa vie d'adulte, comme elle l'a fait chaque matin, sur le chemin de l'école, le regard tourné vers l'intérieur, protégée par des paravents de papier, sans rien voir d'autre que les pages de ses cahiers qu'elle continuait de parcourir dans sa tête jusqu'à ce qu'elle entre en classe, que la maîtresse autorise les élèves à s'asseoir et que le cours commence. Elle avance sans prêter attention au monde alentour, pour tenter de ne pas entendre le mot qui, né sur les lèvres de son père, résonne sur les pavés, bruisse entre les branches des platanes sur le bord des routes, court les champs et se répand sans doute au-delà, jusqu'à l'océan, ce mot que les vagues se répètent en se jetant sur le sable. Et tout cela lui sonne si fort dans le crâne qu'il vaut mieux se réfugier au-dedans de soi, le plus profondément possible. Seule.

Dans son dos, ses trois petites sœurs, la bleue, la rouge et la jaune, se disputent, chahutent, chantent, tandis que, dans sa robe verte, Lola avance sans se retourner, clopin-clopant, avec ce déhanché caractéristique, bascule, coup d'épaule, bascule...

Cette démarche douloureuse qui l'a si longtemps réduite à ce mot : *boiteuse.*

En dix ans, j'avais oublié les phrases jetées dans mon carnet le jour où j'ai croisé Lola et celles écrites chez Nelly après avoir décidé d'en faire une héroïne. En les redécouvrant aujourd'hui, il me semble qu'elles ont poussé en mon absence comme du chiendent, que le livre a continué de s'inventer sans moi. Dans le silence de mes cahiers, un monde a germé qui ressemble plus ou moins au nôtre, un monde fait de bric et de broc, mon héroïne s'y niche entre les lignes, et peu importe si j'use de tiges de ronces pour dire les liens profonds qui la ligotent, d'un peu de suie pour dessiner ses yeux, de morceaux de ferraille pour lui bricoler un corps. Ronces, suie et ferraille s'animent aussi bien que de la peau et des os. Tout est bon pour bricoler les habitants de ce monde-là.

En commençant mon livre, je me souviens d'avoir hésité entre écrire Lola telle que je venais de la rencontrer dans son bureau de poste ou telle que je la rêvais, à utiliser un bout de charbon pour dire l'éclat noir de son regard, à l'éclairer de l'intérieur pour rendre la transparence laiteuse de sa carnation, à la mener toute caparaçonnée dans son affreux manteau d'hiver à la lisière du réel pour la préparer à ce qui lui est arrivé et à faire de sa bouche un délicat trait de crayon rouge si fin qu'un baiser suffirait à l'effacer. J'ai hésité, car Lola existe bel et bien et que je ne veux pas la blesser en me situant trop près ou trop loin de sa réalité. C'est cette peur d'être ou de ne pas être fidèle qui me retient depuis si longtemps et m'empêche encore de publier cette aventure. Mais j'ai tort, car finalement tout cela n'est que du roman, la réalité comme le reste, tout tourne aussitôt à la fiction sous cette étiquette-là.

Amalgame de mots et de matières, Lola, devenue personnage, se lèvera dans l'esprit du lecteur à l'image de qui il voudra, de sa sœur, de son amie, de sa cousine…

Nous faisons nos choix en lisant, Lola sera un bouquet composé à partir de quelques mots écrits et de vos propres souvenirs, de vos matériaux intimes. Elle sera notre œuvre commune, notre enfant, conçue dans le mitan du livre où nous dormons ensemble, lecteur et auteure, mêlés dans un même nid de ronces.

Le souffle des morts

Lola est toujours plantée dans son jardin, ce jour de la Sainte-Catherine, où je l'ai abandonnée entre deux pages. Rose séchée dans un herbier.

Lola, plus immobile que son noyer, est campée au beau milieu des souvenirs qui l'assaillent. En s'intensifiant, le vent venu des tombes éparpille les feuilles ocre et lui souffle des questions inquiétantes à l'oreille. Une ombre pousse à ses pieds, un abîme qui pourrait l'avaler.

Peut-on être seule et heureuse? Heureuse malgré cette solitude?

Soudain désemparée, Lola n'est plus sûre de rien. Elle, que le parfum d'un narcisse suffit à combler, elle qui éprouve un tel plaisir à regarder pousser ses plants de tomates, à faire griller une aubergine, à concentrer l'été en gelée de mûres, elle se mentirait! Elle ne vivrait ici, au jardin, que pour se protéger du monde extérieur! Elle ferait semblant d'être heureuse! Elle aurait cédé à la peur ou au destin et n'aurait rien choisi, rien écrit, aucune ligne au livre de sa vie.

Si cette solitude lui a été imposée par un mot ou par le sourire cynique de son père, tout est à revoir, et la beauté de son petit paradis n'est rien qu'une carapace de plus, une forme de réclusion.

Le vent fou continue de souffler depuis l'au-delà, il dénude les arbres, il agite les feuilles, les ombres et les voilages de la fenêtre de sa chambre à l'étage.

Lola se dit que c'est possible, qu'elle a peut-être construit sa vie comme une bastide au cœur de laquelle il y a ce jardin, seul lieu du monde où elle se sent à l'abri.

Elle ne laisse rien traîner, ses massifs sont tirés au cordeau, elle maîtrise ses plantations, sa maison, son bureau de poste. Tout est parfait, en ordre, à l'exception du petit coin sauvage qu'elle réserve aux ronces. Elle a des procédures de sécurité qui règlent sa vie et celle de son territoire. Elle s'attache à des détails sans importance comme si l'équilibre du monde en dépendait et qu'elle en était la gardienne.

Ainsi, chaque année, à la même époque, c'est elle qui, depuis sa chambre à coucher, orchestre le changement de saison en enfermant rituellement l'été dans l'énorme armoire qui trône face à son lit. Elle glisse de petits sacs pleins de lavande entre les tenues estivales qui occupent la partie droite du monstre de bois. Elle vérifie chaque pile de cotonnade. Tout est méticuleusement repassé, plié, parfumé, rangé comme dans les meubles d'antan, comme dans ses souvenirs d'enfant, avant le tour de clé final qui marque la fin des beaux jours. Alors seulement, elle libère l'hiver en ouvrant la porte gauche de cette vieille armoire de mariage – dont nous explorerons plus tard la partie centrale, celle qui se cache derrière le grand miroir où Lola passe chaque jour sans se voir. De l'espace de gauche, réservé aux habits d'hiver, où bois et naphtaline se sont mêlés à force de confinement, elle extrait ses velours, ses pulls et sa carapace de laine brune, épaisse pelure remisée là depuis sa dernière mue, vieux pardessus qui la métamorphose en gros insecte bancal durant toute la mauvaise saison.

D'une façon générale, Lola s'enveloppe dans des vêtements raides chargés de faire disparaître ses formes. Des pantalons de toile ou de velours à la coupe droite et des chemisiers vaguement fleuris, petits jardins de tissus qu'elle se boutonne jusqu'à la gueule et qui la noient dans le papier peint de son salon. Ces tenues la contiennent, comme l'élastique à double tour cercle sa chevelure, comme ses sacro-saintes habitudes bornent son monde.

Pourquoi refuse-t-elle de laisser deviner ses seins parfaits ou la cambrure de ses reins? A-t-elle peur de devenir un objet de désir? De se dissoudre dans le regard des hommes? Craint-elle de s'éparpiller, de n'être qu'une fleur de pissenlit, de ne pas tenir ensemble sans le contour strict de l'habit? A-t-elle hérité de son père cette angoisse d'être trop perméable?

Elle refuse depuis toujours de se mettre en valeur, le moindre bijou lui paraît superflu et l'éloigne d'elle-même, le plus petit décolleté l'expose. Ses sœurs, la rouge, la jaune et la bleue, ont bien essayé de la coiffer autrement, de l'habiller, de la maquiller un peu, mais elle se sent aussitôt déguisée et risible. Elle est à découvert dès qu'elle déroge à ses règles.

Tandis que Lola doute, le vent souffle de plus en plus fort, il dépouille les roses tardives, leurs pétales s'envolent de-ci, de-là, tourbillonnent autour d'elle, légers, se mêlent aux mouvements des ombres, et les battants de ses fenêtres claquent à l'étage au-dessus du bureau de poste.

Elle déteste que les portes claquent. Il faudrait rentrer et monter les fermer...

Lola est une forteresse. Elle ignore de quoi elle cherche à se protéger depuis toujours, si la menace vient du dedans ou du dehors, mais dès qu'elle quitte son jardin ou son logement de fonction, elle se raidit. Elle se veut compacte, sèche, parfaite, taillée d'une seule pièce : tissus, cheveux, chair, voix, culotte de coton blanc. Et, aux heures d'ouverture de la poste, les tampons encreurs qu'elle tient en main, le vieux guichet de bois qui encadre son visage et son buste, tout est comme pris dans la masse. Les villageois ne la voient qu'assise sur sa chaise dans ce bureau de poste vieillot où l'air lui-même est singulier, moins limpide, légèrement voilé comme dans les photographies anciennes. Là aussi, comme au jardin, elle est à sa place. Inébranlable.

Le vent fou est entré dans la maison, il court dans les couloirs, il fouille les recoins, il remue le peu de poussière qu'il parvient à trouver, il monte et descend les escaliers, il cherche quelque chose... Il bouleverse la demeure endormie. Tout claque : les volets, les fenêtres, les portes des pièces et même celles de la grande armoire de noces face au lit qui pourtant étaient closes, Lola en est certaine, elle ne les laisse jamais ouvertes, jamais, elle aime le bruit du tour de clé.

Aucun vent ne saurait forcer une serrure…

Le grand miroir central risque de se briser !

Lola sort de sa torpeur, bouscule les ombres et se précipite à l'intérieur pour tout refermer.

Dès le lendemain de mon arrivée, je me suis promenée en pleine tempête à la recherche du décor de ma carte postale. J'ai aussitôt reconnu l'église et la poste. L'image était presque intacte, à quelques détails près. Si bien qu'un instant, je me suis attendue à voir surgir ma boiteuse en noir et blanc.

J'ai résisté un temps au vent violent qui me poussait contre le bureau de poste avant de remarquer l'étrange poirier palissé qui en ornait la façade. L'arbre était posé à plat sur le mur, comme si, en s'abandonnant aux rafales et en venant s'écraser là, sous les grandes lettres du mot POSTE, le monde perdait soudain une dimension, devenait une version dessinée ou écrite de lui-même, et qu'il était impossible de revenir en arrière, d'espérer retrouver l'épaisseur des choses, d'échapper à la gravité du lieu, de sortir du cadre.

En passant le seuil de la vieille bâtisse carrée, j'entrerais peut-être dans la photo…

La rencontre

Ai-je percé quelque chose dans le tintement du grelot? Une enveloppe, une membrane protectrice?

Je referme au plus vite la porte derrière moi, repous-
sant de tout mon poids le grand vent au-dehors. Je
sens que je pénètre dans une fable que le courant d'air
de mon entrée a agitée quelques secondes, mais qui
décante déjà. Luminosité, température, couleurs sont
temporellement différentes. L'odeur elle-même est inso-
lite. Un parfum fané. Un mélange d'eau de Cologne,
de talc, de laque, de produits ménagers, de madeleines,
de pain d'épices, de papier, d'encre et de poussière. Ce
bureau pourrait faire office de musée de la Poste. J'ai
voyagé dans le temps…

Dans la grande pièce au sol carrelé, des chaises dépareillées sont disposées le long des murs grisâtres. Les
yeux des femmes assises là sont tous braqués sur moi,
brillants dans l'ombre, ils me dévisagent en silence. Je
les salue et ils se détournent aussitôt, regagnent leur
pénombre comme des bestioles. Le plafonnier verse
sur les choses une lumière terne et tremblante. Seul le

double cliquetis de l'horloge murale et des aiguilles à tricoter des dames perce le silence dans une agitation désaccordée. La postière, assise derrière son guichet, est concentrée sur son écran qui éclaire son beau visage lisse et sérieux.

Qu'est-ce que je fais là ?

Je peux acheter des timbres… C'est toujours utile.

J'attends mon tour.

Une vieille dame noire vêtue d'une blouse rose me sourit gentiment et m'invite à prendre place à côté d'elle en tapotant du plat de sa main craquelée l'assise d'un tabouret. J'hésite, il fait bon, mais, au train où vont les choses, cela prendra des heures. Pour ne pas décevoir la dame en rose, je m'assois tout en maudissant cette politesse qui me perdra. J'aurais dû ressortir aussitôt en disant que je reviendrais plus tard. Je m'embourbe.

Me voilà installée dans un silence épais plein de cliquetis. Je n'ai même pas un bouquin dans mon sac et j'ai oublié mon portable dans la petite maison que j'ai louée. J'oublie tout.

Soumise à je ne sais quelle puissance, j'attends, et, comme toujours, l'attente me pousse à la rêverie. C'est presque maladif chez moi. Je décolle comme un rien. J'imagine que le temps s'écoule différemment dans ce lieu étrange, qu'une minute dans cette pièce correspond à une année au-dehors et qu'en sortant de cette capsule temporelle pleine de tricoteuses, je ne parviendrai plus à reprendre pied dans un monde qui aura poursuivi sa course sans moi. À moins qu'au contraire le temps ne s'emballe dans cette salle d'attente, entraîné par le rythme fou des aiguilles, et qu'on y décline plus vite qu'ailleurs. Et pour preuve, les cheveux blancs et crépus de la grosse dame en rose sont tenus par une multitude de petites barrettes d'enfant, une véritable collection, et son sourire est lumineux comme celui d'une gamine. A-t-elle vieilli sans s'en apercevoir?

J'en suis là de ma rêverie quand la postière me fait signe de m'avancer. Gênée, je regarde toutes ces femmes arrivées avant moi. L'une d'elles balaie mes doutes d'un geste vague de la main. *Ne vous souciez pas de nous, on n'attend rien, on occupe juste les lieux. On fait partie des meubles,* confirme une autre vieille sans même lever le nez de son ouvrage.

Un peu surprise, je demande un carnet de timbres.

— Vitraux, chevaux, dessins d'enfants…?

La receveuse poursuit son énumération mécanique, tandis que des murmures montent dans la salle.

— Expressions françaises, voitures anciennes, roses?

Une voix finit par se détacher du chœur des femmes. Ne suis-je pas la Parisienne? Cette romancière qui loue le gîte au fond du parc de Nelly? J'acquiesce. Oui, je me suis installée ici pour quelques mois, le temps d'écrire un livre ou au moins de bien l'entamer. Les regards changent aussitôt.

Un livre? Et qu'est-ce que vous écrivez de beau? Des romans d'amour? On adore les histoires à l'eau de rose! Est-ce que vous tuez vos personnages à la fin?

— Est-ce que vous racontez des histoires vraies? me demande alors la postière soudain moins indifférente.

J'avoue que ce qu'on écrit dans un roman est toujours un peu vrai.

— Un peu vrai ? Ça ne veut rien dire ! rétorque la receveuse. Les choses sont vraies ou elles ne le sont pas !

Alors que je m'apprête à lui répondre, son regard de suie se fige, elle flaire l'air et se lève. Un plat brûle en cuisine.

— Excusez-moi un instant !

Je l'observe s'éloigner de l'autre côté du guichet vers la porte du fond qui donne sur son logement de fonction. Je suis saisie par sa démarche.

Cette femme boite.

J'ai trouvé ma passante en noir et blanc, le vent m'a menée jusqu'à elle.

Le chœur des femmes

Toute à ma découverte, j'oublie un temps le caquetage des tricoteuses dans mon dos. Quand je me retourne, les vieilles pies ont déjà changé trois fois de sujet de conversation.

Elles se rendent à la poste pour causer, même si la tôlière ne s'intéresse pas à ce qu'elles disent. Elle a l'air dur comme ça, leur postière, mais elle pousse un peu le chauffage pour qu'elles se sentent bien et dégrafent leurs manteaux. *Les vieilles, c'est frileux!*

Le grelot tinte, la poussière vole, le vent s'engouffre, les regards se tournent de nouveau vers la porte vitrée. Deux enfants se précipitent dans les bras de la grosse femme en rose, ravie. *Mon Paul! Ma Louise!* Les gamins aident la vieille dame souriante à empaqueter son énorme corps dans son manteau bleu ciel, ramassent le cabas plein de pots de confiture vides qui traînait à ses pieds, puis la fillette lui prend la main avec tendresse et ils s'en vont tous les trois en riant, emportés par le vent.

Ah! La Mauricette! Un vrai sujet de roman! Vous êtes une petite veinarde, vous êtes tombée sur un filon, nous sommes

42

toutes des sujets de roman en attente de quelqu'un comme vous pour nous raconter !

Des sujets, peut-être, mais pas des héroïnes ! On se croit des héros quand on a vingt ans et on s'aperçoit vite qu'on n'est rien que des figurants. Museau, Pascale ! On préfère quand elle tricote, celle-là ! Dès qu'elle cause, elle nous déprime ! Revenons à Mauricette !

La Mauricette, elle n'est pas d'ici. Elle a débarqué, il y a plus de trente ans avec son sourire, une grosse valise, un cabas plein de pots de confiture vides et un chat noir. Certains la craignaient ! Jamais compris pourquoi ! La couleur du chat, peut-être... Ne sois pas cynique, Pascale ! Même Martine, la postière de l'époque, l'a d'abord regardée d'un mauvais œil ! Les gens ont parfois peur de leur ombre. Elle venait d'on ne sait où. On n'a jamais compris. On n'a surtout jamais demandé. Des îles, sans doute. Elle a d'abord travaillé au « relais-château ». Vous devriez aller y dîner un soir, ce n'est pas donné, mais toujours très bon et ça vaut le coup d'œil. Des Américains vont y tourner un film.

La cuisine, c'était plus que son métier à Mauricette. Elle ne parlait pas, mais ses cheveux, ses habits, sa peau avaient pris un parfum d'épices et elle avait toujours une part de gâteau à l'ananas ou un beignet de banane à offrir dans son panier.

Il paraît qu'il y aura du beau monde, le premier rôle est tenu par cette vedette hollywoodienne... Comment s'appelle-t-il déjà ?

La mairie a fini par lui proposer de s'occuper des écoliers le midi et Mauricette a nourri les petits de délices des îles pendant des années.

Il joue dans plein de films...

Elle doublait les rations de ceux qui n'avaient pas le sou et les enfants lui rendent chaque jour un peu de l'attention qu'elle leur a portée.

J'ai son nom sur le bout de la langue.

Ils s'occupent d'elle maintenant qu'elle a attrapé la maladie d'« Eizener », la pauvre... Montre-moi ta langue !

Quand ça arrive jeune, on peut dire que c'est une maladie, mais à notre âge ou au sien, c'est juste que la tête est mangée en premier. Non, tu n'as rien sur le bout de la langue !

À moins de mourir avant, on finit tous Alzheimer, non ?

Son prénom, c'est William, je crois ! Ça arrange les gens de parler de « maladie ». Ou John... C'est plus acceptable de mettre à l'hôpital des parents « malades » que d'avouer qu'on ne peut plus s'en occuper, que c'est trop douloureux. Un bel homme vraiment... Cette maladie soulage les consciences. Ce type a des fesses formidables ! C'est insoutenable de voir l'être qu'on aime s'effilocher, moi, je comprends qu'on s'en débarrasse ! Si j'avais quelques années de moins, j'irais bien lui demander un autographe. C'est horrible ce que tu dis, on ne se débarrasse pas de ses parents quand on les met dans une institution ! Aujourd'hui, les jeunes préfèrent les selfies aux autographes. Non, on les regroupe entre gâteux, c'est plus drôle ! C'est quoi des selfies ? Moi, je ne juge pas, j'ai vécu avec ma mère jusqu'au bout et je peux vous dire que j'en ai bavé, surtout qu'elle n'a pas vieilli gentille ! J'ai eu un mal fou à lui échapper, même après sa mort, elle a continué à me tyranniser. Rapproche-toi de moi, que je te montre ! Il faut avoir le bras long. C'est un scandale de vieillir, mais ce n'est pas une maladie ! Voilà, le petit oiseau va sortir ! Chez nous, on vieillit sans perdre la tête. Alouette! On n'est pas à égalité, on s'abîme plus ou moins vite. Je n'aime pas tes selfies, ça me ride, je ressemble à une vieille pomme. Le temps nous écorche à sa guise. Je préfère les autographes. Regardez-nous! Moi, j'ai le moral au gris, Claudine est attaquée par les jambes, Gisèle se prend pour une jeune fille, Nini a le cœur en vrac, Pascale tourne au vinaigre. J'ai oublié son nom, on ne connaît que lui, il a des yeux tellement bleus! Certaines piquent du nez tout le temps, d'autres ne trouvent plus le sommeil. Vous vous imaginez encore des histoires d'amour avant de vous endormir? Les plus chanceuses sont comme épargnées. Elles partent d'un coup, les veinardes, intactes, et tout le monde les pleure. C'est surtout ça qui est miraculeux! Le mieux serait de partir curieuse. Ou juste fatiguée, tu fermes les yeux et, hop, c'est fini. Tous les soirs, j'ai un nouvel amant et s'il m'ennuie, je le trompe dans la nuit avec un inconnu que je m'invente ou avec un fantôme. Tu as déjà couché avec mon mari? Non, pas avec le tien, il était trop laid.

Elle ne va plus rien comprendre, la romancière, si on parle toutes à la fois de choses différentes! Il faudrait raconter d'une même voix! Faire chœur!

Mauricette ne peut plus s'occuper de la cantine, mais elle continue de déjeuner avec les gamins chez Irène qui a pris sa suite. Les gens se relaient pour la déposer à la poste chaque matin, puis les enfants se chargent d'elle. Les plus jeunes passent la chercher le midi, les grands du primaire la ramènent ici après le déjeuner, les collégiens la raccompagnent chez elle en descendant de leur car et les lycéens lui rendent visite en fin de journée pour s'assurer qu'elle avale *son bol de soupe. Comme elle n'est la mère de personne et qu'elle est gentille, la voir perdre la boule reste supportable. Le village s'occupe d'elle dans la bonne humeur. Oui, elle est notre rédemption! Pourquoi tu dis ça, Pascale? On n'a rien à se reprocher. Je ne sais pas, ça m'a échappé. Mauricette a toujours deux poissons-pilotes différents! Pour lui faire plaisir, on lui envoie à chaque fois un garçon et une fille. Dans son esprit, bruns ou blonds, noirs ou blancs, petits ou grands, c'est toujours les deux mêmes gosses. Tous les garçons sont des Paul et toutes les filles des Louise qui grandissent au fil de la journée. Entre le lever et le coucher du soleil, les années passent en flèche.*

Les mômes la disent magique, elle deviendrait un véhicule quand elle les serre dans ses bras, une sorte de machine à voyager dans le temps. Mauricette étreint les mourants aussi, elle sait les apaiser, elle leur offre une pâtisserie et les berce en chantant. On raconte qu'elle les libère de leurs pires souvenirs, qu'elle recueille leur dernier souffle dans un pot de confiture vide, qu'elle en a plein son cellier. Et elle enlace les arbres aussi, avant qu'on ne les abatte ou que la foudre ne les frappe.

C'est des bêtises tout ça! C'est juste ce qu'on raconte et l'on raconte tant de fables dans cette poste dont la receveuse n'aime que les histoires vraies! N'est-ce pas, Lola, que vous n'aimez que ça, les histoires vraies?

— Je ne lis jamais de romans, je préfère les vies, j'en ai des centaines dans ma bibliothèque, répond la postière en reprenant place derrière son guichet.

Vous voyez, en voilà une qui ne lira pas vos livres. Les romans, c'est de la supercherie à ses yeux. Vous êtes bien installée chez Nelly ? Sans attendre ma réponse, les femmes enchaînent. *Nelly, voilà un autre personnage pour vous ! Il lui arrive de s'asseoir ici, mais elle est jeune encore et elle préfère la compagnie des hommes.* La conversation glisse, on baisse d'un ton, on tombe dans la confidence, la médisance… Comme les vieilles dames s'adressent toutes à moi, je hoche la tête en signe d'attention. Je suis piégée, je ne peux pas leur échapper. *Vous feriez mieux de vous installer plus confortablement au lieu de passer sans cesse d'un pied sur l'autre.* Je finis assise sur la chaise encore chaude de Mauricette, mon carnet de timbres à la main, ligotée par leurs bavardages. *Nelly est une traînée ! Et pourquoi ? Parce qu'elle couche ! Elle a bien de la chance. Ce n'est pas très breton de parler de sa sexualité comme ça !* Et comme elles s'attardent sur Nelly, je me lève. Il faut que je rentre, j'ai du travail, un roman à écrire !

Vous reviendrez vous aussi, vous verrez, on y prend goût ! Il y a des lieux comme ça qui nous attirent sans qu'on sache pourquoi. Les plus assidues passent leurs journées à la poste, ça tue le temps. Ce n'est pas le grand luxe, on s'installe pour tricoter, faire des mots croisés, et surtout pour parler, sans même se regarder, ça facilite les confidences. Les hommes ne traînent pas ici, ils vont au bar tabac, il y a la télé, les matchs de foot. Les gars du coin sont très pudiques, ils s'accrochent au monde extérieur pour se parler. Nous, on plonge en nous-mêmes, on remue l'intime. Et ça ne nous empêche pas de suivre l'actualité, mais dès qu'on en cause, les plus anciennes soupirent et Pascale noircit le tableau, alors on préfère en parler ailleurs. Ici, on se repose en se regardant le nombril. On jase, on se raconte des histoires du temps jadis et l'on chante.

Et les voilà qui entonnent leur chanson en gallo. Je me tourne vers la postière qui fait mine de ne rien entendre.

C'est une vraie Bretonne, notre receveuse, elle ne se livre pas et elle garde nos secrets. À la différence de Martine, la précédente postière, qui adorait les ragots et a tenu à travailler jusqu'à la fin. Elle ne voulait rien lâcher, ni son guichet, ni son appartement au-dessus de la poste, ni son jardin à l'arrière. On ne la délogerait pas si facilement, nous a-t-elle répété quand il a été question de la forcer à partir après quarante-cinq ans de travail. Martine n'avait rien à elle que la fonction publique et une concession au cimetière, elle avait exigé la plus proche de son guichet. Oui, elle dort juste derrière le mur à l'arrière de la poste. Quasi chez elle, quasi sous le noyer, quasi dans son lit! Si je couchais là-haut, j'aurais peur qu'elle vienne me tirer les pieds pendant la nuit. Après elle, ça a été le défilé, les receveurs ne tenaient pas. Et Lola est arrivée. Sévère, mais avec un bon fond.

J'imagine que, tout en travaillant, Lola écoute, qu'elle est devenue malgré elle la grande oreille de Trébuailles. Elle est ma passante en noir et blanc, c'est elle qui m'a appelée dans ce monde dont chaque habitante se rêve personnage. Je suis là pour elle et, en partant, je lui glisse que son pot-au-feu sent délicieusement bon, qu'elle l'a sauvé à temps. La postière me regarde un peu gênée, tandis que la cloche de l'église se déchaîne. Il est midi.

Trois jours plus tard, je reçois ce petit mot chez Nelly :

Chère Madame,
Je refais un kig-ha-farz (le pot-au-feu breton) samedi soir, si vous êtes libre vous êtes la bienvenue à la maison. Je vous attendrai dès 20 h 30. Entrez par le jardin. Poussez la porte en fer forgé sur le côté gauche de la poste.

Lola Cam, la postière

L'arrière-poste

La porte en fer grince. Le bureau de poste ne donne que sur la rue, l'arrière du bâtiment est réservé au logement de fonction. Même si les jours rallongent depuis un bout de temps, et qu'on passe ce soir à l'heure d'été, il fait déjà nuit noire. Je ne vois rien du jardin et je ne m'y aventure pas, je reste prudemment sur le chemin qui longe la maison comme si toute cette ombre pouvait me dévorer. Le gravier crisse sous mes semelles. La lumière artificielle passe à travers les persiennes ajourées, rassurante, elle éclaire mes pieds, et la porte vitrée qui s'ouvre directement sur la cuisine illumine toute une bande d'herbe. Je tape à l'un des petits carreaux embués. Lola m'accueille, elle porte un pantalon de velours vert d'eau et un pull bleu ciel qu'elle a dû tricoter elle-même, à moins qu'il ne s'agisse d'un cadeau de l'une de ses habituées. La table est dressée, la blancheur de la nappe m'écorche les yeux. Elle me demande si cela ne m'ennuie pas de retirer mes chaussures, en se désolant d'être un peu maniaque. Je m'exécute et enfile la paire de charentaises qu'elle me tend.

J'ai apporté une bouteille de côte-rôtie, l'un de mes vins préférés, que Lola m'invite à déboucher aussitôt en sortant deux verres à moutarde et un vieux tire-bouchon. La postière précise qu'elle-même ne sait pas s'en servir, qu'elle ne boit jamais, qu'elle n'apprécie pas le goût de l'alcool, mais qu'elle va m'accompagner par politesse. Et parce qu'un petit verre, ça fait sauter les verrous, non ?

Je m'habitue peu à peu au changement de luminosité.

La cloche de l'église sonne la demie.

Voilà ! Tout est exactement comme il faut. Le pot-au-feu breton mijote dans la cocotte en fonte. Assises de part et d'autre de la table, nous buvons mon côte-rôtie dans le fumet du porc aux petits légumes et au farz noir. Je crains un moment de ne pas savoir quoi dire à cette femme un peu raide, mais elle parle beaucoup plus que je ne l'imaginais.

— Dès que vous nous avez dit que vous étiez romancière et que tout roman comportait une part de vérité, j'ai rêvé de discuter avec vous en tête à tête. Je n'ai jamais ressenti un tel besoin de me confier. J'aurais aimé vous inviter à déjeuner ce jour-là. J'espérais que vous me diriez que vous aimiez le pot-au-feu, ou que ça sentait bon. Et vous l'avez dit, c'est fou, vous l'avez dit, mais je n'ai pas eu le courage de vous proposer de rester. Je n'ai jamais invité quelqu'un sur un coup de tête comme ça. Il m'a fallu plusieurs jours avant d'oser. Je suis une femme réservée, vous comprenez ? J'exerce un métier de contact pourtant et j'accueille de vieilles pipe-lettes toute la journée. C'est que le pli est pris depuis si longtemps. Leurs bavardages m'ennuient, elles me pourrissent mon silence, mais je n'ai pas le cœur de les chasser. Elles iraient où ? Oui, je vis dans un pli, un pli qui me convenait jusqu'à l'automne dernier, bien qu'il soit plus ancien que moi, un pli pris du temps de Martine, la précédente postière ou peut-être même depuis plus longtemps encore. Jadis, ce bureau était bien plus vivant, paraît-il. J'y travaille seule désormais avec Max, le préposé. C'est comme ça qu'on appelle les facteurs dans notre jargon. Nelly m'a parlé de votre premier livre. J'irai l'acheter en ville dès que possible, même si je ne lis jamais de roman. *Le cœur cousu.* Quel beau titre !

— Il n'est pas de moi. C'est une idée de mon éditeur.

— Avec un nom comme le vôtre, vous connaissez la coutume espagnole des cœurs cousus, j'imagine…

— Une coutume, non, je n'en ai jamais entendu parler et mon éditeur non plus, sinon il m'en aurait touché un mot pour me convaincre. Contrairement à vous, j'ai eu du mal à accepter ce titre. Il me faisait penser à une copine qui met des petits cœurs partout. Mais comme des amis imaginaient plutôt un truc chirurgical et même « gore », ça m'a consolée. C'est drôle comme une image peut se tirer dans tous les sens, on la remplit à sa guise.

— Mes habituées sont persuadées que votre livre est une histoire d'amour. Un truc à l'eau de rose. Pas moi ! Votre titre me suggère tout à fait autre chose à cause de cette tradition justement. Dans la région où sont nées mes aïeules, quand les vieilles femmes sentent la mort venir, elles brodent un coussin en forme de cœur qu'elles bourrent de bouts de papier sur lesquels sont écrits leurs secrets. La famille fait mine de ne pas les voir tandis qu'elles s'appliquent à leur ouvrage. Quand tout est confessé, elles ferment le cœur à l'aiguille et, à leur mort, leur fille aînée en hérite avec l'interdiction absolue de l'ouvrir.

— Et s'il n'y a que des garçons?

— Le fils aîné s'en charge, mais un fils ne doit pas garder le cœur de sa mère, il le confie à sa femme ou à sa fille.

— Et les belles-filles l'ouvrent.

— Bien sûr que non! On ne plaisante pas avec ce genre de chose en Espagne, et une bru ne fouille pas dans les secrets de sa belle-mère.

— Même si elle la détestait?

— Si elle la détestait, elle jette son cœur au feu.

— Et ces histoires partent en fumée! Quel gâchis! Non, je ne parle pas de cela dans mon premier roman. Qu'est-ce qu'on risque à découdre un cœur?

— Nul ne le sait! Personne n'a envie de commettre un tel sacrilège. C'est de cela que je veux vous parler justement. Ma grand-mère est venue d'Espagne pendant la guerre civile, et votre titre porte une part de mon histoire. J'ai transporté mon héritage dans ce pli, je vais vous montrer… Vous savez, d'habitude je ne dis pas grand-chose et là, avec vous… Il faut que je vous raconte… Je n'en ai même pas parlé à mes sœurs encore. Je comptais le faire à Noël, mais elles ont tellement ri quand je leur ai confié mon désir d'enfant que je me suis tue. Ensuite, elles ont discuté entre elles. Je n'ai plus ouvert la bouche. Moi qui parle si peu, j'avais lâché trois mots. Trois malheureux mots sans vraiment y réfléchir et elles sont montées sur leurs grands chevaux.

Elles m'ont demandé si je ne pouvais pas me contenter de mes neveux. Il fallait faire les choses dans l'ordre, que je me trouve un mari d'abord! Elles riaient, faisaient les questions et les réponses. L'adoption? Non, ce n'était pas envisageable. Elles trouvaient cruel d'élever un enfant en le privant d'un père. Quand on pense au père que nous avons eu toutes les quatre, franchement! Pardonnez-moi, je m'égare, ça me fait du bien de vous dire ce que j'ai sur le cœur! C'est fou comme on nous coince dans un rôle. J'ai compris ça, ce soir de Noël. Pour mes sœurs, j'étais, je suis, une sorte de vieille fille rigide, qui ne dit rien, mais qui n'en pense pas moins. La sévère qui juge en silence. Et là, je ne correspondais plus à ce qu'elles imaginaient, je sortais de mon rôle. Je les écoutais et j'avais envie de leur hurler que, non, je n'étais pas du tout la femme qu'elles croyaient. Si je ne parle pas, c'est que les mots se coincent dans ma gorge depuis toujours, et mon sérieux n'est qu'une façon de me protéger. De quoi? C'est le cœur du problème, justement. Aujourd'hui, les mots sortent, je n'en ai pas l'habitude, alors je m'emmêle, je ne parle jamais autant, je ne sais même plus où j'en suis dans tout ce que je vous raconte... Ne dites rien, s'il vous plaît, je suis lancée et je ne voudrais pas m'interrompre. J'aurais trop peur de perdre mon élan et de me taire de nouveau. Si quelque chose s'est déchiré en moi, autant que ça sorte. Donc, ce soir-là, le soir de Noël, mes sœurs m'ont sermonnée : je devais penser à l'enfant, pas à moi! C'était sans doute une erreur de m'imaginer mère, mais quand elles ont ajouté qu'un gamin s'ennuierait à mourir tout seul avec moi, elles m'ont blessée, si bien que pour la première fois j'ai refusé de m'occuper de leurs portées pendant les vacances de Pâques. J'avais déjà pris Tom, mon neveu préféré, à la Toussaint. C'est pendant cette semaine-là justement que tout a commencé. Tom a repéré une faille dans le mur au fond du jardin. Il m'a demandé ce qu'il y avait de l'autre côté. Je lui ai dit que c'était un cimetière et, comme il n'avait pas l'air de saisir, j'ai précisé qu'un cimetière, c'était l'endroit où l'on mettait les morts. Mon explication était certes un peu brutale, mais elle avait le mérite d'être claire, et je ne me suis pas méfiée en le voyant si joyeux, l'œil collé au trou qu'il venait de découvrir. Il a guetté les morts pendant toute sa semaine de vacances et je n'ai compris ce qu'il faisait que le jour de son départ, quand il m'a dit : *Regarde, Tata, les morts, ils se promènent!* Ça m'a fendu le cœur, mais il fallait lui avouer la vérité, lui expliquer que les gens qui se promenaient dans les allées du cimetière étaient des vivants qui rendaient visite aux morts pour leur fête. Il n'a pas été déçu, au contraire, il est reparti vers le mur, ravi. Une fois de plus, il y avait quiproquo, et, loin de briser le monde fantastique qu'il s'était bâti, je l'avais rassuré : il aimait l'idée qu'une fois mort on puisse recevoir la visite des vivants pour discuter entre copains et faire la fête. Il m'a tout de même demandé si les morts ne risquaient pas de s'enfuir, maintenant que le mur était cassé. J'ai ri en songeant que si les murs des cimetières étaient si hauts, c'était plus pour protéger les morts des vivants que l'inverse. J'avais tort. Vous croyez aux fantômes?

— Je crois aux histoires de famille, à leur capacité de nous hanter.

Lola sourit pour la première fois et son sourire la métamorphose. Je ne l'imaginais pas si belle.

— Dès que vous êtes entrée dans la poste, j'ai su que vous étiez celle que j'attendais, celle qui pourrait m'aider et qui n'aurait pas peur. J'ai fait comme si de rien n'était, mais je vous ai observée du coin de l'œil. Quand Nelly m'a dit le titre de votre roman, j'en ai eu froid dans le dos. Il est tellement lié à ce que j'ai à vous montrer que notre rencontre ne peut être fortuite. Même si le titre n'est pas de vous, même si vous ne parlez pas de cette tradition dans votre roman, vous avez tout de même écrit un livre qui s'appelle *Le cœur cousu* et il se trouve que, moi, j'ai une armoire pleine de cœurs d'aïeules dans ma chambre et que, parfois, dans le silence de mes nuits, je les entends battre. Vous ne me croyez pas? Venez! Suivez-moi!

Au-delà de la nappe trop blanche

Dans la cuisine, deux zones attirent l'œil : cette nappe si lisse, si blanche, et le trou sombre qui débouche sur le reste du logement de fonction où Lola m'invite à la suivre. Elle continue de parler en me précédant dans son terrier. Nous nous enfonçons dans la pénombre, nous traversons un salon à peine plus large qu'un couloir dont les murs sont couverts de biographies, de Mémoires féminins. Lola ne lit que ça, des vies de femmes, des textes qu'elle qualifie de « sincères » et, comme elle aime dévorer les vies jusqu'au bout, elle préfère les vies des mortes. Ses livres reposent là dans de ténébreux rayonnages comme autant de petits cercueils. Je devine que Lola n'invite jamais personne au-delà de la grande cuisine, au-delà de sa nappe blanche et lisse.

C'est étrange, cette facilité avec laquelle les gens se livrent depuis que je suis publiée, ils se racontent. Prenez mon histoire ! Écrivez-moi ! On me confie les clés de citadelles intimes. Après quelques minutes de conversation, Lola m'entraîne dans sa chambre qui est sans doute une sorte de donjon tapissé de toile de Jouy.

En haut de l'escalier, le palier dessert trois pièces. Nous entrons dans celle de droite où trône une monumentale armoire.

— C'est une armoire de noces bretonne. J'ai eu toutes les peines du monde à l'installer dans cette pièce. Elle a été réalisée pour la grand-mère de mon père. Enfant unique, il en a hérité à la mort de sa propre mère qui lui a imposé de me l'offrir pour mes vingt ans puisque j'étais l'aînée – s'il avait pu, mon père l'aurait donnée à quelqu'un d'autre, il l'aurait même vendue! Mais il nous a toujours tellement bassinées avec ses ancêtres qu'il n'a pas osé cette contradiction-là. Il répétait à maman que ses aïeux à elle ne lui avaient rien légué qu'un tas de tissus mité, alors que, chez lui, l'héritage avait du poids. L'armoire serait mon armoire de mariage, même s'il ne devait jamais y avoir de mariage. Peut-être voulait-il juste m'enquiquiner en m'imposant ce monument. Ce n'est pas bien grave, elle m'encombrera toute ma vie et l'une de mes nièces en héritera un jour! Mais il me semble qu'elle enfle, cette armoire, depuis qu'on s'est installées ici, elle et moi! Comme ces poires qui poussent dans les bouteilles au bout des branches ou ces maquettes de bateaux qu'on déplie une fois le goulot passé. Il faudra la désencastrer de ma chambre à ma mort. Les héritages sont une plaie!

— Elle est splendide! Toutes ces roses de bois sculptées...

— Je vous raconterai son histoire plus tard, ce n'est pas pour vous parler d'elle que je vous ai fait venir dans ma chambre. C'est ce qu'elle contient qui vous concerne.

— On est tout de même loin des meubles Ikea !

— L'air du temps permet d'échapper aux héritages. Si vous croyez que c'est simple de se coltiner un truc pareil !

— Pourquoi la gardez-vous alors ?

— Elle a été tour à tour cercueil, berceau, cachette, château d'enfant, assassin. Elle a écrasé l'une de ses propriétaires. Maman en a fait l'esprit de notre maison. Elle nous engageait à en prendre soin si nous voulions qu'elle soit bienveillante. J'obéis, j'en prends soin...

— Enfant, j'ai été mordue par une armoire. J'étais convaincue d'avoir été adoptée, j'en cherchais la preuve dans la chambre de mes parents qu'ils fermaient à clef comme pour me conforter dans l'idée qu'il y avait bien là quelque secret à dénicher.

— Chez nous, aucune clef n'était nécessaire, on n'aurait jamais osé entrer dans la chambre parentale. Avec son lit austère, cette pièce morte nous repoussait avec force.

— Un jour, je m'y suis faufilée et j'ai ouvert l'armoire de maman. En l'entendant arriver, je l'ai vite refermée et j'ai voulu m'enfuir, mais une main m'a retenue par la jupe dans mon dos. J'ai hurlé, maman a accouru... Ce qu'elle a ri en voyant ma robe coincée dans la porte de l'armoire ! Il aurait suffi que je me retourne pour comprendre. Mais j'ai eu peur d'affronter ce que j'imaginais. Quand ma mère mourra, que trouverai-je derrière cette porte fermée, dans ces placards si pleins de son odeur ?

— Mon père s'est aspergé de la même eau de toilette

toute sa vie et son parfum surgit en moi sans raison ces derniers temps.

— Un parfum fantôme… Moi, j'étais surtout sensible à l'odeur de ma mère. Quand je lui succédais aux toilettes, je le devinais au nez. Ce n'était pas désagréable, ce sillage organique, sa présence comme suspendue. Mon père n'a pas cette profondeur viscérale dans le parfum, il ne sent rien. Comme quelqu'un qui ne voudrait pas laisser de trace, de peur qu'on ne le piste. Les souvenirs d'enfance sont tellement sensoriels ! Ils dessinent un monde magique, soumis à une logique différente, où votre armoire a sa place. Mon père est arrivé en France les mains vides. Rien n'a survécu au double exil de sa famille. Il n'y a pas d'objets pour me lester, juste une histoire brutale qui me précède et dont je ne suis qu'un chapitre.

— C'est étrange, nous nous connaissons à peine et nous nous racontons des choses terriblement intimes ! Voilà ce que je voulais vous montrer !

Lola ouvre la porte centrale de l'armoire.

Le grand miroir en tournant fait vaciller la pièce dans son reflet et des éclats lumineux courent sur les murs.

La mémoire des cœurs

Au milieu des draps, des nappes blanches, des serviettes de toilette, soigneusement pliés, dans cet empilement de tissu qui leur est un cadre idéal, les cœurs cousus occupent toute une étagère à hauteur de regard, cet espace leur est dévolu comme un petit autel.

Cinq cœurs très différents, brodés avec plus ou moins de talent. Certains, gonflés de secrets, tiennent debout tout seuls, étranges ex-voto, d'autres s'avachissent comme de vieux coussins. Le corps noir du plus ancien, usé jusqu'à la trame, pétille de paillettes vif-argent, un accordéon s'y déplie au point de croix, au bord de l'effacement. Dans le lot, un cœur blanc a éclaté, laissant échapper des dizaines de morceaux de papier pliés. L'armoire a une haleine de jeune fille, quelque chose circule dans son parfum de lavande, un réseau d'ombres et de lumière, des vies hantent les tissus. Le cœur de lin, écorché par le temps, déborde de mots écrits et ces mots cherchent à regagner le monde des vivants.

Je pense à toutes ces manières que nous avons de laisser une trace, de nos amours au moins…

Comment écrirais-je mon existence si, à mon tour, je devais la découper en petites pages pliées ? Si, au seuil de la mort, je voulais la laisser en héritage à ma fille dans un livre interdit, enfermée dans un cœur de tissu ? Serais-je plus sincère sentant ma fin plus proche ? Comment écrit-on sa vie quand on touche à la mort, tout en sachant que personne ne la lira ? A-t-on envie de s'inventer une belle histoire avant de s'endormir pour de bon ? S'autorise-t-on tous les mensonges ? Ou au contraire essaye-t-on de coller au réel ? Que choisit-on de raconter ?

Encore faudrait-il se souvenir... Au moins de l'essentiel.

Cette armoire est habitée, j'entends moi aussi quelque chose battre dans la nuit. Un courant d'air glacé me caresse la nuque et j'ai peur de ne jamais savoir ce que contiennent ces cœurs, peur que l'armoire ne se referme.

— Le cœur blanc a craqué le jour de la Sainte-Catherine, me murmure Lola comme s'il s'agissait de ne pas réveiller un enfant endormi. J'étais au jardin, un coup de vent froid a fait claquer toutes les portes de la maison et, quand je suis montée pour les refermer, j'ai trouvé l'armoire grande ouverte et ce cœur déchiré.

— Et vous avez lu ces bouts de papier ?

— Même pas déplié, même pas touché ! Je les ai laissés tels quels sur l'étagère depuis des mois.

— Vous ne les lirez pas ?

— Je ne sais pas.

— C'est un signe, non ? Que ce cœur se déchire après tout ce temps ? Pourquoi celui-là ? C'est le plus vieux ?

— Le noir pailleté est le plus ancien. Ma grand-mère

Rosa est arrivée en France à pied. Elle avait rangé ces trois cœurs-là, ceux des trois femmes qui l'avaient précédée, le noir, le blanc et le rouge, dans un sac de toile sur lequel elle a posé la tête pour dormir pendant des mois, de peur qu'on ne lui vole son seul bien, ses racines. Elle n'avait pas un sou, et ma mère est née en chemin. Yaya Rosa a accouché au bord de la route, la tête appuyée sur son sac plein d'ancêtres et une femme inconnue entre les jambes qui lui disait de pousser, une femme dont le sourire et la voix forte l'ont aidée à ne pas renoncer. Elle m'a parfois raconté la longue marche qui l'a conduite en France, dans ce pays dont elle ne savait ni la langue, ni rien. Elle était très jeune, les cœurs lui soufflaient des encouragements à l'oreille. Elle a continué d'avancer, ses aïeules dans le dos et sa fille, ma mère, accrochée à son sein. Elle a fini par s'installer dans un village breton où des paysans l'ont accueillie. Elle a trouvé un père pour son enfant, un gentil gars qui lui en a fait deux autres dans la foulée, et elle n'a plus bougé. Marcher avec sa charge de fantômes dans le dos et son bébé dans les bras l'avait épuisée. Au moment de mourir, elle y pensait encore. Elle disait que sa fille resterait toujours un poids trop lourd à porter. Le cinquième cœur, le bleu, c'est celui de ma mère.

— C'est la malédiction qui vous effraie ? Si vous voulez, je peux la prendre sur moi et vous lire ces fragments de vies. Je ne crains rien, ma grand-mère était sorcière.

— Vous parlez espagnol ?

— Oui.

— Pas moi.

— Je peux vous les traduire, ces textes. Si vous voulez…

Je cherche une réponse sous les traits impassibles de Lola, il me semble voir passer des lames de fond dans son regard, des sentiments contradictoires, je l'observe en espérant qu'elle cédera, que nous allons nous asseoir toutes les deux sur le parquet comme des gamines et passer la nuit à déplier ces bouts de papier pour reconstituer le puzzle. J'espère et je n'ose plus rien dire.

La cloche de l'église sonne neuf coups. Lola referme la porte de son armoire. Il est temps de redescendre. Le dîner est prêt.

Peut-être n'aurai-je plus jamais accès à cet espace intime où battent ces cœurs si pleins de secrets. Je me déteste d'avoir parlé trop vite, d'avoir brusqué Lola. Pourquoi suis-je si affreusement spontanée? Ça parle malgré moi. Le silence vient après, la pensée aussi. Et pourtant je sais bien que les paroles ne sont pas aussi volatiles qu'on l'imagine, que les mots dits, les mots reçus, se gravent en nous et que l'écriture sert à ça aussi, à les gratter, les poncer, les effacer.

L'armoire de noces

Dans mon assiette, les roses peintes disparaissent sous le gruau de sarrasin, le jarret de porc et le bouillon brûlant. Je propose que nous passions au tutoiement. En se servant à son tour, Lola me répond qu'elle va essayer, mais qu'il ne faudra pas que je lui en veuille si elle n'y parvient pas. Elle ne tutoie pas grand monde.

Je cherche déjà à la transformer en héroïne, je commence à la bricoler. J'aimerais savoir ce qui l'anime, comment elle emplit sa vie, ce qu'elle fait de toute cette solitude. Mais je me contente de l'interroger sur son armoire de noces.

Elle a été réalisée à une époque où la lignée avait une valeur considérable. Il fallait plusieurs décennies avant qu'un verger soit rentable et trois générations pour réaliser une belle armoire de mariage. Chez les paysans bretons, l'arrière-grand-père plantait traditionnellement un arbre pour son arrière-petite-fille. Un arbre dont le destin était tout tracé. On admirait ce qu'il dessinait dans le paysage, tout en sachant qu'il finirait dans une chambre à coucher.

— Ça paraît fou d'imaginer qu'on a enfermé le plus beau des arbres dans une si petite pièce, poursuit Lola. L'homme qui, à peine marié, a planté ce chêne, s'appelait Jean Coadic. C'était un gros paysan de la région de Quimper. Sa femme, Maylis, était d'une beauté à couper le souffle, elle a perdu la tête et a péri en incendiant leur ferme. Tout a brûlé à l'exception d'un portrait d'elle, qu'il a réussi à sauver au péril de sa vie. Bien plus tard, alors qu'il se promenait sur ses terres avec ses fils, Jean Coadic leur a désigné cet arbre et deux autres presque aussi imposants en leur disant : « Vous en abattrez un à la naissance de chacune de mes trois premières arrière-petites-filles, vous en ferez trois armoires de mariage à trois vantaux, une pour chacune de ces trois-là et, en souvenir de moi, je veux que ces meubles soient les plus beaux qu'on ait vus dans le pays et que le visage de ma femme Maylis y soit sculpté au centre dans une rosace d'après le portrait du salon. Trouvez un ébéniste à la hauteur de la beauté de votre mère et de la noblesse de ces trois arbres. Même s'il n'est pas du pays, même s'il doit venir de fort loin et même si cela doit vous coûter la moitié de vos champs. J'y tiens ! »

— Et les fils ont obéi ?

— Oui. À la naissance de Gwenaëlle, mon arrière-grand-mère paternelle, le plus grand des trois arbres a été abattu et son tronc a séché pendant dix-huit ans, jusqu'à ses fiançailles. Alors on a cherché un artisan capable de traduire dans le bois la beauté de Maylis, l'épouse de feu Jean Coadic. La famille a choisi un ébéniste espagnol à moitié fou installé à Dinan.

— Mais ce visage sculpté a disparu ?

— Il occupait la porte centrale, mais il était si inquiétant qu'il faisait peur à Mémé. Elle était persuadée que la morte cherchait à la posséder. Sa sœur aînée, qui avait hérité de l'armoire avant elle, cachait sa correspondance adultérine derrière les roses de la corniche, elle avait escaladé le meuble jusqu'au jour où il avait basculé sur elle. Son mari avait découvert son cadavre en même temps que son infidélité en rentrant chez lui. Ma grand-mère n'a accepté de récupérer à son tour cette armoire assassine qu'à la condition qu'on remplace ce visage de l'aïeule folle par un miroir. Saucez votre assiette pour le fromage, s'interrompt soudain Lola. Je suis gênée, il n'est question que de mes histoires de famille depuis le début de cette soirée.

— J'aime écouter. Tu m'autorises à utiliser tout ça dans un roman un jour?

— Oui. Je m'en fiche! Je lis énormément, mais jamais de romans. Les mensonges ne me touchent pas.

— Un roman n'est pas un mensonge, puisqu'il ne se présente pas comme la vérité, même s'il s'en donne les apparences. Il peut pourtant contenir plus de réalité qu'un témoignage, permettre de toucher à l'intime, de dire ce qui ne saurait être dit autrement.

Au fil de la conversation, je comprends que, pour Lola, il suffit que le personnage central d'un livre ait existé pour qu'elle accepte tout son contenu comme incontestablement exact. Elle ne doute pas que les vies sont écrites telles qu'elles se sont vraiment déroulées. Lola dévore les vies des autres, et pas seulement celles des figures majeures de l'Histoire. Lola, si sage, lit avec délice des vies folles, elle consomme

« des vies météores ». Elle s'en remémore des passages dès qu'elle en a le temps. C'est l'une de ses occupations favorites, elle vit l'amour, le crime, la mort, par procuration. Elle ne s'invente jamais un avenir à elle, ce serait une trahison, une forme de fiction, et elle ne s'abandonne que rarement à ses propres souvenirs. Elle les trouve médiocres et refuse d'être sa propre dupe en les enjolivant un peu. Seuls son jardin et les vraies vies de papier l'occupent. Quand elle rêvasse, elle se contente d'imaginer son potager aux beaux jours.

La cloche de l'église sonne 10 heures.

— Je suis une femme sans intérêt, conclut-elle. Je n'ai rien vécu qui mériterait d'être écrit. Mes sœurs m'ont souvent reproché de ne pas les écouter. Quand elles me confiaient leurs histoires de cœur, je les interrompais pour leur raconter la vie de Colette ou celle de Coco Chanel, ça les rendait hystériques. J'ai compris, maintenant je me tais. Mais mes sœurs ont raison, je réduis leurs vies à rien, puisqu'elles ne sont pas écrites. Seuls les livres parviennent à m'émouvoir. Ça vous ennuie si l'on retourne les assiettes pour le dessert? Cela fera moins de vaisselle.

— Non, pas du tout. Et si quelqu'un te raconte une expérience dramatique, s'il s'agit de partager une émotion en face-à-face?

— Je n'y arrive pas bien. Je ne pleure qu'en lisant des histoires vraies. Ma boiterie m'a trop longtemps tenue à l'écart.

— Pourquoi?

— C'est congénital, mon héritage breton, avec

l'armoire. Pourtant mon père a refusé d'assumer sa responsabilité. Pas de boiteux dans sa famille, jamais ! Le comble de la mauvaise foi quand on s'appelle Cam.

— Cam ?

— Ça veut dire boiteux en breton. J'ai subi tant d'opérations. Je déteste les hôpitaux, ils m'ont volé une partie de mon enfance. Un beau jour, j'ai décidé de ne plus y retourner. J'ai accepté d'être bancale et seule.

— Seule ?

— J'adore mon jardin, il m'aide infiniment. Il me relie au monde. Je n'ai jamais vécu d'autre histoire d'amour.

— Jamais ? Même pas une toute petite ?

— Mon père me l'a trop répété. *Boiteuse ! Tu es infirme et laide, la plus laide des quatre !* Je n'avais pas le droit de m'asseoir en face de lui à table, ça lui coupait l'appétit, de marcher à côté de lui dans la rue, je lui faisais honte.

— Quel sale type ! Mais tu n'as jamais été séduite par quelqu'un ? Tu n'as jamais éprouvé de désir ?

— C'est compliqué de désirer qui que ce soit quand on ne se désire pas soi-même.

— Alors que tu es si jolie !

— Tu es vraiment prête à tout pour avoir accès à mes cœurs cousus, lâche soudain Lola avec l'un de ces sourires qui l'illuminent.

— C'est vrai. Je mentirais, je volerais, pour lire ces morceaux de vie. Mais si tu te souriais plus souvent, tu prendrais conscience de ta beauté. Et ton prénom, tu le dois à ta mère ?

— Lola, c'est un diminutif. En vérité, je m'appelle Dolorès, comme ma mère, Dolorès comme la mère de ma mère, Dolorès comme la mère de la mère de ma mère. Bien que ma famille ait quitté l'Espagne, ma mère a perpétué la tradition, elle a donné son prénom à sa fille aînée. Ce n'est pas vraiment le mien puisqu'il saute de mère en fille depuis des siècles. La nuit, j'imagine toutes ces femmes, placées les unes derrière les autres, prêtes à se remplacer, une longue file de Dolorès, en écho à la première Dolorès qu'on a oubliée depuis longtemps. Comme si mon corps vivant n'était qu'un réceptacle chargé d'accueillir toute la lignée, avec sa somme de rêves, de peurs, de folie, comme si je n'étais qu'un véhicule et que circulaient à travers moi une foule de fantômes. Je suis la gardienne d'une histoire que j'ignore et qui ne m'appartient pas. L'origine de la douleur s'est perdue, il ne reste qu'un prénom et l'héritage inquiétant et silencieux qui repose dans mon armoire. Toutes ces Dolorès sont-elles condamnées à reprendre le flambeau de la douleur ? À devenir la génération précédente dès que celle-ci tombe ? Comme une ligne de fantassins sur un champ de bataille, toujours à la même place dans le combat, destinées à être les mêmes pièces sur le même échiquier de cette douleur inconnue et tellement lointaine que seul notre prénom en garde la trace, une trace qui se multiplie de génération en génération. Même mes sœurs ont donné ce prénom à l'aînée de leurs filles. Avec le temps, il y a toujours plus de Dolorès, comme si le nombre pouvait diluer la souffrance. Et nul ne se pose jamais la question du début. Comment soigner une douleur fantôme ?

— La réponse t'attend peut-être dans ce cœur déchiré…

— Bon, eh bien, allons-y! propose soudain Lola en riant. Entrons dans ce cœur puisqu'il nous y invite. Oh! Nous avons fini la bouteille de vin, j'ai du calva dans le placard, si tu veux. Un cadeau de mon facteur.

Lola remplit les verres à moutarde d'eau-de-vie. À ras bord.

Sacrilège

Nous vidons le cœur déchiré, que la tige de rose brodée ne muselle plus, sur le couvre-lit de soie au milieu des oiseaux fabuleux. J'aide Lola à déplier les vieux morceaux de papier qu'une petite écriture serrée noircit. Beaucoup de ces feuillets sont numérotés. Nous les empilons pour les lire dans le bon ordre en laissant de côté ceux qui n'entrent pas dans cette chronologie décidée par l'aïeule. Pourquoi numéroter des pages si elles ne sont pas destinées à être lues ?

L'écriture est soignée, très lisible bien que minuscule, mais quelques feuillets, rédigés d'une main tremblante, seront plus difficiles à déchiffrer. Les mots y sont jetés. Les phrases, écrites au fil de la plume, semblent avoir jailli face à l'abîme comme s'il fallait que l'aïeule se saigne de ses derniers secrets avant de mourir. Nous décidons de les lire en dernier et nous plaçons tout à la fin le plus balbutiant de tous qu'une écriture différente achève.

Il y a aussi, dans le lot, deux pages d'une vieille encyclopédie des plantes et un petit cœur de tissu brun. En le palpant, Lola devine qu'il contient des graines. Ce détail la bouleverse plus que le reste. Onze coups retentissent.

— Je déroge à toutes mes habitudes ce soir, s'étonne Lola. J'ai toujours été très ponctuelle : au onzième coup, je suis dans mon lit avec un livre.

— Ce cœur, c'est presque un livre !

Assises l'une contre l'autre sur le petit tapis bleu, adossées au pied du lit, nous nous regardons en silence et buvons une bonne rasade de calva avant de nous plonger dans la lecture du cœur déchiré.

Dans le cœur d'Inès Dolorès

1

De quoi meurt-on à vingt ans?

Carmen Dolorès m'est tombée du corps comme les autres, comme le troupeau de braillardes qui l'a suivie.

Tombée du corps!

Elle ne danse plus sous les eaux, voilà longtemps que ses bras longs et fins ont été dévorés, que ses pieds ne battent plus les planchers de bois au rythme des guitares, que ses yeux ne me toisent plus, mais son souvenir m'assiège, son souvenir me veille, il est là, dans cette chambre où j'écris, il est là, silencieux, assis sur une chaise.

Je suis vieille, laide et malade, mes poumons sifflent, l'air me griffe et je suis passée à côté de l'amour.

2

Je suis née et j'ai grandi dans un jardin.

Longtemps, il n'y a pas eu d'au-delà.

Un fatras de broussailles m'a servi de berceau et un faux frêne s'est penché sur moi pour me tenir compagnie et chasser, en m'éventant, les essaims de grosses mouches qui me suçaient le bleu des yeux et buvaient du lait caillé au coin de mes lèvres.

Mes mains s'agitaient, comme des oiseaux minuscules. Je me souviens qu'elles touchaient au ciel.

L'écorce du faux frêne, sous lequel j'ai fait la sieste durant mes premières années, puait tant que me coucher dans son ombre était le meilleur moyen de tenir les autres habitants du jardin à distance. Mes rêves ont gardé le parfum aigre de mes sommeils d'enfant. Je suis sûrement la seule créature au monde à apprécier cette odeur avec les myriades d'insectes butineurs que l'arbre attirait.

Je souriais aux anges de bois que mon père semait dans ce chaos de verdure. Des figues et des oranges m'ont encouragée à me tenir debout, les branches les plus basses ont assuré mes premiers pas et un tapis de trèfle a amorti mes chutes.

J'ai aimé ce ventre sauvage.

3

J'ai suçoté des pousses au printemps, dévoré des fleurs en été, mangé des fruits et des baies séchées à l'automne et j'ai rogné l'écorce des racines en hiver. J'ai été merveilleusement libre. Dès mes premiers pas, ma mère m'a abandonnée au jardin qui s'est chargé de mon éducation.

J'aimais le frêne puant, mes chiens, mon nid d'épines, les orangers et le parfum du jasmin. Mon espace de jeu était immense, mes jambes d'enfant n'en venaient pas à bout.

4

À gauche de notre grande maison s'étendait le territoire de ma mère : des massifs de fleurs aux couleurs vives, un verger, un potager, des ruches. Un monde apprivoisé, chargé de réjouir les sens.

En partant sur la droite du perron, on entrait presque aussitôt dans le bois de mon père où poussaient ses arbres centenaires. Parfois, il en coupait un, comme on tue un cochon. Il tournait un moment, cherchant lequel abattre, et je le suivais dans la crainte qu'il ne choisisse l'un de ceux que j'aimais. Je tremblais pour mon frêne surtout. Je savais que je ne pourrais rien dire, qu'il me prendrait celui qu'il voudrait et qu'il ne fallait pas se mettre en travers de son chemin lorsqu'il tenait sa hache.

Toute une partie du parc était un enchevêtrement de ronces et d'oiseaux. Mes parents m'avaient abandonné ce morceau sauvage du monde. J'ai fait des ronciers mon domaine.

5

Père était un grand homme sombre et sec, au visage creusé, au regard profond et aux mains énormes. Aux beaux jours, maman lui gueulait qu'il l'emmerdait à travailler toute la journée au lieu de s'occuper d'elle, alors il tentait de se racheter en l'invitant à danser dans le silence du kiosque à musique qu'il avait bâti pour elle. Parfois, depuis une fenêtre, elle hurlait au vent qu'elle aimait sa sale gueule d'Égyptien et, en réponse, nous l'entendions rire dans son atelier, il riait d'être ainsi traité de gitan, lui qui n'avait jamais quitté son coin de terre.

Mon père disait que tous les arbres du jardin étaient siens, que ses ancêtres les avaient plantés, que le sang qui coulait dans ses veines aujourd'hui avait coulé dans celles des hommes de sa lignée et que ses mains étaient irriguées par les mêmes désirs, par le même talent héréditaire, par ce don de voir en l'arbre sur pied ce qu'il pouvait devenir, une Vierge, un ange ou un christ. Il savait la forme cachée sous l'écorce et il la dégageait dans son atelier au couteau à bois. Malgré tout, il arrivait que son travail ne le satisfasse pas et qu'il abandonne ses statues inachevées. Il les plantait alors n'importe où dans les ronces, il arrivait même qu'il les enterre. Il y avait dans notre petit cimetière, où reposeraient ma mère et Concepción, quantité de tombes anonymes et je savais qu'il s'agissait des enfants monstrueux de mon père, de toutes ses œuvres inabouties.

J'avais deux pères en un : un être joyeux et simple, un père qui semblait m'aimer, qui me sculptait des petits animaux de bois, tout un bestiaire fabuleux, et un autre, violent, qui me hurlait sa haine et me poursuivait pour me battre, un père qui m'aurait tuée si je n'avais pas eu cet espace plein de ronces où me réfugier. Pendant ses crises, je me pelotonnais au cœur de mon jardin sauvage et cette part, qui m'avait adoptée, multipliait ses légions d'épines et ses recoins d'ombres pour me protéger de sa folie.

6

Quand Lucia, ma mère, était passée sur la route des années plus tôt dans sa robe à paillettes et qu'elle était entrée dans le jardin de l'ébéniste demander un peu d'eau, sans se douter qu'elle n'en sortirait plus, elle venait de faire l'amour avec un jeune homme sans nom qui agonisait sur le bord du chemin comme un chien. Un beau garçon aux yeux bleu pâle et au délicieux parfum de roses, un jeune anarchiste blessé par la *guardia civil* et qu'on avait oublié là tout souffrant dans un buisson d'épines. Presque un enfant. Il se lamentait de partir si tôt, de ne pas même avoir eu le temps de connaître le corps d'une femme, sans pour autant mourir dans les bras de sa mère. Lucia, charitable, lui avait offert sa première fois et sa dernière aussi, elle l'avait senti venir à deux reprises en elle et l'avait vu mourir entre ces deux jouissances. Elle l'avait serré si fort contre elle pour qu'il cesse de pleurer, pour qu'il se taise et qu'elle puisse reprendre la route.

Elle l'a écrit à voix haute, un soir, sur la fin, alors que la tristesse lui abîmait déjà les traits, elle l'a écrit comme une chose importante, sur l'un des morceaux de papier qu'elle a glissés dans son cœur de tissu, un cœur découpé dans la vieille robe noire à paillettes qu'elle portait en ce temps-là, quand elle marchait librement sur les chemins, son accordéon à la main. Ma mère ne m'a pas vue l'observer alors qu'elle écrivait ses secrets. Elle ne remarquait plus ma présence depuis longtemps déjà. Elle s'est raconté cette scène pour elle-même.

Et moi, je l'ai entendue et j'ai compris, grâce à cette ultime confession, j'ai compris les ombres sur le front de mon père, j'ai compris cette folie qui le prenait ces jours où mes yeux trop bleus lui rappelaient qui j'étais et où je devinais qu'il fallait que je gagne mes ronces le temps que lui passe cette soudaine envie de m'abattre. Il avait aimé une femme grosse de l'enfant d'un mort.

Ma mère a avoué à haute voix sur un bout de papier à part, et c'était peut-être le plus lourd de ses secrets, qu'elle s'était toujours demandé si la semence qui avait germé en elle était celle du garçon encore vivant ou celle de son cadavre, si la mort qu'elle avait donnée ne l'avait pas ensemencée, si elle n'avait pas profité de son passage pour avoir un enfant. *La hija de la muerte.*

Suis-je la fille d'un jeune mort aux yeux trop bleus?

7

Ma mère n'a jamais été affectueuse envers moi. Elle avait même un léger recul quand je m'approchais pour l'enlacer. J'ai renoncé aux gestes de tendresse. J'ai compris trop tard que mon regard lui rappelait ce garçon abandonné comme un chien sur le bord de la route, que mon visage portait les yeux grands ouverts d'un cadavre.

Lui avait-elle seulement fermé les paupières avant de

laisser son jeune amant sans vie dans son lit d'épines et de reprendre ce chemin qui l'a conduite au jardin ?

Alors qu'à mon tour je m'apprête à partir, que je remplis mon cœur cousu en espérant que la mort me laissera le temps de raconter mon histoire jusqu'au bout, alors que j'écris ma vie d'une petite écriture serrée, comme je l'ai vue faire, je regarde le cœur noir de ma mère posé à mes côtés sur mon lit et je ressens encore ce besoin de savoir qui elle était. Ce cœur de tissu qu'elle m'a légué en m'interdisant de l'ouvrir, je l'ai gardé toute ma vie, il m'a accompagnée. J'ai été tentée de le découdre bien des fois, sans jamais m'y résoudre, par peur de ne pas y trouver ce qui m'a tant manqué. Et aujourd'hui encore, face à la mort et à ma propre confession, ma mère reste une énigme.

Je pense avoir été moins opaque pour mes filles, même si je ne les ai jamais senties pousser en moi, jamais portées, jamais élevées. Dans le lot, la seule qui me plaise un peu est Rosa Dolorès, ma première petite-fille, l'unique enfant de Carmen Dolorès. C'est elle qui héritera de mon cœur, puisque sa mère, celle qu'on surnommait la Niña, s'est brûlé les ailes et n'a vécu que le temps de la mettre au monde entre deux soleás.

Rosa attend ma fin pour partir avec nos trois cœurs dans sa besace. Le noir, celui de Lucia, ma mère, le rouge, celui de la Niña, ma fille aînée, et le mien, ce cœur blanc que je tarde à achever.

Ce n'est pas simple de se raconter comme il faut. Même si personne ne me lira, j'aime l'idée d'être bien écrite, comme j'aime celle de mourir propre et bien habillée. Je détesterais partir avec des dessous souillés.

8

Avant la mort de ma mère, chaque fois que mon père abattait un arbre, il en replantait un nouveau pour maintenir l'équilibre du monde.

9

Longtemps, le jardin a été assez grand pour me contenir, mais j'ai fini par regarder au-dehors, il m'a suffi pour cela de grimper aux arbres. Alors j'ai découvert l'horizon. J'ignorais jusque-là que, passé les hauts murs de pierres qui cernaient notre jardin, rien ne poussait que des broussailles à des kilomètres à la ronde sur la terre craquelée. Pour la première fois, j'ai vu la route et les hommes accablés de chaleur qui la parcouraient avec leurs ânes dans un sens ou dans l'autre. Qui allaient, qui venaient, qui s'arrêtaient parfois contre nos murs pour discuter en se roulant une cigarette à l'ombre de nos figuiers, avant de reprendre leur mouvement comme si rien n'existait que cette ombre délicieuse, qu'ils ne voyaient que ça, et qu'il n'y avait ni maison, ni parc, ni sculpteur, ni petite fille cachée dans un arbre. Rien que cette ombre, cet îlot de fraîcheur sur leur chemin. J'adorais les écouter parler du monde, décrire la beauté de la femme de Pedro, se moquer de la bosse de cet âne d'Emiliano ou des cornes de Ruben, se plaindre du prix du pain ou des propriétaires terriens qui les affamaient.

Je n'ai pas été baptisée, mais ma mère a tout de même insisté pour me donner un nom, un beau nom qui sonnait bien, j'étais Inès Dolorès.

Quand j'étais petite fille, maman passait ses nuits dans la bibliothèque, le nez dans les livres. Je me cachais pour observer son beau visage concentré dans la lueur de la lampe à pétrole. Un soir, sans même se tourner vers moi, elle m'a invitée à m'asseoir à ses côtés sur le velours bleu nuit de son fauteuil. J'ai alors éprouvé une telle joie que j'aurais fait n'importe quoi pour qu'elle me permette à nouveau de prendre place contre elle. Quels délicieux souvenirs j'ai de ces moments passés ensemble à lire dans un même livre d'herboristerie les noms savants des fleurs sauvages, assises dans son parfum, installées sous le rond de lumière de la lampe comme sur une île! J'ai appris à lire, puis à écrire, pour rester plus longtemps dans sa chaleur, pour qu'elle s'occupe de moi encore et me couve de son regard sombre! J'ai été la meilleure des élèves pour qu'elle ne renonce pas. J'ai appris en déchiffrant des mots compliqués, les pages étaient envahies d'étamines, de rhizomes, de cynorrhodons.

C'était plus simple pour ma mère de supporter ma présence quand mes yeux pâles étaient occupés par des lettres. Dès que je me tournais vers elle en quête d'une approbation, la mort entrait dans la danse et elle se troublait. Je me suis passionnée pour qu'elle m'aime un peu plus longtemps.

12

Dans leur chambre, ma mère et mon père avaient souvent de longues conversations, parfois je les entendais rire. Je me pelotonnais contre leur porte pour écouter maman jouer de l'accordéon ou chanter cette soleá flamenca que j'aimais tant. Je tentais de me faire aussi petite que possible pour ramasser des miettes de leur merveilleux amour.

13

Mon père ne sculptait plus que ma mère morte.

Elle était partout, multipliée. Ma mère souriante, ma mère endormie, couchée dans l'herbe sèche, ma mère en pleine course, légère, ma mère nue ou habillée, ma mère en Vierge, en ange, en croix, ma mère courbée à l'ouvrage dans un potager ravagé par son absence, ma mère en larmes, et elle semblait si vivante que je m'asseyais à ses côtés pour tenter de la consoler.

J'avais quatorze ans quand mon père a commencé à chercher sa femme morte dans l'épaisseur du bois, lorsqu'il a décrété qu'elle se cachait dans tous les arbres de ce jardin et qu'il fallait la libérer de leur tronc. Dès lors la porte de l'hacienda n'a plus été fermée à clef et les murs ont commencé à se fissurer sans que mon père s'en soucie. J'ignore si les murs ont cédé par manque d'entretien ou si la mort de ma mère les a affectés eux aussi, ou si cette mort a fissuré mon père et, fissurant mon père, a fissuré les murs, ou encore si les murs, soudain désœuvrés, n'ayant plus rien à enfermer ou à défendre, se sont peu à peu abandonnés, ruines inutiles.

Mon père aimait ma mère d'un amour insensé. Je l'ai compris ce jour où elle s'est pendue à la branche d'un noyer.

Après l'avoir détachée, veillée et enterrée en silence, mon père s'est retourné contre l'arbre assassin, puis contre tous ses frères, soupçonnés de donner la déraison et de glacer le cœur de ceux qui s'allongent dans leur ombre, mais cela n'a pas calmé sa colère, alors il s'est attaqué aux chênes aussi, et il a fini par abattre tous les arbres du jardin, frappant nuit et jour contre leurs troncs, nuit et jour, jusqu'à tomber lui-même, épuisé, devant le faux frêne qui puait plus fort qu'à l'ordinaire, si fort qu'il bourdonnait de mouches et se drapait de papillons jaunes.

14

Je n'étais pas vraiment une enfant sauvage, j'étais soumise à un certain nombre de règles humaines dès que j'entrais dans la maison. Concepción, notre vieille servante sourde et muette, m'a appris à me tenir convenablement à table, à me laver, à réaliser quelques travaux d'aiguille, elle a même essayé de m'enseigner des prières, mais pour cela il aurait fallu qu'elle sache parler.

Dieu m'est resté inaccessible. Pourtant quand maman s'est abandonnée à la tristesse, quand son regard s'est terni, j'ai tenté de faire sortir Dieu du bois des statues où mon père l'enfermait, je l'ai appelé. Il est resté aussi sourd que Concepción et je l'ai insulté en vain puisqu'Il n'entendait rien.

15

Il ne restait plus qu'un seul arbre dans notre jardin : le faux frêne. Tous les autres avaient été abattus. Les voyageurs, désormais condamnés à se coller contre notre mur pour glaner un peu d'ombre, s'en plaignaient. Ils en voulaient à l'Escultor d'avoir détruit son coin de paradis, pourtant inaccessible. Plus de pause sous les branches qui, passant par-dessus l'enceinte, offraient naguère leur fraîcheur, leurs fruits et leurs parfums aux marcheurs. Plus de figues violettes à cueillir, plus rien que le soleil raide tapant dans le cou tout du long sur le chemin jusqu'à la ville.

Je les écoutais parler de mon père, dire qu'il n'était pas bon de vivre si longtemps seul. Jamais l'une de ces voix ne nous a mentionnées, moi ou ma mère. C'est que, pour le monde du dehors, nous n'existions pas. Mon père nous avait gardées pour lui seul. En quinze ans, nous n'étions jamais sorties et personne n'avait été invité à franchir le seuil du jardin. Quand des hommes de peine venaient charger des statues sur leurs charrettes, ils passaient par la porte de son atelier qui donnait directement sur la route. Pour le reste, mon père se débrouillait avec son treuil et ses deux gros chevaux.

16

Quand son travail l'obligeait à nous quitter, mon père pleurait dans les bras de ma mère, puis il fermait soigneusement toutes les portes, et j'imaginais que c'était pour nous protéger. Lui seul en détenait les clefs, lui seul pouvait passer d'un monde à l'autre. J'ai pris ce geste pour une preuve d'amour. Ma mère craignait-elle quelque chose au-dehors ou aurait-elle profité de la moindre brèche pour nous abandonner et repartir sur la route dans sa robe à paillettes ? Comment aurais-je pu comprendre ce que je ne comprends toujours pas ?

Mes parents étaient mon unique modèle, avec le jardin, bien sûr, avec toutes ces fleurs et ces insectes qui eux aussi s'aimaient ardemment.

Qu'il est difficile d'échapper à ce qu'on a connu enfant, à ce que nos parents, réels ou imaginaires, nous ont dessiné du monde !

17

Les oiseaux avaient quitté le jardin, le vent ne bruissait plus dans les feuilles puisque les arbres étaient tombés, l'accordéon et la voix de ma mère reposaient sous la terre et mon père s'enfermait dans son atelier. J'ai vécu dans un monde aussi silencieux que celui de

Concepción pendant plusieurs saisons. Jusqu'au matin où je l'ai entendu chanter.

18

J'avais lu dans les livres de la bibliothèque que les fleurs étaient capables d'attirer les insectes à une distance considérable, que certains papillons envoyaient des signaux invisibles qu'eux seuls pouvaient capter et qu'ils s'appelaient pour copuler, que la lumière émise par les lucioles la nuit était un chant d'amour silencieux. Je me souviens d'avoir alors pensé que j'étais moi aussi une immobile et que, pour sortir de ma solitude, je devais me métamorphoser en fleur ou en insecte, devenir phosphorescente ou m'abandonner au vent.

19

Alors j'ai eu seize ans et mon monde a changé.

Les statues de mon père n'avaient plus la cote : si l'on acceptait que toutes ses Vierges ressemblent désormais à ma mère, on ne lui pardonnait pas de donner à ses christs un visage et des seins de femme, et encore moins de leur offrir des seins aussi beaux. Parfois il prenait son fusil et partait pour récupérer ses œuvres avant que ses clients mécontents ne les détruisent.

Les hommes qui allaient et venaient sur la route colportaient des tas de fables. Ils disaient que l'un des christs féminins de mon père avait rendu tout un village tellement fou que le curé avait dû brûler l'idole pour que cessent les délires orgiaques de ses ouailles. J'ai entendu qu'ailleurs mon père avait tiré dans la foule pour défendre l'un de ses anges de bois. Certains prédisaient qu'il finirait par se percer la caboche, pan, d'un coup de fusil, que cette terre était maudite, qu'il valait mieux ne rien posséder et se contenter de la route qui appartenait à tous, plutôt que de se laisser ainsi dévorer l'esprit par un jardin.

Mais je n'ai jamais ouvert la porte en l'absence de mon père. Aujourd'hui, au seuil de ma mort, je le jure. Je n'ai jamais ouvert la porte.

20

Cet été de mes seize ans, des orages se sont succédé sur le jardin. Je me traînais dans la touffeur humide de ces longues journées de solitude en grignotant des morceaux de ces fleurs en trompette qui tuaient les doryphores et me faisaient voir des choses étranges et colorées. La route était silencieuse, plus rien ne bougeait sous le ciel de plomb, un ciel qui virait au noir en plein jour, se lézardait soudain de feu et grondait comme une bête énorme. Et la bête nous tournait autour, nous reniflait, son ombre bousculait mon frêne, son souffle entrait dans la maison.

D'où m'est venu ce désir fou qui m'a soulevé le corps? Était-ce seulement une question d'âge ou de saison? Ai-je inventé qu'Augustino était là déjà, braillant sa chanson sur la route déserte?

Je ne me souviens plus du timbre de sa voix, elle a été étouffée par tant d'autres voix depuis, mais j'aime à m'imaginer tendant l'oreille depuis mon nid de ronces. Il faut dire qu'après la mort de ma mère, les ronces avaient peu à peu grignoté les massifs ordonnés et les allées du potager.

Alors disons que c'est sa voix sur le chemin, cette voix de gitan sans visage, qui m'a poussée à regarder mon corps nu dans le miroir du couloir avec un intérêt nouveau. Je n'étais plus une enfant, ma taille s'était affinée, mes seins avaient poussé... J'ai aimé leur dessin si net, la peau tendue et douce, leur poids, j'ai aimé leur densité, c'était agréable de les tenir dans mes paumes, agréable, et mes mains se sont promenées sur mes courbes, agréable de toucher ma peau. Mon innocente caresse a chamboulé le monde, mes mains ont trouvé leur chemin sur mes reins, mes mains ont dévalé ma cambrure et se sont nichées dans mes plis, et c'était agréable, mes doigts ont joué en moi et alentour. Soudain, je me suis sentie électrique dans l'orage. Le ciel a craqué comme une bâche, déversant sa charge d'eau sur la terre, et, au jardin, sur les tombes, trois petites roses ont fleuri, trois petites fleurs rouge sang au beau milieu des ronces.

Quand la voix flamenca a de nouveau chanté sur le chemin, je me suis effeuillée au miroir et de nouvelles roses sauvages se sont épanouies de-ci de-là, par bouquets, par paquets, sous la pluie d'été. Des fleurs au parfum frais et pointu, une note de tête vive comme un éclat de rire.

Dès lors je l'ai guetté entre deux déluges. Plus l'inconnu chantait, et il ne chantait pas si bien, plus l'envie me prenait de me caresser et plus le jardin s'emplissait de roses odorantes. Mon père s'étonnait de cette étrange floraison rouge, somptueuse et inquiétante, dont les notes olfactives devenaient chaque jour plus intenses. Il détestait le parfum incisif de ces fleurs qu'il tentait d'arracher en s'écorchant les mains.

21

Depuis que Concepción avait rejoint maman dans le petit cimetière, la part sauvage ne se contentait plus du jardin, elle s'emparait aussi de la maison. Par habitude, nos habits sales s'accumulaient toujours devant la chambre de notre vieille servante morte, sans que nous pensions à les laver nous-mêmes. Nous n'avions plus rien de propre à nous mettre sur le dos, mais il faisait si chaud que nous nous vêtions à peine, et le désordre ne nous gênait pas. Les assiettes s'empilaient sur l'évier de pierre, les souris couraient la nuit sous les planchers, faisaient des petits dans nos armoires ouvertes, la poussière déposait du temps épais sur les choses, nos lits n'avaient plus de draps et les vitres se tachaient de pluie et de terre. On nous livrait toujours nos provisions, sans que la farine se changeât en pain.

22

Mon père se plaignait beaucoup de l'odeur entêtante de ces fleurs. Il avait renoncé à les arracher, elles repoussaient toujours plus belles, et les pétales en se décomposant exhalaient des senteurs suaves qui l'empoisonnaient, il ne mettait plus les pieds au jardin, calfeutrait les fenêtres de son atelier et de sa chambre, et s'échappait sur la route aussi souvent que possible pour fuir leur parfum.

Il venait de partir, ce matin où, poussant les volets de la fenêtre de ma chambre, j'ai vu, en plein milieu des roses sauvages, un cheval noir tout orné de lanières de cuir, de grelots brillants et de pompons et, sur son dos, un jeune homme furieux, aussi beau que sa monture. J'ai aussitôt reconnu sa voix, celle qui passait chaque jour sur le chemin. Il se battait contre sa bête, la traitant d'âne, lui assénant un flot d'insultes et tentant de la contraindre à quitter ces lieux interdits, et le cheval continuait de brouter les fleurs sauvages, choisissant les plus belles sans se soucier le moins du monde de la colère de son cavalier qu'il tournait en ridicule. Je me suis approchée en silence. Depuis les ronces, j'ai observé ce délicieux jeune homme, le premier garçon que je voyais de si près, hormis mon père bien sûr, mais mon père était vieux et laid, et il n'avait jamais provoqué en moi cet affolement du cœur. Sans me montrer, j'ai ri de sa rage, de son visage cramoisi et de l'entêtement du cheval. Le cavalier a finalement réussi à reprendre le dessus et sa monture a repassé la grande porte pour regagner la route. Je me suis précipitée pour la refermer alors que mon cœur s'emballait et que le jardin était secoué par une nouvelle floraison.

23

Après cette incursion d'un garçon dans mon jardin, les roses sauvages ont pullulé, leur croissance est devenue insensée. Les roses, voraces, se sont emparées de la partie du mur la plus abîmée, elles ont déplacé les pierres, se sont enroulées comme flammes autour du visage multiplié de ma mère, les roses ont grimpé sur les croix, ligoté les ailes des anges, étouffé des oiseaux, des rats et même l'un de mes chiens que leur parfum a bâillonné et que je n'ai pas réussi à libérer à temps de leurs longues tiges pleines d'aiguillons.

24

Mon jardin m'a enseigné l'amour. J'ai su devenir fleur pour attirer les bourdons, j'ai joui sous mes robes, comme une rose jouit des caresses du vent, comme elle s'ouvre aux petites pattes des insectes qui la butinent, et j'ai semé la vie sans me soucier jamais de mes enfants. Je les ai abandonnés à un père idéal qui n'était pas le leur, comme on offre des graines à la terre.

Que pouvais-je faire d'autre ?

J'ai été élevée par un jardin.

25

Dès qu'il passait sur le chemin, le cheval s'emballait et enjambait la partie de mur dévorée pour brouter des roses à s'en péter la panse.

Un matin, alors que mon père n'était toujours pas revenu, je me suis lavé le corps et les cheveux à l'eau froide du puits, je me suis savonnée, retirant le noir entre mes orteils, frottant la crasse sur mon cou, récurant mon nombril, traquant mon odeur d'oignon, et comme je n'avais plus rien de propre à me mettre, je suis entrée dans la chambre de ma mère pour lui voler une robe. J'en ai choisi une blanche en corolle et je me suis coiffée comme elle, relevant ma chevelure brune à l'andalouse grâce à l'un de ses hauts peignes rouges.

J'ai retroussé ma longue jupe blanche dans le grondement sourd de la bête et j'ai couru à perdre haleine dans le jardin pour y faire naître encore plus de roses. Puis j'ai attendu au milieu des fleurs multipliées que le cheval me livre son délicieux cavalier.

Je me souviens de la surprise du jeune homme quand il m'a vue pour la première fois, debout sous mon ombrelle de dentelles trempée, apprêtée comme pour aller au bal, immobile dans mon écrin de roses rouges sous la pluie battante. Il a étouffé net les jurons destinés à sa monture et il en est descendu pour me saluer. Il est resté à distance respectueuse, mais j'ai perçu son odeur de sueur et de cuir mouillé, une odeur animale qui s'accordait si bien à celle de mes roses. Cette composition olfactive m'a accompagnée toute ma vie, le parfum de cette rencontre s'est modifié, libérant une note de fond tellement tenace qu'aucune eau n'a jamais pu l'effacer.

Les yeux baissés, il s'est excusé de venir ainsi altérer la quiétude de ce jardin, accusant son cheval de cette incursion. Et comme je restais silencieuse, il m'a dit son nom, Augustino. Je lui ai répondu qu'il avait une jolie voix bien qu'il ne sache pas chanter. Le sang lui est monté aux joues, il a tant rougi que je n'ai pas pu retenir un éclat de rire qui l'a gêné davantage encore. Il dégoulinait de pluie. Le torturer m'a beaucoup amusée, j'ai marché sur le tapis de roses jusqu'à lui et je lui ai souri, il a reculé d'un pas dans le parfum piquant des fleurs, perdant presque l'équilibre pour éviter que je ne le touche.

Suis-je si laide que vous ne daigniez pas même m'offrir un regard, vous qui êtes si joli? ai-je demandé.

Il n'osait toujours pas lever les yeux et il avait l'air tellement stupide que je me suis sentie puissante.

Vous êtes entré chez nous, votre cheval dévore nos fleurs, croyez-vous que quelques mots d'excuses bafouillés suffiront à vous faire pardonner? Vous êtes le premier jeune homme que je rencontre et je suis curieuse de savoir ce que vous pensez de moi. Vous n'avez rien besoin de dire. Acceptez seulement d'être mon miroir, regardez-moi, que je me voie dans vos yeux. Ce sera votre punition, Augustino!

Lentement, il a relevé ses yeux d'ambre sous ses longs cils sombres. Il s'amenuisait à mesure que je prenais plus d'assurance. Avez-vous avalé votre langue? Vous n'êtes pas une compagnie amusante.

Il a cherché à m'échapper, mais je lui ai interdit de se détourner en lui tenant bien fermement le menton entre mes doigts aux ongles récurés. Je lui arrivais aux épaules et il s'est laissé faire, quand, me hissant sur la pointe des pieds, j'ai déposé un baiser sur ses lèvres épaisses.

Ainsi je ne suis pas si laide, me voilà rassurée. Merci,

Augustino, de m'avoir offert mon reflet. Partez maintenant, partez avant le retour de mon père ! Il vous tuerait s'il vous voyait ici. Je penserai à la douceur de vos lèvres, quand vous chanterez sur la route.

Et je l'ai abandonné dans les fleurs.

Le jeune homme est remonté en selle et il a décampé aussi vite que son cheval le lui a permis.

Je savais qu'il reviendrait.

26

Le lendemain, Augustino a chanté à tue-tête sur la route cette chanson d'amour gitane qui n'était plus si triste depuis que le goût de nos lèvres se mêlait à sa voix. J'ai couru pieds nus à sa rencontre du côté du mur éboulé. Il a mis pied à terre et a ôté son chapeau pour me saluer. Il avait soigneusement coiffé ses boucles brunes et était habillé aussi bien que Concepción quand elle empruntait la charrette pour se rendre à l'église.

Je l'ai accueilli en lui disant qu'il était beau comme un dimanche et je lui ai demandé si je pouvais le toucher. Il n'a pas bougé tandis que mes mains se levaient vers sa nuque. Sa peau était plus douce que la mienne et sa chair plus compacte. J'ai deviné qu'il espérait un nouveau baiser que je ne lui ai pas donné.

Je lui ai conseillé de respirer pour éviter de rougir de nouveau et pour m'offrir ce souffle qu'il retenait. Il était très pâle pour un gitan, ses émotions se lisaient en couleur sur sa figure, cette rougeur était tellement plus spontanée que n'importe quelle expression. Ses traits ne bougeaient pas, aucune marque ne s'inscrivait sur son visage, rien ne troublait la perfection de ses lignes que ce sang qui lui montait aux joues dès que je l'approchais. Il m'a murmuré que tout en moi le bouleversait et il s'est sauvé en tirant sur la bride de son cheval.

Les roses ont dévoré mon deuxième chien sans même que je remarque sa disparition.

27

Mon père est rentré sous la pluie battante avec un sac plein de provisions alors que les mots doux d'Augustino me trottaient encore en tête. Ma robe et ma coiffure l'ont troublé. Il m'a parlé pour la première fois depuis des mois, il m'a dit que si mes yeux n'avaient pas été si bleus, il aurait pu me prendre pour le fantôme de ma mère. Il avait rapporté du pain blanc, du fromage de brebis et un jambon, nous avons rincé un peu de vaisselle et dîné ensemble dans notre salon dévasté. Il m'a même servi du vin rouge dans un verre en cristal avant de me prévenir que je poserais pour lui désormais. Je n'ai pas mangé grand-chose, je n'avais faim que de la présence d'Augustino. Mon père a ouvert une fenêtre, espérant faire entrer un peu d'air frais dans la pièce, mais le parfum des roses l'a giflé et il a fui en hurlant que ces fleurs lubriques puaient le foutre et la mort.

Respiration

Les douze coups de minuit nous sortent du jardin d'Inès Dolorès. Cette cloche sonne donc toute la nuit!

J'ai lu lentement, ce n'est pas évident de traduire à vue.

La tête me tourne un peu. J'ai besoin de reprendre mon souffle.

Lola, suspendue à mes lèvres comme une petite fille à laquelle on lit un conte, me propose d'aller me chercher un peu d'eau :

— J'ai peur que tu sois trop saoule pour poursuivre si tu finis ton verre de calva. Ne bouge pas, je reviens tout de suite.

— Je ne pense pas que nous pourrons tout lire ce soir, il faudra nous arrêter.

Pendant que Lola descend à la cuisine, je promène mes doigts sur la tige de rose brodée.

Est-ce voler que d'utiliser un jour tout cela dans un roman?

Lola m'y a autorisée. Personne ne me croira, peu importe. Contrairement à Lola, je ne pense pas qu'il y ait une frontière nette entre la réalité et la fiction. Le roman surtout nous entraîne sur des territoires flous, il occupe les lisières.

Dès que la postière revient avec une carafe d'eau, je reprends la lecture.

28

Augustino devenait plus bavard de jour en jour. Nous avions pris l'habitude de nous retrouver dans la brèche ouverte par les roses.

Selon lui, je ne ressemblais pas aux autres filles et, moi, j'exigeais qu'il me parle de la ville, des gens qui y vivaient, de son clan de gitans. Nous avons attendu la nouvelle lune pour passer notre première nuit ensemble au jardin.

Je me souviens de constellations vrombissantes sous le ciel du frêne et de nos deux corps étendus sur le dos dans un fouillis d'herbes folles, occupés à se fondre dans l'instant. Je me souviens d'un temps arrêté, ligoté par les roses faramineuses. Je me souviens de nos éclats de rire, d'une exploration sensuelle toujours recommencée, faite d'effleurements. Et son parfum… Son parfum de cuir, de nard et de miel, son parfum m'était un festin, il se mêlait à celui des roses folles.

Comment se protéger d'un parfum quand il nous entre en tête?

J'ai tâché de revivre ce ravissement dans d'autres bras, poursuivant sur d'autres peaux le sillage de mes baisers sur le torse d'Augustino. Des pèlerinages à petits pas du bout des doigts sur d'autres chairs.

Personne ne m'avait mise en garde contre mon corps, personne ne m'avait jamais interdit de le toucher. Mes fesses, mon sexe, mes lèvres étaient des parties de moi comme les autres, comme mes pieds, mes cheveux ou mes mains, et tout cela m'appartenait et je pouvais en faire ce que bon me semblait. Je n'imaginais pas que quelqu'un se lèverait un jour pour me reprocher cette liberté, pour me traiter de putain, de traînée, de salope, de tous ces mots dont on m'a qualifiée par la suite.

Nous aurions pu faire l'amour dès ce premier soir, je n'attendais que ça, même si je ne savais pas à quoi m'attendre exactement. Augustino a résisté au parfum des roses qui crachaient désormais une note de cœur suave et animale.

Hors du jardin, les règles étaient différentes, il était un gitan bien élevé, il me respectait et souhaitait me présenter à sa mère et m'épouser d'abord. Je lui ai répondu qu'il était bête de ne pas cueillir l'instant, qu'il fallait profiter de notre amour, qu'aucun insecte ne se retenait devant une fleur et que s'empêcher de jouir du moment n'avait aucun sens dans un jardin ! Cet imbécile n'a pas cédé à mon désir et n'a plus voulu me toucher ! En me quittant, il a chanté qu'il aimait la fille de l'Escultor et qu'il viendrait l'enlever ! Et le refrain disait qu'il se fichait de ce que pourrait en dire mon père et que bientôt nous nous marierions.

Quand nous nous sommes quittés au petit matin, j'ai remarqué que mon père ne dormait pas. Il travaillait à la lumière de sa lampe dans son atelier. Plus tard dans la journée, il est parti sur la route sans rien me dire et, à la nuit tombée, il n'était toujours pas rentré. J'ai guetté le retour d'Augustino ce soir-là, mais le sommeil m'a prise.

De grands paons crépusculaires ont surgi des broussailles et les yeux dessinés de ces étranges papillons sont venus battre dans l'obscurité de ma chambre. Au sortir de mon rêve, j'ai remarqué que le parfum dans lequel je baignais depuis quelques jours s'était encore épaissi, j'ai regardé la nuit par la fenêtre comme on se penche au-dessus d'un puits.

Augustino était là debout dans le jardin, immobile.

J'ai couru le rejoindre et je n'invente pas ce tapis de pétales ocre qui nous a servi de lit, c'est dans cette défloraison soudaine que nous nous sommes aimés ce deuxième soir.

Toute une nuit, je l'ai gardé toute une nuit contre moi, en moi, et nous avons lutté ensemble contre le froid qui lui vrillait le cœur alors que les étoiles tombaient du ciel en pluie.

Était-ce l'amour qui le glaçait ainsi?

Le front couronné d'ombres, il me parlait sans cesse de l'aube qui venait et je le voyais s'assombrir à mesure que la nuit avançait, s'assombrir alors que le désir nous reprenait sans cesse, qu'il nous mordait, nous poussant à nous aimer encore et encore, et que je me couchais sur lui en l'embrassant, échauffant son sang, sa peau, son sexe en le glissant entre mes lèvres, entre mes seins, entre mes cuisses. J'ignorais l'art de l'amour, et lui n'en savait pas plus que moi, mais je me laissais guider par mon désir, les gestes me venaient sans y penser, ils m'étaient naturels et me donnaient un plaisir fou. Lui me laissait faire, il ne se plaignait plus de mes avances, il ne gardait rien pour plus tard, ne parlait plus de m'épouser ni demain, ni un autre jour. Demain n'existait plus. Demain se noyait dans le parfum fauve des roses, dans ce parfum que mon père avait détesté dès sa première note.

Il s'est allongé à mes côtés guettant l'aube avec angoisse. Il m'a dit des mots d'amour, je crois. Je ne sais plus lesquels, je les ai sentis tomber dans mon oreille et s'y perdre. Des notes manquaient à son parfum, la symphonie des odeurs changeait de tonalité, elle devenait plus sourde, plus profonde, plus intense. Son parfum était un chant du cygne où les roses triomphaient, étouffant le nard, le cuir et le miel.

Une obscurité plus dense que la nuit a empli notre couche à mesure que la nuit s'achevait. Son corps était si blanc dans l'ombre et ses yeux aussi plats que des lacs. Le sang ne colorait plus ses pommettes. Il m'a quittée au petit matin comme on meurt, et je n'ai pas retenu les mots d'amour qu'il m'a offerts avant de prendre la route.

Le lendemain, je l'ai attendu sous l'orage dans ma robe blanche, mais il n'est pas revenu. J'ai traîné dans les couloirs, dans le désordre de cette maison laissée à vau-l'eau et j'ai fini par entrer dans l'atelier de mon père, j'y ai découvert un gisant inachevé dévoré par des roses de bois, et cette statue ressemblait tant à Augustino que je l'ai embrassée sur la bouche. Le bois m'a rendu mon baiser.

Toutes les roses ont fané dans la journée.

Leur parfum de fleurs mortes était affreux, capiteux jusqu'à l'écœurement. Elles brunissaient et pourrissaient en même temps que toutes ces bêtes – rats, poules, chiens, oiseaux, serpents… – qu'elles avaient étouffées et dont les cadavres remontaient à la surface à mesure que les rosiers crevaient.

Nauséeuse, j'ai compté les jours, mais personne ne revenait. La route avait dévoré mon amant et mon père.

Je ne pouvais pas rester seule dans cette odeur de fin du monde.

J'ai ouvert des cynorrhodons et récolté quelques graines de ce rosier ogre qui avait avalé mon jardin et ses murs. J'ai suivi les conseils donnés dans le plus ancien ouvrage de notre bibliothèque, dont les extravagantes recettes me sont étrangement restées en tête jusqu'à aujourd'hui. J'ai obéi à ce texte pour que les graines tiennent plus longtemps. Je savais que, pour les ranimer, il me suffirait de les placer dans un mélange de terre de bruyère, de sable de rivière, de poudre de charbon de bois et d'os, et de planter de l'ail à leur côté. J'étais certaine de ressusciter ce rosier un soir d'orage, même des années plus tard.

Le vingt-huitième jour, j'ai mis ces précieuses graines

dans un sac, j'ai pris le cœur de ma mère fermé à l'aiguille, gros de secrets pliés et qui contenait le souvenir de mon géniteur, ce jeune anarchiste aux yeux trop bleus, je me suis aussi chargée de la très vieille encyclopédie des plantes en deux volumes que je connaissais presque par cœur, d'une boîte où ma mère avait amassé toutes sortes d'autres graines, et j'ai pris la route.

Je pensais parvenir à dénicher mon amoureux, j'ignorais que le monde était si vaste.

31

Ma mère m'a élevée dans un jardin. Est-ce ma faute si elle ne m'a pas appris à aimer ?

La langue perdue

J'arrête net ma lecture. Il reste encore quelques morceaux de papier numérotés, mais j'ai besoin d'une nouvelle pause.

Cette traduction à voix haute m'a vidée, je l'ai réalisée dans un état second. Je ne sais plus ce que je lis, je pourrais tout aussi bien inventer les mots, je ne fais plus la différence entre ma voix et celle d'Inès Dolorès. J'ai peur de me laisser emporter et de la trahir, de raconter une autre histoire. Ne suis-je pas en train de broder une œuvre seconde à vue?

Lola se désole de ne plus rien entendre à cette langue que sa mère réservait à Rosa Dolorès, sa propre mère, et qu'elle n'a jamais utilisée pour s'adresser à ses filles. L'espagnol, la langue des regrets, des secrets, des prières, des fantômes. C'est sans doute pour les épargner, pour étouffer la nostalgie, dans le but de laisser tout cela de côté, d'avancer sans espérer revenir sur ses pas, c'est sans doute pour que cesse l'exil, que sa mère a refusé d'apprendre cette langue-là à ses filles, de leur léguer les recettes de cuisine et tout ce qui pouvait être associé à la terre perdue. Même la musique! Lola aimerait tant comprendre la langue de ses origines, ne pas être ainsi coupée du bruit de ses racines. Elle se sent soudain plus seule qu'une fleur plongée dans l'eau insipide d'un soliflore et qui regarderait le jardin à travers une vitre sans parvenir à se souvenir de ses parfums.

Lola en pleurerait si ses larmes n'étaient pas retenues par des tours et des tours d'un élastique devenu plus raide que la corde de chanvre avec laquelle la mère d'Inès Dolorès s'est pendue.

Comment croire qu'une telle histoire est vraiment autobiographique? C'est un conte! Pourtant entendre son aïeule se raconter par ma voix l'a ébranlée. Elle se sent si proche de cette Inès Dolorès, plus proche d'elle que de ses sœurs. Lola a toujours laissé une part aux ronces dans sa vie. Elle les coupe, les maîtrise, les surveille comme du lait sur le feu, elle les contient dans un espace qui leur est dévolu depuis son arrivée à Trébuailles, elle les aime autant que ses légumes et même davantage, sans vraiment s'expliquer pourquoi. Elle admire leur force chaotique et leur vigueur. Les ronces résistent à tout, s'accrochent à tout, se mêlent à tout, elles poussent si vite et dans tous les sens! Elles semblent douées de mouvement et se défendent à coups de griffes comme des bêtes. Lola respecte cette végétation anarchique alors que rien ne dépasse dans sa vie. Et surtout, comme son ancêtre, elle se sent dans son élément les pieds dans la terre et le nez dans les livres. Et maintenant, grâce au cœur de son aïeule, elle comprend le sens de son prénom. Inès Dolorès, la première des Dolorès, était la fille d'un jeune mort.

Lola s'interroge, elle rêvasse en tripotant ce plus petit cœur brun que renfermait le cœur de lin de son aïeule. Elle sait qu'il est plein des graines du rosier qui a attiré le cavalier gitan, celles qu'Inès Dolorès a ramassées dans son jardin dévasté et qu'elle a endormies selon les règles d'un art oublié avant de se jeter dans le monde.

Je l'observe tâter son petit ballot de tissu en lisant dans ses pensées. Même si tout cela est illusoire, j'ai souvent l'impression d'entrer dans le crâne des autres. Trop de neurones miroirs peut-être. Je lui propose d'aller chercher du sable de rivière et de la poudre de charbon et de planter les graines dès demain pour savoir si tout cela n'est qu'une fable.

— Tu es une vraie citadine, se moque Lola en se levant pour débarrasser les verres à moutarde posés sur le tapis bleu, tu n'y connais rien, aucune graine de rosier ne résiste un siècle, voyons ! Elles sont fichues depuis le temps !

— Ah ! Je pensais les graines plus solides, j'imaginais qu'elles pouvaient attendre des milliers d'années.

— Dans de bonnes conditions, on peut éventuellement les conserver. Pas dans une armoire ou dans un baluchon !

— Cela vaut tout de même la peine d'essayer ! Inès Dolorès dit les avoir préparées à leur long sommeil. Allons à la rivière ramasser du sable, s'il te plaît ! Et même si rien ne pousse, cette histoire reste belle. On continue la lecture ?

— Il est très tard. D'ordinaire, je n'éteins jamais après minuit et j'ai beaucoup de travail au jardin demain. Les myrobolans ont fleuri, je dois greffer mes pruniers. Je ne peux pas me décaler, tu comprends. Nous continuerons samedi prochain, quand tu reviendras dîner à la maison.

Je ne tiendrai pas une semaine entière ! Ça me rappelle ces romans que je lis à ma fille le soir et que je dois interrompre pour la coucher, abandonner jusqu'au lendemain. Le plus souvent, je ne résiste pas à la tentation et je récupère le livre dans sa chambre pour le finir dans la nuit en douce…

Il me sera plus difficile de me faufiler au-dessus du bureau de poste jusqu'à la chambre de Lola pour continuer seule la lecture du cœur d'Inès Dolorès.

Il faut compter un bon quart d'heure de marche pour rentrer chez Nelly. Je me lance dans la nuit glacée.

Je ne pense qu'aux roses sauvages d'Inès Dolorès, je les imagine, je les sème dans le brouillard et me fraye un passage entre leurs tiges tentacules, je me glisse sous les arabesques qu'elles dessinent déjà sur mes pages dans une explosion de corolles rouges.

Chacune de mes expirations crée un petit nuage blanc qui se dissipe aussitôt. Ça caille !

Je finis par réintégrer mon présent, ma propre histoire, celle d'une trouillarde qui marche seule dans le noir sur une route déserte à 1 heure du matin, en imaginant la vie d'une femme-fleur, et que personne n'entendrait crier.

À Paris, je me promène souvent la nuit. Marcher m'aide à m'abandonner à mes histoires. Paris ne m'effraie pas, la ville est pleine comme un œuf, il y a des familles endormies derrière chaque façade et les fenêtres éclairées des guetteurs insomniaques sont autant de petites veilleuses sœurs dans la nuit. Paris ne s'éteint jamais tout à fait, la ville s'assoupit, se relâche, décante quelques heures à peine. Avant l'aube, on entend même les oiseaux, après, ils disparaissent, dévorés par le fracas du jour, et les veilleurs peuvent s'abandonner au sommeil à leur tour. C'est merveilleux d'imaginer ces millions de gens sombrer ensemble, toute une fourmilière humaine les yeux clos, une foule qui rêve en silence, ces esprits partis danser on ne sait où, loin de leurs corps allongés les uns contre les autres. Mais, ici, dans ce désert, je ne suis pas chez moi, je préfère ne pas couper par le bois et longer la nationale. Les ténèbres de la forêt, où personne ne dort, me terrifient. Les gens du coin se moqueraient de moi, je le sais, mais ils ne se promènent pas tout seuls en plein milieu de la nuit.

La lumière jaune des lampadaires perce à peine l'obscurité saturée d'humidité, elle n'éclaire que la brume. Je distingue vaguement les masses des bâtiments tapis au fond de leurs jardins, derrière leurs grilles. J'avance plus vite, je me retiens de détaler comme une gamine. Si l'on me voyait…

Sur le vieux pont, j'entends quelqu'un marcher derrière moi. J'ai peur de me retourner pour vérifier si ce bruit de pas dans mon dos est bien réel, peur d'affronter ce qui me suit ainsi dans la nuit.

C'est encore un tour de mon imagination. Pourquoi ai-je tant besoin de me torturer ? Je me souviens de cette histoire d'armoire dans la chambre de mes parents et de la kyrielle de terreurs absurdes que je m'impose depuis l'enfance. La vie réelle ne sème pas des êtres surnaturels dans toutes les nuits embrumées !

Je réussis à tourner la tête et je discerne une silhouette à une trentaine de mètres dans le brouillard.

Il y a bien quelqu'un ! Mon cœur fait un bond, les

dernières traces de calva se dissipent, je pousse sur mes orteils pour avancer plus vite. Ça claudique sur le bitume derrière moi, ma boiteuse me suit. Pas Lola, non, mais la femme en noir et blanc, le fantôme en longue jupe sombre de la carte postale qui m'a appelée ici. Je la sens s'approcher dans mon dos, je perçois son souffle sur ma nuque, et un parfum de roses emplit la nuit. J'ai du mal à respirer, je panique. Alors, je ne résiste plus, je me fiche de ce que les gens penseront. Les gens ? Quels gens ? Tous les volets sont clos et la brume me cache. Je me mets à courir et l'air glacé me gèle les poumons. Cet effort violent, associé au froid et à la peur, m'essouffle vite, j'ai mal sous les côtes. Après avoir poussé la grille de chez Nelly, je reprends ma course sur le gazon. Les cellules électriques détectent mon mouvement et les globes blancs disséminés dans le parc s'illuminent à mesure que je le traverse. Tout en courant, je prépare ma clef pour ne pas perdre une précieuse minute à la chercher dans mon sac une fois arrivée devant ma porte. Essoufflée, je trouve la serrure à tâtons, j'ouvre la porte de ma petite maison, la verrouille avant de m'effondrer dans l'entrée. Je n'allume pas, je préfère rester dans le noir afin de regarder dehors sans être vue. Je m'approche de l'une des fenêtres du studio, je scrute le parc cherchant à percer le brouillard.

Rien ne bouge sur la pelouse impeccable entre les globes blancs, rien que les branches du grand bouleau. Il n'y a personne, finalement, la nuit est vide ! Les lumières extérieures s'éteignent.

Je tire les rideaux et je suis prise d'une envie folle d'appeler Laurent, là, tout de suite.

110

Je le réveille pour lui raconter la vie d'Inès Dolorès. Il est resté à Paris avec les enfants, il a un peu de mal à trouver cette histoire de cœurs, de fantômes et de roses passionnante et, surtout, il aimerait que je le laisse se rendormir. Il m'encourage à mettre tout ça par écrit tant que c'est encore chaud, il me promet qu'il lira mon texte plus tard, mais là franchement, non, il doit se lever aux aurores pour s'occuper des gamins, qui n'ont rien d'imaginaire, eux. Il me rappelle que je ne suis pas là pour l'aider. Déjà qu'il a accepté que je les quitte le temps de me lancer dans mon nouveau roman, que je parte sur un coup de tête en Bretagne à la recherche d'une boiteuse. Vivre avec moi n'est vraiment pas de tout repos ! Il préférerait m'avoir à ses côtés dans son lit plutôt qu'au téléphone à 2 heures du matin, donc il va raccrocher et me laisser me débrouiller dans la brume avec mon Inès Dolorès, ma postière et tous mes amis fabuleux. Bonne nuit !

Je me retrouve soudain très seule dans la petite maison au fond du parc. J'ai voulu cette solitude, j'en ai rêvé, je pensais que les personnages de mon prochain roman seraient au rendez-vous, qu'ils n'attendaient que ça pour venir me visiter, qu'il me suffirait de les cueillir. Mais non, Barbe-Bleue et toutes ses femmes m'échappent, grignotés par une boiteuse, par des cœurs de tissu entassés dans une armoire de noces, par les graines d'un rosier sauvage. Je ne sais plus quoi faire ! Écrire autre chose ? M'emparer de ce que m'inspire ce lieu ? Encore faudrait-il que j'ose m'aventurer sur ce terrain-là ! Si des fantômes sont vraiment là à me guetter, sur la route, à l'orée du bois ou quelque part dans mes profondeurs, je n'ai même pas le cran de les accueillir. Et Laurent qui refuse de m'aider à démêler tout ça!

La vérité, c'est que j'ai besoin de cette communion des cœurs, même à distance, et que je suis terriblement déçue de voir que mon histoire ne l'exalte pas! Un cœur de mère éclate, livrant les fragments d'un récit vieux de plus d'un siècle et il s'en fout!

Depuis toujours, Laurent participe à mon désir d'écrire, de raconter. Nous nous sommes rencontrés à vingt ans, il m'a entendue lire l'une de mes nouvelles chez une amie commune – j'étais venue pour ça, pour lire mon truc à ma copine, j'en avais déjà besoin de ces lectures à voix haute –, et ce garçon était là avec son paquet de cacahuètes grillées à sec et sa bouteille de brouilly. Tant pis pour lui, il y aurait droit lui aussi, il m'écouterait! Alors je leur ai lu mon texte et il est tombé amoureux. Mais de quoi exactement? De ce que j'avais écrit?

Il m'a embrassée à la fin de ma lecture. Ça m'a cloué le bec. Je n'avais même pas eu le temps de retenir son prénom. J'ai été aussitôt ravie par l'humour et l'assurance de cet homme-là. Nous avons abandonné notre amie avec les cacahuètes grillées à sec et le reste de vin rouge et nous nous sommes enfuis tous les deux pour voir la mer. Nous ne sommes jamais vraiment revenus.

À l'époque, il ne lisait pas, il n'aimait que mes textes. Il me disait que je serais une grande romancière un jour. Cette confiance qu'il avait en mon talent m'a d'abord amusée, puis j'ai écrit par amour pour lui aussi, mais avec la peur d'achever une histoire un jour et que le désir de cet homme ne se tarisse quand il s'apercevrait que je n'étais pas l'auteure qu'il s'imaginait, quand il verrait qu'aucun éditeur ne partageait son avis. J'ai mis quinze ans à finir mon premier roman pour ne pas le décevoir et que mon écriture reste une histoire de désir entre nous deux.

J'adore lui lire mes textes, l'embarquer dans mon univers. Tous les deux, côte à côte, sur le vieux canapé déglingué du salon, comme dans une barque au milieu des marais de mes fables.

Jadis, mon père a été mon premier lecteur, aujourd'hui, il est devenu les marais qu'il nous faut traverser. La folie est à double tranchant, elle nourrit et dévore ses enfants. Il arrive que mon frère ou mon amie Flo soient à mes côtés dans la barque. Je resterai en lien avec le monde réel tant que je lirai à voix haute mes histoires aux personnes que j'aime. C'est curieux tout de même de passer une grande partie de sa vie dans des fictions, avec des êtres invisibles. Parfois ma raison ne tient plus qu'à un fil. Il suffirait de presque rien pour que je reste perchée là-haut, envolée, la tête gonflée à l'hélium avec mes amis imaginaires. Pourquoi redescendre si personne ne vous attend sur la terre ferme?

Je sais que c'est beaucoup demander à l'homme de ma vie d'être celui qui tient le fil au bout duquel je m'abandonne aux vents, de ne jamais lâcher, surtout, et de ne pas cesser, même à 2 heures du matin, même par téléphone, de m'envoyer des impulsions pour me rappeler qu'il m'attend en bas. Je sais qu'il a autre chose à faire que d'être une oreille ou la main qui retient une femme-ballon. Sans lui, qui nous construit un nid à mi-chemin entre la terre et le ciel, je me serais sans doute abandonnée au courant. Aurais-je sombré ? Mon canapé aurait-il fait naufrage ? Est-il le nid de ronces qui me protège de la folie de mon père ?

Je songe à cela, allongée dans mon lit, en posant le livre dont mes yeux ont continué à parcourir les lignes et mes doigts à tourner les pages alors que ma pensée vadrouillait ailleurs.

Même plus capable de m'abandonner à un bon roman !

J'éteins la lumière.

C'était mieux avant

La semaine est longue. Barbe-Bleue me séduit de moins en moins, rien ne vient, pas une ligne. Je cherche en vain des traces de la coutume espagnole des cœurs cousus sur Internet en attendant le week-end et la suite de l'histoire d'Inès Dolorès avec une impatience de gamine.

Tous les matins, je passe à la poste où Lola me salue à peine.

J'ai hésité le premier jour. Devais-je m'y rendre avec ma chaise? Me promener le long de la nationale un tabouret sous le bras? Finalement, je n'ai pas osé, mais je ne reste jamais debout pour autant. Les habituées, ravies de me voir, m'invitent chaque jour à m'asseoir sur un siège resté vacant, rarement le même, et elles en profitent pour me parler de la tricoteuse dont j'occupe la place.

Lola, égale à elle-même, ne fait aucun effort pour se rendre sympathique. Sa bouche dure se réduit à un trait sur son visage de porcelaine, sauf quand elle part en rêverie. Elle se fiche absolument de ce qu'on peut penser d'elle.

Mon carnet sur les genoux, je croque à l'écrit l'assemblée des femmes et leurs chamailleries, tout en dessinant machinalement des roses dans les coins de mes feuilles. Dès que quelqu'un entre, le chœur fait silence et l'on n'entend plus que les aiguilles à tricoter, puis le son revient, ça caquette de plus belle et je prends des notes.

Faut pas croire ! Certes, on n'a pas vu le monde, on n'a pas eu cette chance, mais on l'a mesuré à notre échelle depuis notre coin de terre. Ce n'est pas indigne de ne pas bouger, d'être sensible à de minuscules glissements, de regarder un même visage vieillir, un même paysage se métamorphoser. Jadis, on ne voyageait que si on y était contraint par la misère, la faim, la guerre. Le tourisme, ça n'existait pas. Aujourd'hui encore, des tas de gens sont arrachés à leur pays et jetés sur les routes, les pauvres ! On pourrait croire qu'une vie dure plus longtemps quand on la grignote caché dans son trou, mais non, même d'un monde clos, le temps s'échappe. Ce n'est jamais tout à fait hermétique. Le temps fuit, file, « fielle ». Il nous dessèche ou nous empâte. On se voit même davantage vieillir quand on est sédentaire, on est plus sensible au mouvement du temps qui passe quand rien ne bouge que l'aiguille de l'horloge...

Ça, on l'a vu crever, notre pays ! Partir en fumée ! Pffttt ! Ici, il y a à peine vingt ans, il y avait quatre cafés, des bois magnifiques et cinquante fermes. Il ne reste plus que trois exploitations agricoles qui cultivent des centaines d'hectares plats comme la main et le bar du Progrès, tu parles d'un nom. Même les mots ont changé ! Ce bureau de poste, vous verrez, il finira par fermer lui aussi. Ils ont détruit les prairies, aplani les talus, rasé les taillis, coupé les arbres, réduit tout ça en copeaux à la broyeuse pour en faire des cagettes et des

116

granulés. Le paysage d'antan brûle dans les chaudières et les champs s'étendent à perte de vue, nus. De vrais déserts après la moisson. Plus de prés, plus de bois, plus de ronces. Les oiseaux meurent d'épuisement à la recherche de branches où se poser et d'insectes à becqueter.

Les prairies perpétuelles n'existent pas plus que l'amour éternel !

Ne mêle pas l'amour à tout ça Pascale ! On peut aimer une même terre, un même jardin, un même homme toute sa vie.

On vieillit moins, quand on ne s'attache à rien… La nostalgie est une plaie et, l'amour, je n'y crois pas !

Le contraire nous aurait étonnées. Tu penses vraiment que tu es moins ridée que nous ?

Sur le plan de l'amour, je ne le regrette pas, notre vieux monde. Rappelez-vous, de notre temps, on n'aimait pas qui on voulait ! On nous a bassinées toute notre belle jeunesse avec notre virginité. Pourquoi ? Mais par prudence, Nini, pour pas qu'on se chope de gamins, tiens ! Et pour éviter l'opprobre, le déshonneur de la famille. Mais quel déshonneur ? Tout ça, ce n'était qu'un moyen de garantir la paternité des maris qu'on nous choisissait ! Parce qu'après tout, on aurait pu mieux considérer les filles mères dans ce foutu pays. On aurait pu les aider, être solidaires, au lieu de les mettre au ban avec leurs bâtards. À Trébuailles, on les condamnait pour l'exemple ! On nous disait de ne pas les fréquenter et on obéissait. On a détruit des filles ! On nous racontait des trucs idiots sur la « pureté », des foutaises ! On ne parle pas mieux aux oiseaux avant d'avoir vu le loup.

Ne vous en faites pas ! Nini est notre féministe !

Et elle n'a pas tort ! Moi, je m'en suis fait une montagne de la virginité, de la mienne, et même de celle de mes gamines.

C'est ma petite-fille qui m'a obligée à revoir ma façon de penser.
Elle a couché si jeune que je me suis fait une raison, on avait
changé d'époque ! Et elle a préféré se confier à moi plutôt qu'à
sa mère. Ça m'a touchée. Qu'est-ce que tu lui as dit ? Qu'est-ce
que tu voulais que je dise ? Je lui ai demandé si elle avait eu un
orgasme. Un orgasme ? Ce n'est pas un gros mot, ils en causent
à la radio. Elle a ri. Elle m'a embrassée et elle m'a avoué que
non, qu'elle avait été déçue, elle a ajouté qu'il ne fallait pas
que je m'inquiète, qu'elle était amoureuse et qu'elle s'était pro-
tégée. Vous en avez eu beaucoup, vous, des orgasmes ? Nos
pauvres mères tremblaient pour notre réputation, elles nous
agitaient l'enfer sur terre et dans l'au-delà. Mon père nous
fouettait avec des bouquets d'orties en nous traitant de déver-
gondées dès qu'il nous trouvait un air drôle. Moi, j'ai épousé
le gars que j'aimais et je sais qu'il m'attend au ciel. Pfff ! Tu
vas être déçue, Charlotte. L'amour, je n'y crois pas, ou alors
c'est pas si beau qu'on le dit ! Vous êtes assise sur la chaise de
Colette, vous savez, la petite vieille un peu rock and roll. Elle
pourrait vous en parler de l'amour. C'était une fille sage, la
Colette, elle travaillait à la conserverie. Dans ce temps-là, tant
qu'on vivait chez les parents, on leur donnait toute notre paye.
Autant dire qu'il fallait être jolies au naturel, car on n'avait
pas un sou pour les coquetteries. Et ça, pour être jolie, elle était
rudement jolie, la Colette ! Son Jacques, elle ne l'a pas vraiment
choisi, il a juste osé le premier. C'était un petit gars de la ville,
un peu frimeur, il avait des cousins ici et il dansait si bien ! Il
l'avait déjà approchée à une fête de la mi-carême. Alors quand
il l'a revue au bal de la Saint-Jean, il s'est senti autorisé à
l'inviter à danser et puis il l'a ramenée chez elle et, de fil en
aiguille, il l'a épousée et ils sont partis pour Rennes. Qu'est-ce
qu'on l'a enviée, la Colette, d'aller vivre en ville ! À la mort de

ses parents, ils ont récupéré la maison de famille, pour leurs vacances d'abord, et on a continué à l'envier quand ils venaient l'été, tous les deux, main dans la main, dans leur « résidence secondaire ». Aujourd'hui qu'ils sont vieux et à la retraite, ils sont ici à demeure et on ne l'envie plus du tout, la Colette. Son mari a pris le pouvoir absolu dans sa tête ! Il a fait le vide dans son existence, l'a obligée à rompre avec tout le monde. Il parle pour elle, il pense pour elle. C'est vrai qu'ils forment un couple magnifique, quand on les croise, toujours main dans la main dans la grand-rue, on ne peut que les admirer. Mais mieux vaut les contempler de loin comme un bibelot dans une vitrine. Il lui fait vivre un enfer. Il n'y a pas d'amour idéal, vraiment ! Il lui a dévoré jusqu'à ses souvenirs et les a remplacés par des trucs qu'il invente. Il lui interdit de faire quoi que ce soit sans lui, elle ne s'échappe que pendant qu'il dort. Heureusement, il fait la grasse matinée et elle nous rejoint le matin à la poste, sans qu'il le sache. Ça n'a l'air de rien, mais on sait l'espace de liberté que cela représente pour elle. Le plus souvent, elle sourit. Elle ne se souvient pas des humiliations qu'il lui inflige, de ses colères quotidiennes. Elle oublie les choses désagréables et, à force d'oublier, elle oublie aussi les bons moments, à force d'oublier, elle oublie tout, comme Mauricette, sauf les histoires qu'il lui répète en boucle. Ici, elle sort les photos de ses enfants pour les embrasser. Son mari s'est fâché avec eux, il a vendu la maison familiale en viager pour les déshériter et il ne veut plus qu'elle les voie. Elle a oublié pourquoi, il a sans doute une bonne raison. De temps en temps, elle m'emprunte mon portable pour les appeler en secret, leur dire qu'elle les aime et prendre des nouvelles de ses petits-enfants. Et puis elle oublie tout, de nouveau, pour pouvoir affirmer à son mari qu'elle ne sait pas ce qu'ils deviennent, qu'elle lui obéit. Elle repart en fin de matinée, avant la fermeture de la poste, en espérant qu'il ne s'est pas réveillé.

Parfois, elle se confie, elle nous dit qu'il ne dort pas la nuit, qu'il en a peur, qu'il regarde la télé. Elle s'étonne, elle qui a toujours aimé le moment où l'on s'abandonne sous les couvertures dans le parfum des draps propres! Il la réveille à l'aube en allant se coucher, il se blottit contre elle et elle fait semblant de ronfler un peu pour le rassurer. Son souffle le berce comme un petit enfant, alors il lâche prise jusqu'à l'heure du déjeuner. Elle reste immobile aussi longtemps que possible sans parvenir à retrouver le sommeil qu'il a cassé, et puis elle se lève avec toutes les précautions du monde, elle se dégage de lui, morceau par morceau. Son bras, qu'elle ne sent plus, la brûle, ses jambes aussi parfois, il est lourd et ce poids lui coupe la circulation. Elle arrive à récupérer tous ses membres un à un et elle s'échappe sur la pointe des pieds. Elle lui pardonne tout et refuse que nous le critiquions en sa présence.

C'est ce que je disais, c'est pas beau l'amour quand ça s'éternise! Tu dis ça par jalousie, Pascale! Tu dis ça parce que tu n'as jamais aimé! Oui, bien sûr, je n'ai jamais aimé...

Moi, les prairies perpétuelles, je m'en fous! Peuvent les retourner, en faire des champs, même pas mal! Ce qui me gêne, c'est de voir comment le temps nous laboure le moral, la peau et les organes.

En les écoutant, je décide d'écrire un journal, de me contraindre à me raconter quotidiennement au présent, pour ne pas me perdre comme Colette ou Mauricette. Si je consigne ma vie au jour le jour, je pourrai la relire quand je serai vieille, comme on relit un livre qu'on a oublié. Je sens bien que j'ai déjà trop de souvenirs, et comme je n'ai rien noté et que j'ai la mémoire courte...

Mais ma vie n'est pas vraiment mémorable... Le mieux serait de la bricoler un peu. Si Lola m'entendait penser !

La cloche de l'église sonne midi. Les femmes s'interrompent pour rentrer déjeuner et j'attends qu'elles soient toutes sorties pour proposer à Lola que nous allions ensemble à la rivière samedi. Il fera beau, une vraie première journée de printemps, et j'ai envie de partager un moment avec elle. Lola me sourit.

À chaque fois que Lola sourit, elle me touche en plein cœur. Les tours d'élastique qui la contiennent cassent soudain et elle s'illumine. Je rêverais d'avoir un tel sourire, cet éclair lumineux. Le mien tient du rictus. Sur les photos, je déteste mon visage grimaçant, ce ridicule tiraillement de la bouche qui dévoile mes dents grises. Tant pis, je souris quand même. Ce serait triste de réserver ça aux belles dentitions !

— D'accord, nous irons ramasser du sable et nous planterons les graines d'Inès Dolorès dans la foulée. Retrouvons-nous demain à 15 heures sur la petite plage des Oubliés, me propose Lola.

Du sable de rivière

J'arrive la première sur la promenade en surplomb de la rivière. Je dévale le sentier qui descend entre les arbres jusqu'à la petite plage des Oubliés où Lola m'a donné rendez-vous. Une vieille pancarte signale que la baignade est dangereuse.

Une femme étrange est sur la berge. Immobile et silencieuse. Penchée sur l'eau. Je m'apprête à la saluer, au moment où Lola m'appelle. Le temps de me retourner et de faire signe à la postière, la femme a disparu. Elle s'est volatilisée sans un bruit et, à l'endroit où elle était figée une minute plus tôt, il ne reste que deux petites croix tracées sur le sable et le bâton qui a servi à les dessiner. Elle était là pourtant, j'en suis sûre, accroupie au bout de la petite plage au milieu des saules, les jambes repliées sous une longue jupe noire.

— J'ai mis les graines au frigo, ça aide, me dit Lola en bringuebalant deux gros seaux à bout de bras. J'ai demandé de la poudre d'os à Pascale. Et j'ai apporté ça, pour le sable !

— Alors tu y crois maintenant ? Tu penses que les

roses d'Inès Dolorès peuvent pousser des années plus tard en terre bretonne ?

Lola hausse les épaules sans répondre et elle commence à ramasser du sable à mains nues.

— J'ai oublié de prendre une pelle et des gants. On va s'en mettre plein les ongles. Je déteste avoir du sable sous les ongles.

Je m'agenouille à ses côtés et racle le sable humide avec un plaisir d'enfant.

— J'ai vu une femme assise ici, juste avant que tu n'arrives, mais elle s'est évaporée.

— Un fantôme ? demande Lola en riant.

— Sûrement, une histoire de famille.

— Pas la mienne, cette fois !

— Il fait si beau, j'ai presque envie de me baigner, dis-je en me déchaussant pour tremper mes pieds dans l'eau vive et transparente.

— Tu es folle, la rivière est glacée ! s'exclame Lola. Et puis c'est plein de trous d'eau. Des enfants se sont noyés ici, il y a longtemps.

— Les fameux « oubliés » ?

— J'imagine, mais personne n'en parle. Ce lieu est un blanc dans les conversations.

Je tente de plonger mes orteils dans l'onde, mais je les retire aussitôt. Le froid brûle. Je marche vers les petites croix dessinées sur le sable.

— C'est tout de même bizarre que cette femme soit partie si vite, sans bruit… Il y a un autre sentier par là ?

— Oui, après le saule. Il longe la rivière jusqu'au vieux pont du village. Elle était jeune ?

— La trentaine peut-être… Une blonde, vêtue de noir.

— Depuis ce jour de la Sainte-Catherine, depuis ce courant d'air froid, j'ai des terreurs nocturnes, me confie Lola qui continue de creuser consciencieusement sans me regarder. Tu sais ce truc de gamins : je me réveille dans ma chambre en plein milieu de la nuit et je vois une femme en grand deuil qui m'observe. L'hallucination est tellement réaliste que mon cœur se décroche, je hurle. Mon cri me réveille pour de bon et dissipe l'apparition.

Je me rassois à côté de Lola pour m'essuyer les pieds avec mes chaussettes.

— J'ai vécu ça moi aussi. Ma grand-mère était persuadée que je voyais les morts pendant mon sommeil, elle venait dormir dans mon lit pour les surprendre, elle avait une formule rituelle à prononcer : « Qui que tu sois, as-tu besoin de moi ? » Cette phrase m'a libérée de mes cauchemars. Essaie !

— Je ne peux pas, je crie !

— C'est ce que j'ai répondu à mémé et elle m'a reproché d'effrayer les morts. J'ai dû prononcer la phrase en dormant, car après qu'elle m'a donné ce sésame, je n'ai plus été hantée.

— Je ne vois pas bien en quoi je pourrais être utile à une morte. C'est plutôt moi qui ai besoin d'aide. On a assez de sable, dit Lola en se relevant.

— Tu as besoin d'aide ?

— Pour oser sortir de ma petite citadelle. Et, franchement, il n'est pas question de proposer mon aide à n'importe qui pour n'importe quoi. Si cette femme est un fantôme, il va falloir qu'elle s'explique. Les morts n'ont pas tous les droits ! On va mettre tout ça dans mon coffre. Je suis venue en voiture, histoire de ne pas avoir à trop traîner la patte devant tout le monde.

Je ne sais pas quoi répondre à cette femme qui m'attendrit davantage à chaque rencontre. Nous prenons chacune un seau et remontons jusqu'à la route.

Assise à côté d'elle dans sa voiture, je reviens sur l'histoire d'Inès Dolorès. Son aïeule a peut-être modifié sa vie en l'écrivant, ses roses n'ont sans doute rien d'exceptionnel, mais à travers ce conte qu'elle écrit, elle se livre. Nos mensonges nous trahissent.

— Je déteste le mensonge ! grogne Lola en se garant devant la poste. Il défigure le réel.

— Tu lis des tonnes de vies et tu ne t'interroges jamais sur la part de fiction qu'il y a dans une biographie ? Ni sur les mensonges, conscients ou non, que sont les autobiographies ? Certains critiques avancent que Rousseau n'aurait confessé l'abandon de ses enfants que pour masquer son impuissance ou les infidélités de Thérèse.

— *Les Confessions*, une supercherie !? m'interrompt Lola. Je te déteste de colporter des âneries pareilles, d'abîmer la grande entreprise de sincérité de Rousseau !

— Beaucoup de confessions sont sans doute sincères, mais sont-elles « vraies » pour autant ? Et la vérité n'est pas forcément plus éclairante que la fable chargée de la masquer.

— Tu dis ça parce que tu n'es qu'une romancière.

Les graines du désir

Sous mon regard attentif, Lola mélange le sable, le terreau, la tourbe et une poignée de poudre de charbon de bois dans une grande jardinière. Elle tasse la surface et arrose. Elle trace de petits sillons avec un crayon de papier et place les graines tous les cinq centimètres, elle couvre le tout de poudre d'os puis d'une couche de sable de rivière, humidifie la surface à l'aide d'un pulvérisateur d'eau, plante de l'ail germé aux quatre coins, puis place le tout dans la cabane au fond de son jardin.

— La température est idéale, conclut-elle en refermant la porte. Maintenant il n'y a plus qu'à attendre.

Je demande combien de temps il nous faudra patienter.

— Longtemps! Si les graines germent, on pourra les planter en pleine terre dans un an.

— Elles ne fleuriront pas avant mon départ?

— Bien sûr que non! Tu pensais que ça pousserait en deux mois?

— J'imaginais qu'on verrait la première fleur dans la semaine.

— C'est un exercice de patience.

— C'est très décevant, le jardinage. Je déteste attendre.

— Écrire un livre ne demande pas un peu de patience ?

— Si, beaucoup, mais quand j'écris, je suis la terre, je couve mes personnages, je les sens grandir en moi.

— Mes fleurs poussent aussi en moi, je les guette, parfois je les oublie, mais elles sont là, quelque part, au fond de mon jardin intérieur.

— Si l'on mangeait une graine, tu crois qu'elle germerait ?

— Tiens, il en reste deux. Une chacune. À avaler tout rond ! De quoi déchaîner ton imaginaire ! Avec un peu de chance ce qui poussera en moi me servira de tuteur, me permettra de marcher droit et de ne plus tanguer comme un bateau sans quille.

— Est-ce que ta boiterie est douloureuse ?

— Pas pour l'instant, mais ça finira peut-être par le devenir. Et écrire, c'est douloureux ?

— Non, mais lâcher un livre, décider qu'il est fini et le faire lire, c'est très inquiétant. Le doute est comme une fièvre. Les romans ne mettent pas plus à l'abri que les autobiographies, ils exposent. À tout, même à l'indifférence.

— Tu m'aides à éplucher les légumes pour ce soir ?

— Si tu nous sers un petit verre de calva pour faire passer la graine qui m'est restée coincée dans le gosier et si tu me parles de toi.

— Je n'ai rien à raconter.

— Menteuse !

— Tu comptes mettre tout ça dans l'un de tes romans ? me demande mon amie en riant.

— Je voudrais que tu sois mon héroïne !

— Ce serait un comble tout de même que tu fasses de moi l'une des marionnettes de tes fictions ! C'est un peu tôt pour le calva. Tu nous feras boire ce que tu voudras dans ton livre, mais dans la vraie vie, le calva me donne mal à la tête !

La cloche de l'église sonne 5 heures.

Dans la cuisine, Lola me tend un économe. Les épluchures s'accumulent sur le papier journal, tandis qu'elle me parle de nouveau comme le premier soir. Elle commence par répondre à une question et tout s'enchaîne, elle se retrouve en enfance tout en épluchant ses patates.

Avant d'arriver à Trébuailles, elle était en poste à Paris, dans un bureau du XVe arrondissement. Elle y vivait dans une chambre de bonne, un cagibi qui ressemblait à celui où son père l'enfermait pour la punir quand elle était petite. Mais pour la punir de quoi ? Elle n'en sait rien, elle était si sage ! Elle ne se souvient que de ces heures passées dans le noir à attendre que son père la libère. Un hiver, elle y est restée toute une journée jusqu'à ce que sa sœur Bluenn, la bleue, trouve le courage de la délivrer au milieu de la nuit. Son père l'avait oubliée. Il n'a rien dit en la voyant à table le lendemain, il n'a pas remarqué sa présence, comme il n'avait pas remarqué son absence au dîner de la veille. Il le disait souvent : « Quatre filles, ça fait beaucoup, il m'arrive d'en perdre une en route et c'est souvent la même, celle qui traîne la patte ! » Lola n'était pas la seule qu'on oubliait, Carmen, la rouge, et Maria, la jaune, étaient à peine mieux traitées, seule Bluenn, la bleue, avait droit à toute l'attention du père.

— Cela ne l'a pas rendue plus heureuse pour autant, au contraire, elle a souffert de cette considération qu'elle devait à sa blondeur. Elle seule était autorisée à se promener les cheveux lâchés, à peine lui imposait-on deux barrettes pour dégager son visage et ses magnifiques yeux bleus. Elle seule était assez jolie pour rester au salon quand il y avait des invités. Pendant plusieurs années, Bluenn a hésité entre deux camps. Elle a d'abord été fière d'être la petite princesse de son papa, elle a même pu choisir sa couleur, elle n'aimait pas le jaune, qu'on lui avait attribué à la naissance, et a exigé le bleu qui allait si bien à Maria. La pauvre lui a tout abandonné, ses robes, ses draps, ses rubans. Puis Bluenn a compris, bien que nous ne lui ayons jamais rien reproché, et elle a commencé à détester cette préférence affichée du père. Après la mort de notre mère, elle s'est coupé les cheveux n'importe comment, toute seule dans la salle de bains, pour rallier notre camp. L'adolescence est arrivée dans la foulée et, avec elle, le désordre des traits, si bien qu'elle a gagné le fond de l'appartement comme les autres ! Au cagibi !

L'enfance de Lola n'est pas gaie, pourtant, nous rions et ce rire l'allège. Nous sommes heureuses d'être là, de

vivre ce moment ensemble, de partager la même histoire et, tout à l'heure, après le repas, nous monterons
lire la suite de la vie d'Inès Dolorès, la femme-fleur.
Nous savourerons ça joyeusement, même si nous savons
que la mort nous attend au bout.

Dans le cœur d'Inès Dolorès

32

Je suis partie avec les chaussures de bal de ma mère aux pieds, c'était idiot, mais pour sortir dans le vaste monde, j'avais choisi les plus jolies, les vernies à talons. Je les ai regardées de haut, j'ai admiré mes premiers pas dehors. J'ai vite compris que j'aurais mieux fait d'en prendre d'autres, moins belles, celles-là m'ont massacré les pieds ! J'aimais tant le bruit qu'elles faisaient sur la route que j'ai attendu de ne plus en pouvoir pour me déchausser et continuer pieds nus. Malgré la corne que j'avais sous la plante, marcher sur les cailloux brûlants m'était un supplice, et cette douleur-là n'était même pas musicale.

33

Je l'ignorais alors, mais j'avais l'éclat des fleurs. Je ne l'ai su que quand ma beauté s'est fanée.

34

Le vent soufflait dans mon dos, il me poussait comme une graine de pissenlit vers mon destin. Je cherchais un jeune homme dont je ne connaissais que le parfum, la voix et le prénom. Augustino m'avait dit qu'il était gitan par sa mère et qu'il devait son teint pâle à son père dont il ne savait rien. En attendant de le retrouver, le bruit de mes chaussures à talons me tenait douloureusement compagnie.

35

Ma mère traitait souvent mon père d'Égyptien, gipsy, c'était l'autre nom qu'on donnait alors aux gitans. Je me demandais où était cette Égypte, cette patrie des gitans, et combien d'heures il me faudrait marcher avec mes souliers de bal pour m'y rendre.

La bibliothèque de mon père était pleine de livres d'art et d'ouvrages savants traitant du monde végétal, mais on n'y trouvait ni carte, ni atlas, ni rien qui m'aurait permis de me repérer dans l'espace. Seules les fleurs m'étaient un pays.

36

Je portais mon encyclopédie des plantes dans ma besace en toile et ce savoir m'a vite pesé. Je pestais toute seule sur la route contre elle et contre mes chaussures de bal déjà empoussiérées. Je ne pouvais pas abandonner le livre, ma mère avait glissé tant de fleurs et de feuilles entre ses pages que tout s'y trouvait mêlé sous sa reliure de cuir : planches illustrées, papier, souvenirs et plantes séchées. Enfant, j'y avais moi aussi déposé ma part du jardin, par mimétisme : des ronces et des feuilles de mon frêne puant que je venais d'abandonner pour toujours.

Mon univers de petite fille en bandoulière, je me croyais chargée de toutes les connaissances du monde. En vérité, j'ignorais tout du dehors, de ce que vivaient les gens au quotidien, de leurs habitudes, de leurs peines. Je ne savais de mes voisins les plus proches que ce que les hommes se racontaient à l'ombre de nos murs en fumant leur cigarette. J'étais impatiente de rencontrer Ruben qui avait des cornes. Je me disais que, celui-là au moins, je le reconnaîtrais entre mille. J'imaginais Pedro avec son bec-de-lièvre, Encarnación qui avait une langue de vipère et José, une tête de linotte, et Juanita qui se sentait pousser des ailes. J'étais très intriguée aussi par les Cercas qu'on avait plumés, et par les Martinez, dont on disait qu'ils cherchaient toujours la petite bête. Je me demandais à quoi ressemblait cette petite bête et pourquoi ils la cherchaient ainsi en famille depuis si longtemps. J'avais retenu les noms d'oiseaux donnés à untel ou untel et je prenais tout au pied de la lettre.

37

Hors du jardin, j'ai découvert le monde, il m'a écorché les pieds.

38

Sur la route, je n'ai d'abord croisé personne. Et puis, un gamin sec a surgi de nulle part avec son chien et ses moutons. Il a couru vers moi, il n'a rien dit, mais le sourire qui fendait son visage tout crasseux de poussière et de soleil m'a appris à sourire à l'inconnu qui vient. Toute ma vie, j'ai gardé ce sourire-là en tête. Le premier. J'ai demandé au petit berger s'il savait où vivait Augustino, le gitan au parfum de nard, de cuir et de miel. Alors seulement, il a commencé à parler et il ne s'est plus arrêté. Il connaissait quelqu'un qui pourrait peut-être me renseigner, quelqu'un qui avait eu un ami gitan. Il a ajouté que j'étais belle avec mon ombrelle en dentelle et mes chaussures vernies, que j'étais fine et élancée comme une tige, et il m'a accompagnée sur la route en interrompant son bavardage tous les cent pas pour hurler un prénom dans le paysage désert. Juan ! Juan ! Un autre gamin, aussi sale et déguenillé que lui, est sorti des fourrés, suivi de deux chiens efflanqués et d'un petit troupeau de brebis maigres.

En une heure de marche, les enfants bergers se sont multipliés, j'étais désormais escortée par une bande d'enfants bavards qui puaient le lait de brebis caillé, par leurs chiens galeux et par des dizaines de moutons qu'ils

134

poussaient en avant avec leurs bâtons dans un nuage de poussière. Notre troupe criait le même prénom, « Juan ». Je me souviens que ma voix se joignait aux leurs et que je riais en hurlant ce nom dans l'immensité du paysage, contente d'avoir si vite trouvé de joyeux compagnons.

Soudain, un garçon, en tout point semblable aux autres, est apparu au sommet d'une butée de cailloux avec un chien noir charbon qui grognait comme un fauve. Bien qu'il eût les mêmes habits et qu'il fût aussi crasseux et maigre que mes nouveaux amis, il ne me faisait pas du tout le même effet, car il ne souriait pas et son chien montrait les dents. Mon ami l'a rejoint, je les ai vus palabrer au loin, puis ils sont venus vers moi ensemble et Tout Sourire m'a encouragée à questionner son triste camarade. Oui, Juan connaissait Augustino. Quand je lui ai dit que j'étais la fille de l'Escultor, il a craché à mes pieds et il s'est éloigné. Il a rejoint son chien au sommet de la petite butée. Tout Sourire l'a poursuivi pour essayer de lui faire entendre raison, pour qu'il m'en dise plus, mais l'autre l'a repoussé avant de disparaître derrière la colline. Alors, les bergers ont compris que je cherchais un mort, que celui que j'aimais était le cadavre qu'on avait trouvé sur la route un mois plus tôt et tous les sourires se sont effacés. Ma joyeuse troupe s'est dispersée en silence, les enfants sont partis en étoile avec leurs brebis et leurs chiens et ils ont aussitôt disparu dans le paysage entre les fourrés et les cailloux. Tout Sourire m'a effleuré la main tristement avant de s'effacer à son tour et de me laisser seule sous la dentelle de mon ombrelle avec mes pieds en miettes.

Je n'avais plus de raison de continuer à marcher,
gagner l'Égypte n'avait aucun sens si Augustino était
mort. Je ne savais plus où aller, je n'avais plus de quête
et le vent était tombé. J'aurais aussi bien pu revenir sur
mes pas et m'enterrer dans mon jardin plein de roses
fauves crevées. Mais j'étais tellement curieuse du monde
que j'ai préféré oublier ce que les enfants venaient de
m'apprendre, oublier que, sans doute, Augustino n'était
plus, pour pouvoir continuer de le chercher comme
si de rien n'était, pour justifier ma présence sur cette
route, pour me laisser cette liberté du voyage. Oublier
la mort d'Augustino, ne pas croire ces bergers imbéciles,
oublier que, n'ayant plus de quête, je n'étais pas à ma
place, que je n'avais peut-être plus aucune place en ce
monde.

Après cela la route a été généreuse : elle m'a offert
Paco.

En partie cachée par mon ombrelle blanche, je pleurais sur le bord du chemin, assise sur un rocher, en
massant mes pieds enflés qui refusaient d'entrer dans
les chaussures de bal de ma mère. Quand la carriole
du camelot s'est arrêtée à ma hauteur, j'ai souri malgré
les larmes, j'ai souri comme le petit berger me l'avait
enseigné, j'ai souri au gros Paco sans rien garder pour

moi. Il m'a demandé si j'allais en ville, je lui ai répondu que oui. Il m'a dit que je n'étais pas rendue avec de telles godasses. Il m'a proposé de m'installer sur la banquette à côté de lui, il a précisé qu'il était gros, que ce ne serait pas très confortable et qu'il n'était pas un express. Il devait faire un crochet, pour vendre sa marchandise dans un village par là. Il a eu un geste vague de la main. J'ai dit que je n'étais pas pressée, que je cherchais mon amoureux, que nous allions nous marier, mais que nous étions jeunes et que nous avions tout notre temps.

41

Le camelot s'est installé sur la place de l'église d'un village. Je n'avais jamais vu de village, ni de place, ni d'église, jamais vu tant de gens. Les plus jeunes villageoises se sont vite massées autour de la carriole du gros homme, attirées comme des mouches. Je me souviens que j'obéissais à Paco pour me donner une contenance, l'aidant autant que possible, m'occupant de ses deux chevaux, remplissant pour eux les seaux d'eau à la fontaine qu'il y avait là, tout en dévorant des yeux les visages de toutes ces filles qui, toujours plus nombreuses, attendaient on ne sait quoi. Et quand le marchand a soulevé son auvent de bois, elles ont toutes applaudi et hurlé de joie devant les breloques brillantes, les peignes vernis, les rubans multicolores, les coupons de tissus pour robes sévillanes que Paco leur dépliait d'un mouvement leste du bras… C'était une explosion de couleurs dans leur espace poussiéreux !

Et Paco est de retour, après trois mois de tournée, Paco est de retour qui vous rapporte le monde dans sa roulotte ! Pour vous, qui vivez dans ce désert, pour vous, les immobiles, j'ai glané les couleurs des belles de Grenade, de Madrid, les dernières modes de Paris. Rien que du beau !

Les yeux des jeunes filles s'arrondissaient presque autant que les miens. Elles étalaient soigneusement les rouleaux de tissus colorés, la place se parait de rouge, de jaune, de rires.

Dans ces flacons, j'ai enfermé des parfums qui viennent de plus loin encore et, dans ce coquillage, vous entendrez le bruit des vagues. Écoutez ! Paco vous a rapporté la mer immense !

Paco a posé un gros coquillage blanc contre mon oreille avant de le tendre à une autre fille. Et tandis que le coquillage circulait de main en main, je suis restée en arrêt devant un long ruban de velours rouge.

Quand les mères sont arrivées sur la place à leur tour, raides et sévères, les jeunes filles se sont ternies et les rires se sont tus. En voyant les plus âgées approcher, le marchand a habilement recouvert son étal de coupons de tissus sombres et les couleurs ont regagné les profondeurs de la roulotte.

Mais j'ai aussi des tissus comme il faut, a enchaîné le marchand, des bruns, des noirs, de quoi vous faire une nouvelle jupe bien raide pour les fêtes ! Car je sais que vos vieilles biques de mères ne vous autoriseront jamais à porter autre chose !

138

Il m'observait du coin de l'œil, alors que j'étais toujours en arrêt devant la dernière touche de couleur : le ruban rouge.

Quelle misère que ce pays qui étouffe la beauté de ses filles !

Le camelot me fixait tandis que je tripotais le ruban. Nos regards se sont croisés, j'ai souri comme le petit berger.

Paco m'a donné le ruban de velours rouge avant que je ne le lui vole !

42

J'écoutais les mots, les noms, les voix. L'une des mères s'appelait Encarnación, je ne quittais pas sa bouche des yeux, tentant de surprendre sa langue de vipère, tandis qu'elle parlait d'une voix aiguë à une jeune femme avenante. Au détour d'une phrase, j'ai compris qu'elle discutait avec la femme de Ruben. Comme cette belle fille-là était plus joviale que les autres et qu'elle me souriait, j'ai osé l'aborder et lui demander si son mari était celui qui avait des cornes. Encarnación a alors éclaté d'un rire strident en sifflant entre ses dents, tandis que la jolie jeune femme restait muette. Désolée de l'avoir troublée, je lui ai avoué que j'avais entendu des hommes en parler sur la route, que je ne connaissais rien au monde encore, que je comprenais bien que ce n'était sans doute pas facile de vivre avec des cornes sur la tête et que j'avais été trop curieuse. Je m'empêtrais davantage à chaque phrase, affirmant que ce n'était pas grave, que chacun avait ses défauts, qu'il y avait de tout en ce monde, des femmes à langue de vipère comme Encarnación, des familles entières qu'on avait dû plumer comme les Cercas et des bécasses comme la Juanita. La femme de Pepe m'a souri avec douceur et m'a conseillé de ne pas trop écouter les racontars, tandis qu'Encarnación filait en sifflant...

Nous avons quitté le village après des heures de palabres, chaque petit morceau de tissu avait été ardemment négocié et Paco avait l'air satisfait. Mes pieds n'entraient toujours pas dans mes souliers vernis, mais je caressais mon ruban avec délice, assise à côté du camelot dans la carriole. C'est alors que j'ai remarqué Juan qui nous suivait à distance. Il courait avec son chien noir sur une parallèle à la route. J'ai rangé mon ruban et abandonné Paco le temps de parler au jeune berger. J'ai marché pieds nus sur les cailloux jusqu'à lui.

Tu t'es sauvée de chez ton père ? m'a-t-il demandé quand je suis arrivée à sa hauteur. J'ai répondu que oui. Il sait que tu es partie ? J'ai pensé que cela n'avait pas grande importance ce que mon père savait ou ne savait pas. Juan a regardé le bâton qu'il tenait en main et dont l'extrémité dessinait des étoiles sur la terre sèche. Il a dit : J'ai réfléchi, tu as le droit de savoir, même si tu es la fille de cet homme-là. Augustino était mon ami, je l'aimais comme un frère. Les gens l'ont trouvé mort sur cette route, à l'aube, il y a un mois. Mais moi, je l'ai vu tomber au crépuscule alors qu'il avançait sur son cheval vers chez toi, je l'ai vu tomber comme un arbre. Il est mort dans mes bras en me demandant de prévenir sa mère à l'aube. À l'aube, pas avant… Il disait que c'était important, qu'il avait une dernière chose à accomplir avant qu'on ne découvre son cadavre. Il disait en serrant une rose contre sa poitrine qu'il voulait passer te dire adieu et moi je pleurais ne comprenant pas comment il pouvait imaginer faire un seul pas vers toi dans son état. C'était le lendemain de la nouvelle lune, je l'ai bercé alors que les étoiles tombaient du ciel en pluie, la nuit pleurait de longs fils de lumière tandis qu'il respirait sa fleur comme s'il voulait la vider de son étrange parfum. Un parfum de rose et de chair tiède. J'ai dormi à côté de son cadavre. À l'aube, quand je me suis réveillé, son corps était glacé. La rose avait glissé dans sa bouche, si bien qu'elle semblait avoir poussé là, entre ses lèvres, et l'avoir étouffé. Son odeur était si forte que je l'ai arrachée et enterrée.

Je ne voulais plus entendre cet idiot de berger et pourtant je n'étais pas aussi surprise par son récit que j'aurais dû l'être.

Tu dis n'importe quoi ! Cette nuit-là, Augustino l'a passée à mes côtés et ce que nous avons vécu alors était une première fois. Je le retrouverai sans ton aide.

Juan a relevé ses yeux noirs sous sa tignasse emmêlée. Son regard était doux et profond. Il a fouillé dans la poche de son pantalon élimé et il en a sorti un anneau d'or qu'il m'a tendu.

Il voulait te donner ça. Je l'ai gardé en souvenir de lui. Mais tiens ! Il t'appartient. La famille d'Augustino dresse des chevaux. Sa mère habite dans les faubourgs où logent les gitans de l'autre côté de la ville. Elle s'appelle Carmen, elle te montrera sa tombe.

Et aussitôt après avoir prononcé cette dernière phrase, le petit Juan s'est sauvé. Il ne voulait pas que je lui pose trop de questions, il ne voulait surtout pas que je lui demande qui avait abattu mon amoureux comme un arbre ce soir de notre première fois, ce soir où nous nous étions aimés sous une pluie d'étoiles, ce soir où il m'avait paru aussi pâle que la mort.

Je l'ai traité de menteur. J'ai crié ça dans le vent. Menteur!

J'ai passé l'anneau d'or à mon index et j'ai souri en regardant ma main. Il m'allait parfaitement.

43

Quand je suis arrivée en ville, celui qu'on appelait le Sauvage éventrait les gens au petit bonheur la chance. Les meurtres ne répondaient à aucune logique, le Sauvage ne semblait choisir ni les lieux, ni les nuits de ses méfaits, ni même ses victimes. Il assassinait indifféremment les hommes et les femmes, les riches et les pauvres, les jeunes et les vieux. On ne comprenait rien à ce meurtrier-là qui tuait des gens au hasard, n'importe où dans le pays, sans jamais rien leur voler d'autre que leur vie. Il se contentait de leur ouvrir la panse, comme on éventre un sac de grain, et il se volatilisait. On avait d'abord accusé les anarchistes, jusqu'à ce qu'un bakouniniste soit retrouvé éventré. On avait alors dit que les latifundistes s'étaient vengés. Mais aucune milice, aucun parti, aucun groupuscule ne revendiquait ces meurtres affreux, tous se disaient outrés, même les bandits, tous condamnaient d'une même voix ces assassinats désintéressés et inutiles.

Le premier soir alors que, perdue dans cette ville immense où Paco venait de me déposer, je cherchais un endroit où m'abriter pour la nuit, je l'ai surpris.

Paco m'avait demandé si je savais où rejoindre mon fiancé, je lui avais répondu que oui, que je me débrouillerais très bien toute seule, qu'il n'avait plus à se soucier de moi. Subjuguée par la foule, j'étais pressée de m'y plonger, de frôler les tenues élégantes, de coller mon nez aux vitrines des boutiques. Paco m'avait donc abandonnée à contrecœur en me souhaitant bonne chance et je m'étais laissé emporter par le courant. Une ville, c'était tout à la fois ! Le bas des jupes de soie brodée frôlait les pieds crasseux des mendiants. Les fiacres rutilants roulaient au milieu des passants. Les carrefours étaient un encombrement de chevaux, de voitures, de hurlements. J'ignorais qu'il y avait tant de gens dans ce monde, que les visages pouvaient être si différents. La ville était vertigineuse. Toute à ce spectacle de luxe et de misère, je n'ai pas vu la nuit venir, elle est tombée d'un coup et le brouhaha s'est tu. Chacun était rentré chez soi, même les plus pauvres avaient abandonné les rues et je me suis soudain retrouvée seule à errer dans un monde dépeuplé, sombre et silencieux.

C'est alors que j'ai senti cette odeur de sang frais et que je l'ai vu.

Son ombre était courbée au-dessus du cadavre d'un gros homme qu'il avait ouvert par le milieu. Il plongeait ses mains dans le ventre de sa victime en marmonnant ce qui m'a d'abord semblé être un bout de prière. Mais non, il comptait. L'assassin a entendu mon pas, le bruit de mes chaussures de bal sur les petits pavés noirs de la ruelle déserte, il a interrompu son décompte et son visage s'est tourné vers moi. En un rien de temps, il était dans mon dos et me tenait serrée dans ses bras en me parlant à l'oreille. Je sentais la pointe de son couteau contre mon ventre et son étrange parfum musqué.

Celui-là était plein d'argent, m'a-t-il murmuré, c'est ce qui remplit ce genre d'hommes le plus souvent, ce qui les occupe, ce après quoi ils courent toute leur vie. Ils avancent dans l'existence comme de gros pantins pleins de chiffres et de papier, il n'y a rien d'autre pour combler leur vide que les billets. C'est le plus simple, pour s'épaissir, l'argent! On le compte, on sait ce que chaque journée nous rapporte, ça se mesure facilement, ça donne du sens, de l'importance, une raison de vivre. Mais ce n'est pas comme se goinfrer de pâte d'amande. En plus d'être nourrissante, la pâte d'amande a du goût! Cette boulimie pour la chose la plus insipide du monde leur donne un appétit d'ogre qui rend tout logique, même le meurtre! L'argent finit par dévorer tout le reste. Je préfère éventrer des pauvres, tiens, ce qu'ils contiennent est plus surprenant. L'argent ne les intéresse pas en soi, il n'est qu'un moyen de manger à sa faim.

Je n'ai jamais eu d'argent entre les mains, ai-je répondu en tentant d'oublier le couteau, j'ignore donc quel goût ça a. Mais jusqu'à aujourd'hui, je n'ai manqué de rien, donc je ne juge personne. Et ce soir, tu tombes mal, pour la première fois, j'ai le ventre vide. Une petite

144

pièce ne serait pas de trop, elle me permettrait d'acheter du pain.

Tu n'as pas froid aux yeux. Et si je te perçais à ton tour, la belle, avec mon petit couteau, si je regardais de quoi tu es faite, ce qui te donne l'impression illusoire d'exister, ce que tu as accumulé jusqu'à ce soir où tu as la malchance de croiser mon chemin, si je te perçais la panse, que trouverais-je ?

Tu trouverais des ronces, un vrombissement d'insectes et l'odeur d'un faux frêne. Ça m'est sorti sans réfléchir, j'ai continué sur ma lancée. Parler me rassurait. Je suis pleine d'une soleá chantée par un jeune mort, de milliers de roses faramineuses et d'un mélange de tristesse et de curiosité. Tu trouverais aussi la corde au bout de laquelle ma mère s'est pendue et la route, celle qui m'a blessé les pieds et que j'ai parcourue pour arriver jusqu'ici sous ton couteau.

L'homme a ri et j'ai senti son étreinte se relâcher.

C'est tentant d'aller voir tout ça de plus près, de te fouiller les entrailles pour y dénicher ces trésors-là ! Mais je n'aime ni les fleurs ni les insectes et je sens que tu portes autre chose. Une flamme danse en toi, un magnifique feu de paille que tu ignores encore. Je ne t'éventrerai pas ce soir, la belle, tes yeux racontent une histoire étrange que je ne comprends pas bien, mais qui me plaît et dont j'aimerais connaître la suite. Ils sont pleins d'un mystère que je ne parviendrais jamais à percer à l'aide de mon misérable petit coutelas et la nuit est trop sombre pour que tu m'aies bien vu. Tu oublieras mes traits. Alors voilà ta pièce, de quoi t'acheter une miche et boire un verre à ma santé. Sauve-toi, la belle, sauve-toi vite avant que je ne change d'avis ! J'espère bien avoir la chance de voir un jour danser ce feu que tu contiens !

44

Le soir de cette affreuse rencontre, après que le Sauvage m'a lâchée, j'ai couru loin du cadavre, la pièce serrée dans ma paume, j'ai laissé le vent m'entraîner, il a effacé l'odeur de musc et de sang frais dont l'homme était comme imprégné et m'a déposée dans un coin d'ombre où je me suis recroquevillée. J'avais oublié ma faim et j'ai passé une bonne partie de ma nuit dans l'effroi.

En repensant à notre vie au jardin, j'ai imaginé que mon père nous avait retranchées du monde des hommes pour nous épargner sa brutalité. Ma mère se serait-elle échappée s'il ne l'avait pas si bien gardée ? Je ne le crois pas. Elle avait trouvé dans notre jardin un espace où prendre racine. Alors d'où lui était venue cette tristesse qui l'avait peu à peu dévorée ?

J'avais le cœur de ma mère dans mon sac et, ce soir-là, j'ai pensé l'ouvrir pour y trouver du réconfort et des réponses. Mais c'était comme si j'étais partie avec ses os, avec sa tombe, et l'on n'ouvre pas une tombe, même pour y rejoindre sa mère et tenter de la comprendre, même dans l'espoir d'un baiser.

Si j'ai tenu bon, si je n'ai pas décousu son cœur à ce moment-là, malgré la peur et la solitude, ce n'est pas pour l'ouvrir aujourd'hui alors que je suis vieille et que ma mort approche. Mes questions resteront sans réponses. Je ne suis pas comme le Sauvage, je ne percerai rien, ni le cœur de ma mère ni celui de ma fille. Je ne saurai jamais les secrets qu'elles y ont rangés avant de mourir et je ne saurai pas non plus comment le Sauvage a pu deviner que Carmen Dolorès, la Niña, poussait en moi, alors que mon ventre était encore plat comme la lame de son couteau et que rien ne s'animait sous ma peau, comment il a pu déceler une présence que je n'ai pas sentie moi-même avant d'accoucher, comment il a réussi à percevoir les premiers mouvements de ballerine de ma fille...

J'ai revu le Sauvage des années plus tard, assis à une table du café où nous nous produisions, ma fille et moi, et, contrairement à ce qu'il imaginait, je l'ai reconnu, j'ai la mémoire des parfums. Cette nuit-là, nous avons mis le feu, la salle nous a portées en triomphe. En partant, j'ai déposé cette pièce qu'il m'avait donnée, cette pièce que je n'avais pas utilisée, je l'ai déposée sur sa table sans un mot.

Je n'ai bu aucun verre à sa santé. Malgré la poésie, je ne voulais rien devoir à cet homme-là !

Les feuillets d'Inès Dolorès ne sont plus numérotés... Tu veux que je fasse une pause. Non, continue. Lis encore, s'il te plaît. Finissons ce soir. Tu es fatiguée. Non, je suis portée par cette drôle d'histoire. Je n'ai pas envie d'en sortir. Moi non plus. Peut-être que tout sera dans le désordre, nous verrons bien.

*

Combien ai-je eu de filles?

Je n'en sais rien, je n'ai jamais aimé les chiffres. Je les ai si peu senties en moi, elles se cachaient et me tombaient du corps comme des fruits mûrs. Il faudrait demander à Miguel, il a tenu le compte pour moi.

*

Je me souviens de ce qu'on a dit de Carmen Dolorès, ma première fille, de celle qu'on appelait la Niña : une fille de rien, comme sa mère, s'offrant à tous les gars, comme sa mère, une fille pourtant élevée par le meilleur des hommes.

Il n'empêche que quand la Niña dansait, le monde ne respirait plus et tous, les hommes comme les femmes, oubliaient ce qu'ils pouvaient penser d'elle ou de moi. Ils la respectaient, ils habitaient sa chair, vibraient à travers elle, dansaient sans quitter leurs chaises. À moins que ce ne fût son corps à elle qui, prenant tout à coup possession de leurs pauvres carcasses immobiles et fatiguées par leur journée au champ ou à la filature ou à l'usine de tabac, son corps qui les forçât à l'accompagner, malgré tout ce qu'elle avait pu leur faire subir, les poussant à se laisser pénétrer par ses mouvements, par cette grâce, cette force, cette noblesse, cette énergie unique qui était la sienne. Ils étaient soudain fiers de lui appartenir le temps d'une soleá. Car ma voix – Oh! ma

148

voix ! – si longtemps coincée dans ma gorge, ce sanglot, ma voix retenue par la corde qui avait serré le cou de ma mère au jardin, ma voix s'élevait et, dans le passage ouvert par le feu de l'alcool, une histoire, rauque de larmes sèches, une histoire énorme, pelotonnée dans mon ventre depuis le commencement du monde, jaillissait, se déversait par vagues, ma voix était plus que moi-même, elle portait tant de peines que je n'avais jamais vécues, et l'on ne savait plus qui menait l'autre, du chant ou de la danse. Oui, nous étions tendues, prêtes à nous rompre, comme un ciel d'orage, jusqu'à ce que ma voix ou ses pieds partent, jusqu'à ce que les talons ferrés des chaussures de la Niña martèlent le carré de planches qui lui servait de scène. Moi, ce visage empâté par l'alcool et les nuits de débauche, cette poitrine énorme, ces fesses flasques débordant de ma chaise en bois, et elle, aussi fine et longue que je l'avais été du temps du jardin, nous n'étions plus qu'une femme possédée par le Duende, corps et voix, exprimant une histoire immémoriale. Quelque chose se déchirait dans nos cœurs et, à changer ainsi la douleur en beauté, nous ressentions une telle allégresse, nous la partagions, nous nous portions, je portais ma fille, qui me portait, et les *palmas* nous portaient, nous étions nous et le souffle des autres, de tous les autres, de ceux qui dans la pièce nous encourageaient à continuer en frappant dans leurs mains, et des absents aussi, des vivants et des morts, nous débordions nos contours et les murs des petites salles où nous nous produisions, nous débordions l'instant. Et nous aurions pu chanter, danser, frapper dans nos mains, jusqu'à tomber d'épuisement, mais l'épuisement ne venait pas. Seul le plaisir montait, cette communion des âmes, nous célébrions le monde avec ses contradictions, ses extrêmes, ses éclats... Des lambeaux de beauté s'agitaient autour du corps en transe de la Niña. Une transe sporadique, brisée par des silences, des arrêts, contenue. C'était le temps qu'elle semblait modifier à sa guise, le bridant dans un mouvement ralenti du bras, le suspendant au-dessus d'elle, avant de le lâcher comme un cheval fou.

Nous étions ensemble, nous qui ne nous adressions jamais la parole, nous étions en communion d'esprit et de musique...

*

La mère d'Augustino était une grande femme maigre. Elle vivait avec son clan dans le quartier que Juan m'avait indiqué. Assise sur une chaise en bois, elle tressait un berceau d'osier quand j'ai débarqué dans ma robe blanche déjà défraîchie, avec mon minois d'oiseau tombé du nid et mon ombrelle en dentelle sale. Elle ne m'a pas posé de question, je lui ai parlé d'Augustino et elle m'a conduite sur la tombe de son fils en chantonnant. Elle avait une démarche de reine et, moi, je boitillais à sa suite, mes chaussures de bal à la main. J'entendais les larmes lui couler dans la gorge, elle les avalait pour garder les yeux secs. Je n'ai pas osé lui dire que je n'avais rien dans le ventre que des fleurs, des insectes et le parfum d'un frêne, je n'ai pas osé lui dire que j'avais faim et nul endroit où dormir ni ce soir-là ni les suivants. Je me suis contentée de lui demander si elle comptait repartir bientôt pour l'Égypte et elle a ri en me disant que j'étais bien une *paya*.

La partie du cimetière réservée aux gitans était belle et bien entretenue. Ce peuple vit dans des roulottes, des cabanes de rien, posées dans les faubourgs les plus misérables des villes, mais dès qu'ils le peuvent, ces gens bâtissent des châteaux à leurs morts. Leur seule véritable demeure est leur tombe. Puisque aucun mouvement n'est possible une fois crevé, il est enfin temps pour eux de s'enraciner quelque part.

La mère d'Augustino avait vendu leurs chevaux, leur roulotte et tout ce qu'ils possédaient pour offrir un mausolée à son fils. C'était une vraie petite maison, avec des murs, un toit, des chandelles. Certes, Juan, le jeune berger, n'avait pas menti, mon amoureux était mort, mais je savais où me réfugier désormais, je serais à l'abri à ses côtés, il me protégerait du Sauvage et de la nuit qui tombe sur la ville, d'un coup, comme une hache. Nous habiterions ensemble, même s'il ne vivait plus. Depuis l'au-delà, il prenait soin de moi, il m'offrait une chambre minuscule où nous dormirions l'un sur l'autre, moi vivante et lui mort, séparés par un drap de pierre.

J'ai couché pendant des mois sur les lettres dorées de son prénom.

La première nuit, j'ai trouvé une couverture soigneusement pliée dans un coin du mausolée et j'ai pu dormir tout mon saoul dans le silence des morts. Au matin, j'ai eu la surprise de découvrir du pain, de l'huile d'olive et des figues sèches devant la petite porte de notre étrange maison. Je n'ai jamais su qui prenait ainsi soin de moi, mais tant que j'ai vécu dans cette tombe, j'ai eu droit à ce cadeau. Chaque matin, et même après que la mère d'Augustino est partie pour Grenade, les dons ont continué. Cela m'a beaucoup aidée durant les premiers temps. Ensuite, la ville a été généreuse, j'ai recroisé Paco. Quand je lui ai dit que je n'avais plus d'amoureux, il n'a pas eu l'air surpris, il m'a donné du pain, des savates, une robe propre et il m'a proposé un travail chez l'une de ses amies au marché.

Alors, peu à peu, avec son aide, je me suis bâti une vie loin du jardin de mon enfance.

*

L'orage approche.

Il gronde sur la ville, tandis que je brode et que j'écris, dans cette chambre que Miguel a déclarée mienne, il y a des années de cela, et où je n'ai dormi que quand il n'y avait rien d'autre à faire, aucun homme à séduire, personne avec qui traverser la nuit jusqu'à tomber d'ivresse.

L'orage approche, plein du désir fou de mes seize ans. Le souvenir d'Augustino ressuscite la bête et la floraison des roses animales.

Je me demande ce qu'il se passerait si je laissais mes graines sous l'orage ce soir. Ça tonne dehors, ça agite le faux frêne et toutes les tempêtes que j'ai en tête. Cachons-les dans une armoire, dans le noir, que rien ne germe !

Elles aiment ça, quand ça tonne et que ça gronde, c'est ce qui les réveille. Elles dévasteraient le parc de Miguel, elles dévoreraient son monde ordonné plus sûrement que la kyrielle de gamines que j'y ai déjà semée.

Je vis mes derniers instants au milieu de toutes ces filles que j'ai pondues et dont il s'est chargé. La plupart se sont mariées, mais elles reviennent ces derniers temps dans l'espoir de mettre leurs petits à l'abri de la guerre, les couloirs de la maison à colonnades sont encombrés d'un essaim de gamins bruyants qui m'appellent Yaya Dolorès. Miguel a la naïveté de me croire en famille, alors que tout cela m'indiffère, m'agace même.

Je pourrais tout balayer en semant quelques graines sous l'orage. Faire taire les braillements de ces gosses une bonne fois pour toutes. Oui, quelques graines et le désir reprendrait le dessus...

Une petite poignée suffirait pour qu'il renaisse, même s'il doit m'emporter. Je pourrais lâcher les fauves...

Roses d'orage

Le ciel de Trébuailles se déchire.

Assises côte à côte sur le tapis bleu, nous mettons un moment à comprendre que c'est bien dans notre réalité que la nuit se fissure ainsi. Le vent qui tape aux carreaux de la chambre de Lola se mêle à celui qui souffle dans un texte écrit par une morte de l'autre côté d'une frontière à la fois temporelle et géographique. Inès Dolorès orchestre-t-elle la tourmente qui se déchaîne soudain sur le jardin de Lola ? La bête a-t-elle poursuivi le cœur de tissu jusqu'ici ? Y était-elle enfermée comme le génie dans la lampe ?

Jadis et aujourd'hui craquent comme des coquilles de noix, secoués par les mêmes rafales.

Je compte. Douze secondes séparent l'éclair du tonnerre. La lumière est bien plus rapide que le son, ma grand-mère le savait sans jamais l'avoir appris, nous avons souvent apprivoisé l'orage en comptant ensemble pour savoir s'il s'approchait ou s'il s'éloignait. Pour traduire le temps en distance, il suffit de diviser par trois. Douze secondes. Le cœur de la tempête est donc à quatre kilomètres.

Dans le cadre de la fenêtre, la laque noire de la nuit s'éclaire de nouveau, toute craquelée d'arcs électriques. Je compte de nouveau. Le roulement grave et rauque résonne au bout de six secondes. Nous serons bientôt dans le lit de l'orage. Alors que je guette l'éclair suivant le nez collé à la vitre, Lola rompt l'instant, le casse comme du pain dur.

— Sortons les roses de la cabane ! Elles aiment l'orage. Oui sortons-les, que la bête les renifle !

Nous dévalons les escaliers et nous nous précipitons dehors sous la pluie battante. Des éclats de lumière veinent le front de la nuit. Ça pète là-haut comme à la guerre. Nos pieds nus s'enfoncent dans la boue alors que nous courons jusqu'à la cabane où sont cachées les graines. L'air a un parfum d'ozone. La foudre tombe quelque part dans le bois derrière les thuyas, du côté de la rivière, et mon cœur s'arrête un instant avant de repartir en trombe. Plus rien ne sépare le bruit de la lumière désormais. Nous sommes à la croisée des mondes. Lola ouvre en grand la porte de la cabane que le vent claque violemment derrière elle. Elle ressort aussitôt dans la tourmente avec la jardinière que nous installons dans le coin des ronces. Nous hurlons pour nous entendre dans le fracas du vent. Les rafales plaquent le chemisier fleuri de Lola contre son corps si fragile, mes longs cheveux trempés fouettent nos visages hilares. Je lui crie qu'elle est belle, que je l'aime, qu'elle est mon héroïne, mais je pourrais aussi bien l'insulter, elle n'entend rien. L'eau nous dégouline dans les yeux, nous nous accroupissons et calons tant bien que mal le pot entre des pierres du mur écroulé du cimetière pour que le vent ne le retourne pas. Lola crache trois fois en murmurant des mots inaudibles.

Nous dansons dans les flaques comme des gamines avant de rentrer ravies d'avoir bravé la tempête ensemble. Nous passons nos pieds boueux sous la douche, Lola me prête des habits secs et nous reprenons nos places l'une contre l'autre sur le tapis bleu en nous séchant les cheveux avec des serviettes-éponges.

La cloche de l'église sonne, mais je ne parviens pas à compter le nombre de coups. Depuis combien de temps Inès Dolorès attend-elle la mort dans sa chambre ?

Aucun feuillet n'est daté. Les vents tissent un pont entre passé et présent, l'orage a ouvert un passage en fêlant la nuit.

Les feuillets restants ne sont plus numérotés. La chronologie est bousculée par cette absence et par la mort que l'aïeule sent venir. Il lui faut raconter la fin avant sa fin. Dire, écrire au plus vite, tout rendre sur le papier. À moins qu'Inès Dolorès soit de moins en moins lucide à mesure que son récit avance, que la douleur physique lui fasse perdre l'ordre du temps, qu'elle ne parvienne plus à organiser ses souvenirs, à retrouver le fil de son histoire réelle ou rêvée. Des scènes lui reviennent en mémoire, se percutent, exigent leur place dans l'arche de tissu et tout se bouscule sous sa plume pour échapper à l'oubli.

Dans le cœur d'Inès Dolorès

Je dormais dans la tombe d'Augustino et je travaillais presque tous les jours pour la maraîchère.

Mon jardin, mon frêne, mes ronces me manquaient.

En me promenant dans les beaux quartiers, à côté du cimetière, une odeur âcre et familière m'avait menée dans un parc qui, bien que plus sage, ressemblait à celui où j'avais grandi avant que le deuil ne le dévaste. Dès que je le pouvais, je me faufilais dans une faille du mur d'enceinte et je me promenais entre les arbres centenaires sans jamais rencontrer personne. J'y volais des bulbes de n'importe quoi, que je replantais autour de chez nous dans l'espoir d'égayer les tombes. Il y avait, dans ce merveilleux jardin, un faux frêne, jumeau du mien, à l'ombre duquel il m'arrivait de m'assoupir, loin des bruits de la ville.

C'est sous cet arbre que la Niña m'est tombée du corps.

Je ne me souviens pas d'avoir souffert en la mettant au monde, certaines douleurs s'oublient, surtout quand on ne sait pas quoi en faire... Depuis mon arrivée en ville, l'automne et l'hiver avaient filé, ces saisons-là n'ont jamais été mes préférées, je les dors à moitié. Je m'étais un peu épaissie, mais rien de remarquable. Au marché où Paco m'avait fait embaucher, personne n'avait rien vu, et pourtant ma patronne avait l'œil pour ça, elle décelait les grossesses dès les premières semaines. Il n'y avait nulle place pour un enfant dans ma vie, la Niña l'a toujours su, elle s'est cachée dans ma chair, comme je me suis si longtemps cachée dans la tombe d'Augustino.

Sa naissance m'a secouée. Comment cette enfant avait-elle pu me sortir du ventre? Cette créature qui n'existait pas quelques minutes auparavant m'avait soudain retourné les entrailles et obligée à m'accroupir sous le frêne.

Je vivais avec un mort et j'accouchais de sa fille.

J'ai cru devenir folle, j'ai voulu expulser ce nourrisson minuscule et visqueux de ma vie, j'ai coupé son cordon avec mes dents, je l'ai noué grâce à mon ruban rouge et j'ai gratté la terre comme une bête, j'en avais plein les ongles. Non, cette chair chaude ne pouvait pas être la mienne! Je lui ai aménagé un petit lit dans la glaise, je l'ai enroulée dans le châle que je portais, je l'ai bien calée dans son berceau, j'ai enterré un peu plus loin tout ce qui m'était sorti du corps après l'enfant et je suis partie. Elle hurlait alors que je m'éloignais. Comme pour me retenir. Un cri aigu, insupportable, une déchirure. Je ne me suis pas retournée. J'ai quitté le jardin au plus vite. Je saignais comme un bœuf sur le chemin! Je sentais que ça dégoulinait sous mes jupes le long de mes jambes.

Les mots du Sauvage me sont revenus en mémoire.

« Et toi, de quoi es-tu pleine ? Tu portes une flamme que tu ignores. »

Au marché, ma patronne a remarqué que je saignais plus qu'une femme ne saigne habituellement pendant ses règles. J'ai surpris son regard collé à mon ventre, je l'ai sentie attentive à chacun de mes mouvements, indécise, incapable de comprendre ce qui arrivait à cette fille avec laquelle elle travaillait depuis plusieurs mois déjà et, dans le doute, elle a fini par me proposer de rentrer chez moi. J'ai refusé net, je ne pouvais pas parler de tout ça à Augustino. Que lui aurais-je dit ? J'aurais dû m'expliquer, j'avais trop peur de son jugement, j'avais abandonné son enfant comme une graine dans un trou. Je préférais m'épuiser à la tâche, oublier, ne pas penser à ce bébé qui m'était sorti du ventre et que je venais de planter sous les branches d'un faux frêne. Je portais mes cageots de patates comme si de rien n'était, mais je me suis soudain sentie si faible que j'ai failli tourner de l'œil. Ma patronne râlait. Décidément je faisais tout de travers, je n'étais bonne à rien aujourd'hui et d'une pâleur à faire fuir le chaland ! Elle m'a ordonné de ne plus traîner dans ses pattes et m'a obligée à m'allonger sur des sacs vides où elle m'a laissée dormir tout mon saoul, j'avais remonté ma jupe dans mon dos pour la tacher le moins possible. Des heures plus tard, à la fermeture, elle m'a secouée et j'ai perçu derrière sa brusquerie beaucoup d'inquiétude. Elle détestait se mêler de ce qu'on avait décidé de lui cacher. Alors que je tentais de m'asseoir, de faire taire mon corps douloureux, elle s'est accroupie sur ses talons à mes côtés, elle a posé la main sur ma cuisse et a murmuré : je ne suis pas une fouineuse. Je ne sais rien de toi. Tu fais ce qu'on te dit sans rechigner à la peine, tu es propre, tu souris, tu es gaie, alors je ne t'ai jamais rien demandé, ni d'où tu viens, ni où tu vas. Mais tu devrais parler à la vieille Ana qui vend ses herbes au bout du marché. Tu pisses le sang, petite, et ça ne me dit rien qui vaille. Quoi qu'il t'arrive, tu peux te fier à elle, elle sait tenir sa langue et elle aide.

Je l'ai regardée en silence sans bien comprendre ce qu'elle me racontait, mais en appréciant sa soudaine attention et le poids de sa main calme sur ma cuisse. Une fois debout, j'ai vu mon sang sur ma couche improvisée, les sacs de jute en étaient imbibés, alors seulement je me suis rappelé l'enfant, son cri, et je me suis traînée jusqu'au jardin pour m'assurer que je n'avais pas rêvé tout ça.

Il n'y avait plus rien dans le trou, ni enfant, ni châle, ni ruban rouge. J'ai pensé que j'avais tout imaginé. C'était sûr, je tournais folle. Une fille, même élevée par un jardin, ne pouvait dormir tous les soirs dans une tombe sans devenir folle. Je me suis effrayée, j'ai voulu me fuir, je ne me suis plus cachée sous les branches, j'ai couru dans l'allée centrale du parc, j'ai couru sous le soleil en hurlant, et Miguel, que je n'avais encore jamais vu, est aussitôt sorti sur le perron de sa belle maison à colonnades avec ma première fille dans les bras.

Emmaillotée dans de la dentelle blanche, Carmen Dolorès, celle qu'on surnommerait la Niña, dormait contre son cœur.

*

Une pompe à eau était installée à l'entrée du cimetière, les vieilles y remplissaient leurs seaux pour entre-
tenir les tombes de leur famille et j'attendais la nuit
pour me laver. Nul ne traînait là le soir que des fantômes peut-être, mais ils étaient si discrets que je ne
les ai jamais croisés. Pour occuper mes longues soirées,
j'ai entretenu des tombes abandonnées et j'y ai planté
les bulbes volés dans le parc de la maison à colonnades. J'ai choisi mes compagnons morts en fonction
de leur âge et des petits riens inscrits sur leur stèle ou
déposés là en leur hommage. À partir des mots gra-
vés, je leur ai inventé des vies et je me suis bricolé des
amitiés. Je connaissais les noms de nos voisins, je les
saluais au passage, je leur rendais de menus services,
débroussaillant, arrosant et ratissant leur minuscule
terrain, mais, par égard pour les morts, j'ai préféré ne
pas semer mes roses fauves sur leurs cadavres, ne pas
lâcher ces fleurs faramineuses qui avaient dévoré les
murs du jardin de mon enfance. En revanche, j'ai vidé
la collection de graines de ma mère, toute la boîte,
sans trop savoir ce que cela donnerait. Si bien qu'au
printemps, mon carré de tombes, ainsi que le chemin
que je prenais chaque jour pour gagner notre petit
chez-nous, est devenu une traînée de couleurs parfu-
mée que je pouvais suivre les yeux fermés. Les habituées du lieu, une petite bande de veuves, s'en sont
étonnées, inquiétées même, elles ont parlé au curé de
ces fleurs merveilleuses qui poussaient sur des tombes
hier désolées. Il était lui-même jardinier à ses heures

161

et je l'ai vu s'extasier devant cette étrange floraison alors qu'il accompagnait un mort dans son dernier voyage avec son cortège d'enfants de chœur. Après sa bénédiction, qu'il m'a semblé expédier ce jour-là, il est revenu sur ses pas et a suivi mon sillage jusqu'au mausolée d'Augustino. Je l'ai entendu murmurer une prière de remerciements. Il s'adressait à Dieu, mais j'ai pris les remerciements pour moi.

*

Le soir, je dînais avec Augustino, nous avions de longues conversations. Je lui racontais ma journée au marché, les gens que j'y rencontrais, mes plantations sur les sépultures des voisins et toutes les choses que j'espérais faire ou voir le lendemain. J'imaginais ses réponses, comme il m'était arrivé petite fille de faire parler mon frêne en jouant dans son ombre. Notre maison-tombe était joliment décorée. J'y avais installé mon encyclopédie des plantes, mes chaussures de bal, mes quelques habits et, avant mon arrivée, la mère d'Augustino avait suspendu au mur sa guitare que je décrochais chaque nuit pour qu'il m'apprenne à en jouer. Il m'écoutait chanter des chants gitans entendus alentour, nous chantions jusqu'à ce que je souffle ma chandelle et que j'embrasse la dernière lettre dorée de son prénom gravé. J'aimais celle-là plus que les autres, le O, ce petit puits qui menait jusqu'à lui, et je m'endormais contre son ombre en le remerciant de prendre soin de moi par-delà sa mort.

*

Après la naissance de Carmen Dolorès, j'ai quitté Augustino. À moins que ce ne soit lui qui m'ait quittée… Peu importe… Toujours est-il qu'il a cessé de me hanter, de me répondre, de me chanter sa soleá à l'oreille après que je lui ai avoué que nous avions une fille et que je l'avais donnée à Miguel.

Peut-être n'a-t-il pas accepté que je me débarrasse si facilement de son enfant, ou que j'aie découché deux nuits de suite ou que je lui annonce ça avec tant de légèreté. Je n'en sais rien. Je ne me suis pas posé de questions alors. Je ne voulais m'encombrer d'aucune peine, j'avais toute une vie devant moi et un monde encore neuf et tellement vaste à explorer. C'était plus simple pour lui qui s'était contenté de m'ensemencer et n'avait plus rien à vivre. Il savait que je n'aurais pas su m'occuper d'une enfant, alors que cet homme-là, ce Miguel, qui en était fou, avait tant d'amour à lui donner et ce parc magnifique où elle pourrait courir pieds nus. Je lui ai décrit les dentelles propres, la nourrice que Miguel avait aussitôt engagée et la douceur de ce père-là qui la tenait dans ses bras. Augustino n'a rien voulu entendre, alors j'ai pris mes affaires, j'ai jeté l'anneau d'or qu'il m'avait offert dans un coin et je suis partie avec mes seins douloureux, durs comme le bois de mon frêne. J'ai attendu vingt-cinq ans avant de revenir m'allonger sur sa tombe et de lui parler de nouveau dans le O du prénom comme à l'oreille.

J'ai quitté Augustino au printemps. Je n'y peux rien si cette saison me met tellement en joie. Mon teint et mon humeur changent. Comment se contenir quand la sève vous monte soudain à la tête, quand elle vous enivre, quand le moindre parfum vous grise, jusqu'au parfum gris et fade d'un petit poète? L'hiver me ternit, m'efface, m'endort. Chaque printemps, j'ai seize ans, je renais encore et encore, mon désir mène la danse et tous les hommes deviennent bourdons. Qu'y puis-je si le printemps m'est une malédiction? S'il éclate en moi? S'il me métamorphose?

Après avoir avoué l'abandon de la Niña à Augustino, j'ai quitté son sépulcre sans écouter ses reproches. Je n'avais encore jamais eu d'autre amoureux mais, dans les allées du cimetière, j'ai été saisie par une odeur d'herbe coupée. Nez au vent, j'en ai cherché la source. Ce parfum délicieux émanait d'un homme en larmes, à genoux face à une tombe fraîche sans stèle encore. Sa peine m'a touchée. Je ne sais plus qui il pleurait ainsi, peut-être ne lui ai-je même pas demandé. Qu'il était beau dans sa tristesse! J'ai voulu le respirer de plus près. Il m'a emmenée danser et j'ai compris que tous les hommes pouvaient être pris!

*

Durant des années, je n'en ai fait qu'à ma tête. J'ai entraîné les garçons qui me plaisaient dans leurs chambres, dans des granges, dans les buissons, les ruelles sombres, dans des cloaques, des draps de soie, sous des dais de velours, sur des grabats miteux, je suis allée où me portait le vent, sans me soucier des lendemains.

J'étais légère, attirée par leur corps, leur peau, leur désir. Je me donnais sans retenue. Mais je me lassais si vite de mes conquêtes que je les abandonnais pendant leur sommeil en oubliant leur nom, leur visage, leurs promesses. Aimer est un art éphémère et léger.

Sur mille, seule une poignée m'a résisté. Je couchais avec tous ceux dont j'appréciais le parfum. Personne ne m'a jamais contrainte. J'étais infiniment plus libre que toutes ces grues qui me regardaient de haut en se soumettant à leur père, à leur mari ou au bon Dieu, plus libre que celles qui ne suivaient pas la voix de leur désir et l'écrabouillaient sous leur talon. J'étais une femmeronce, une seule de mes épines pouvait tuer le poète! On m'a traitée de garce. On m'a lancé des pierres, couverte d'or, traînée dans la boue et élue reine de la San Juan. Mes aiguillons ont déchiré les cœurs jusqu'à ce que ma fille aînée grandisse et entre à son tour dans la danse. Alors, elle m'a éclipsée, à demi effacée, elle m'a poussée à ne plus être qu'une voix. La voix de leurs douleurs, de leurs pertes, de leurs amours mortes. Oui, je me suis ouvert la gorge pour déverser leur peine, pour que sang et larmes se mêlent, et que ma fille les danse. Mais une fois mon tour de chant fini, j'étais encore de toutes les ivresses. Certes, la Niña et le temps m'avaient détrônée, ma première fille était si belle que je l'enviais à défaut de l'aimer, mais mon corps de matrone cherchait toujours à être chaviré au printemps. Et, même après la mort de ma fille, j'ai ri, j'ai joui, j'ai bu, serrant mes amants entre mes cuisses énormes. J'ai eu seize ans tous les printemps jusqu'au bout, jusqu'à ce que mes poumons malades me clouent à ce lit. Et aujourd'hui encore je continue d'aimer les parfums. Ah! Si mon corps n'était pas si fatigué, je me laisserais porter par le vent jusqu'aux lèvres d'un garçon. Quel dommage que Miguel n'aime que les hommes! Comme nous nous serions amusés tous les deux! Oui, nous aurions joyeusement mêlé nos carcasses. J'adorerais crever dans ses bras fins et doux, dans ses bras de jeune fille, le nez dans le creux de son épaule, là, contre son cou! Comme la Niña, ce jour où je l'ai retrouvée enveloppée de dentelles, dans ses bras sous le soleil sur le seuil de la grande maison à colonnades. Dans ses bras, comme la Niña, si petite, contre son cœur...

Les roses fauves poussent de nouveau quelque part, leur parfum de chair tiède me monte à la tête.

*

Miguel prend soin de moi depuis plus de quarante ans sans me désirer, sans me retenir, sans me reprocher quoi que ce soit, et même les fois où je lui ai volé ses amants, il s'est contenté d'en rire. Il savait ma folie des bouquets et comme mon plaisir se fanait sitôt cueilli. Miguel m'a épousée pour élever toutes les filles que je plantais sous son frêne. Même les plus vilaines, même celles des amoureux que je lui dérobais, il les a faites siennes et les a aimées comme les autres. Sans préférence, il les a toutes accueillies avec la même joie d'être père. Il leur a donné son nom, sa tendresse, sa fortune qui excuse tout. Il est bien plus maternel que moi qui n'ai jamais pu m'attacher à ces ogresses braillardes, refusant l'idée de me les coller au bout du sein. Les nouveau-nés me rebutent, les miens comme ceux des autres, dès qu'on m'en met un dans les bras, cette larve cherche à téter, sa petite bouche obstinée me pince, et je le rends aussitôt, dégoûtée. Miguel ne m'a jamais jugée, il m'accepte telle que je suis avec mes défauts qu'il dit poétiques. C'est qu'il a toujours adoré les fleurs.

Alors que ma nuit vient, il me borde, me soigne, me lave, me raconte des histoires d'amour qu'il m'invente. Nous rions beaucoup ensemble tout au bord de ma mort. Depuis quelques jours, il dort dans ma chambre sur le fauteuil à mes côtés, il ne me laisse pas le choix, il vient en catimini pendant mon sommeil. Quand il m'entend tousser trop fort, il m'éponge le front et me tient la cuvette en faïence. Si cet homme-là ne s'était pas contenté de m'épouser, s'il m'avait fait l'amour, peut-être me serais-je enracinée dans son jardin.

Je dois dormir maintenant, mes yeux se ferment et, bien que je n'aie pas tout dit encore, je scelle mon cœur dans un bâillement, je le ferme à l'aiguille. Je sais que la mort rôde, je voudrais avoir la force de jeter un coup d'œil sous mon lit pour m'assurer qu'elle n'est pas là, tapie, à attendre que j'aie mouché la lampe pour me sauter à la gorge. J'aimerais voir cette chienne en face.

Je découdrai mon cœur, si je vis encore demain. Sinon ma petite fille Rosa Dolorès, ma préférée, se chargera de mes secrets.

Contagion

Rien n'est plus contagieux qu'un bâillement et, à la suite d'Inès Dolorès, je bâille, entraînant Lola et le lecteur de ce roman à bâiller à leur tour. De l'écriture à la lecture tout circule, de l'auteur au personnage et du personnage au lecteur, les frontières sont poreuses. L'orage, le bâillement, les ronces passent d'un monde à l'autre. Une même pluie d'apocalypse fouette nos vitres. Il ne manquerait plus que ce qui ronge les poumons d'Inès Dolorès nous saute à la gorge et nous étouffe, que nous mourions avec elle.

Nous ne pourrons pas finir ce soir, la nuit bâille.

Lola me propose de dormir dans sa chambre d'ami. Elle ajoute que ce sera bien la première fois que ce nom de chambre d'ami lui conviendra, puisqu'elle n'y a jamais logé que sa famille et qu'elle n'a jamais eu d'ami. Je suis touchée par sa remarque, je ne suis plus seulement là pour lire l'histoire de son aïeule. J'aime ce drôle de mélange de pudeur et d'abandon qu'est Lola, je suis heureuse de la voir s'épanouir, de devenir sa confidente et je me réjouis de coucher sur place, de ne pas avoir à courir la nuit sous la pluie battante pour échapper au fantôme d'une boiteuse en noir et blanc.

— Si l'on t'ouvrait la panse, qu'est-ce qu'on y trouverait? me demande Lola en m'aidant à faire mon lit.

Avant de me glisser dans les draps lourds et doux, des draps anciens impeccablement repassés au parfum de lavande, je lui réponds que je suis pleine d'histoires, que c'est ça qui m'emplit. Des histoires effrayantes ou merveilleuses qui me sucent le sang, des histoires que je sème, que je récolte, des histoires qui m'apaisent. Je lui dis que je suis pleine de mes parents vieillis aussi, et de mes enfants qui pourtant me sont sortis du ventre il y a un bout de temps déjà et que j'ai laissés seuls avec leur père pour la première fois. Je les couche le soir par téléphone, ils me manquent. J'ai beaucoup de mal à comprendre Inès Dolorès, son incapacité à s'attacher à ses filles.

— Moi, souffle Lola, si je m'ouvrais le ventre pour savoir ce qu'il contient, je n'y trouverais sans doute que mon jardin et, dans un coin, la graine de rosier que nous avons avalée, cet après-midi.

Stridence

La nuit se faufile entre les cuisses de Lola. Une pointe la réveille, une stridence née d'un pli de sa chair ou d'un pli du tissu. Cette sensation la trouble.

Elle se dénude pour que la couture de son bas de pyjama cesse de frotter là où elle se sent curieusement excitée. Cela ne calme rien. Dès qu'elle bouge, elle repart dans les hauts.

Elle est nue, debout dans sa chambre, épinglée en plein milieu de la nuit. Elle allume sa lampe de chevet et surprend son reflet dans le miroir de l'armoire de noces. Elle ne reconnaît pas d'abord ce si beau corps de femme. Elle découvre sa nudité par inadvertance. Pensant voir quelqu'un d'autre, elle s'apprécie en étrangère. La ligne des bras, longs et fins, le cou délicat, la finesse des muscles qui l'attachent aux épaules, l'éclat quasi solaire des seins, la courbe des hanches, le galbe des cuisses, la toison du pubis...

Dehors, l'orage gronde encore, tandis qu'elle se tourne et se retourne devant la grande glace, étonnée de ne pas s'y trouver bancale. Sa peau la bouleverse, fine comme un pétale froissé. Elle éprouve du désir pour ce corps qu'elle a toujours tenu à distance et qu'elle explore pour la première fois. En cherchant à tâtons le lieu exact d'où part la sensation aiguë et éclatante qui l'a réveillée, elle finit par découvrir le petit monde caché entre ses jambes, un monde inconnu et humide, loin de son regard, un monde jusque-là oublié, méconnu, interdit, au parfum de péché.

Elle se caresse, se contracte. Sans comprendre, elle s'allonge dans la vague qui la submerge, s'abandonne, puis elle reste un moment, recroquevillée à même le sol, sur son épais tapis bleu, soufflée par l'explosion !

La cloche de l'église égrène cinq coups dans la nuit.

Un peu gênée, elle regagne son lit, s'y allonge et ferme les yeux. Elle s'attache aux filaments clairs et aux trous d'ombres que la lumière a laissés sous ses paupières, elle les fixe jusqu'à en faire des visages offusqués, une petite foule intérieure qui la juge. Elle se rendort en souriant sous ces regards sévères.

Roses matinales

La cloche de l'église s'en donne à cœur joie. C'est fou de vivre aussi près du temps qui passe, de l'entendre résonner toutes les demi-heures, de ne pas pouvoir lui échapper. La matinée doit être bien avancée, le soleil s'insinue dans la pièce entre les rideaux mal tirés et étouffe la lumière de la petite lampe dont j'ai tamisé l'intensité en la disposant sous ma table de chevet en veilleuse avant de m'endormir. Un rituel enfantin censé tenir la nuit à distance. Enlisée dans le matelas trop mou, je soulève ma tête de l'oreiller afin de voir au-delà de l'horizon bombé du vieil édredon de satin lie-de-vin qui me couvre.

J'attrape mon portable sur la table de nuit et le rallume. Cet objet s'installe dans ma vie, je l'oublie de moins en moins, il est devenu ce que je touche en premier le matin et en dernier le soir. Peu à peu, il avale tout : réveil, montre, agenda, appareil photo... Depuis que je vis ici, il a dévoré mes enfants, mes amis, mon mari. Est-ce parce qu'il contient Laurent que ce téléphone m'est désormais essentiel ? Sa voix y est enfermée avec tout un bric-à-brac d'objets du quotidien.

172

Ce matin, la boîte est vide, Laurent n'a pas répondu à mon message d'hier soir. Au lieu d'aviver le désir, comme je l'avais imaginé, la distance nous éteint. Nous continuons de nous dissocier.

Regarde-toi ! Tu n'es bonne à rien. Tu lis, tu jardines, tu te promènes, mais ton roman n'avance pas. Tu as abandonné ta famille pour courir après une ombre. Es-tu seulement encore capable de porter un texte ? Te voilà comme sans désir, sans feu. Avoue-toi vaincue et rentre à Paris !

Mais rentrer, est-ce vraiment les retrouver ? Est-il possible que chaque instant porte de nouveau en germe mon rêve d'amour éternel ? Comment recouvrer une certitude d'enfant qu'on a un jour perdue ?

Soudain, les mots d'Inès Dolorès me reviennent en tête, ses roses me poussent dans le crâne. La graine que j'ai avalée germe dans mon esprit et me donne la force de sortir de ma torpeur. Je la verrai fleurir !

Je tâte mes vêtements encore humides et je retrouve, roulés en boule sur une chaise, le pantalon de velours et la chemise à fleurs que mon amie m'a prêtés. Je les enfile et fourre mes affaires en vrac dans mon sac. Depuis ma chambre, je ne perçois aucun bruit dans la maison, mais une odeur de pain grillé et de café m'encourage à descendre.

J'entre toute chiffonnée dans la cuisine baignée de soleil où Lola, déjà douchée, habillée et coiffée, prépare le petit déjeuner.

— Je suis désolée de me lever si tard.

— Ne t'inquiète pas, j'ai à peine eu le temps de lancer le café, me répond Lola. D'habitude, je n'ai pas besoin de réveil, je suis une horloge. Quelque chose a dû se gripper dans mes rouages cette nuit. Tu préfères du thé?

— Non, c'est gentil. Du café, ça me va très bien.

Lola a sorti toutes sortes de confitures maison. Cassis, framboise, groseille à maquereau...

— Je suis particulièrement fière de celle-là, dit-elle en me tendant une petite cuillère pleine de gelée que je goûte aussitôt.

— De la rose? C'est étrange de manger des fleurs.

Lola tartine de beurre le pain grillé encore chaud, puis elle le trempe dans son bol de café au lait. Par la fenêtre, j'admire le ciel limpide. L'orage n'y a pas laissé de traces.

— Tu es allée voir nos plantations?

— Pfff! souffle Lola en haussant les épaules. Il n'y a rien à voir!

— J'y crois, moi! Cela me plaît d'y croire, cela me réjouit même! N'oublie pas que je suis romancière et que, quoi qu'il arrive, ces roses-là pousseront un jour ou l'autre dans l'un de mes livres. Je t'aide à débarrasser et je vais y jeter un œil!

— Laisse, je m'en occupe, j'ai mes petites manies. Chaque chose a sa place, tu ne sauras pas. C'est plein de boue dehors, mets des sabots. Ils sont rangés à côté de la porte.

Je contemple le meuble où sont soigneusement alignées des dizaines de paires de chaussures, classées par couleurs. Lola surprend mes pensées.

— Avant de mourir, Yaya Rosa a vécu chez nous, elle a débarqué avec une valise pleine de savates usées. Elle vouait un culte aux vieux souliers, elle disait qu'on n'allait pas bien loin pieds nus. Je savais qu'elle avait dû marcher jusqu'en France lors de la Retirada pendant la guerre d'Espagne, mais j'ignorais que c'était un destin familial, que sa grand-mère avait marché avant elle avec des chaussures de bal et que Lucia avait elle aussi cheminé dans sa robe à paillettes. Toutes ces femmes ont pris la route un jour, ma mère est même née en chemin. Si l'on met à part la Niña, qui dansait, je suis la première sédentaire. Ça tombe bien, la marche, ce n'est pas mon fort! A-t-il fallu une boiteuse pour briser cette lignée de marcheuses, ce destin d'exilées? Cela ne m'empêche pas d'installer chaque soir depuis l'enfance mes chaussons au pied de mon lit, à l'endroit exact où je poserai mes pieds au réveil. Cela me rassure de les savoir là, prêts au départ.

Déguisée en Lola froissée, j'avance jusqu'au coin réservé aux ronces, où nous avons calé notre précieuse jardinière entre deux pierres tombées du mur du cimetière, et je cherche la petite caisse de plastique pleine des graines d'Inès Dolorès sans parvenir à la retrouver. Je finis par l'apercevoir dans un buisson, dévorée par des tiges recouvertes d'aiguillons. Le vent l'a sans doute fait basculer au milieu des ronces. Je me bats un moment pour tenter de la dégager des racines et des tiges qui l'enserrent. Les plantes me griffent. Je ne connais rien au jardinage, mais il me semble que cette végétation chaotique, ces tentacules verts et bruns qui étreignent le pot, n'était pas là hier. Plus étonnant encore, il y a trois petites taches écarlates au parfum puissant au cœur de cet étrange fouillis d'épines.

Des roses !

Je cours aussitôt vers la cuisine en appelant Lola.

— C'est impossible ! affirme la postière debout face au taillis.

— Si le pot n'a pas bougé, c'est que tout le massif a poussé sous l'orage et que ces trois roses viennent d'éclore.

— Aucune fleur ne pousse aussi vite.

— Eh bien ! Il faut croire que ces roses-là ne sont pas vraiment des fleurs ou qu'elles sont un genre de fleurs que tu ne connais pas.

— Elles vont dévorer mon jardin !

— C'est excitant, non ?

— C'est surtout inquiétant. Il faudrait les arracher tout de suite. Je n'ai pas envie qu'elles bousculent tout.

— Tu te demandais si Inès Dolorès disait vrai ou si tout cela n'était qu'une jolie fable qu'elle s'inventait avant de s'endormir pour toujours. Tu as une réponse.

— C'est la forme que prend la malédiction ! Nous n'aurions pas dû lire le cœur de mon aïeule. Peut-être que tout cela me pousse dans les tripes aussi ! J'ai ressenti un truc bizarre cette nuit.

— Un truc bizarre ?

— Pas désagréable, juste singulier, murmure Lola en rougissant. Mais, si j'ai un jardin dans le ventre, il va être saccagé par ces maudites fleurs.

— Tu ne manques pas d'imagination pour quelqu'un qui ne supporte pas les fictions. Il sera toujours temps de te débarrasser de ces roses si elles deviennent trop

176

invasives, mais ce serait dommage, elles ont un parfum extraordinaire.

— Leur parfum est un outil de séduction. Les fleurs sont là pour attirer les insectes, elles sont le sexe des plantes.

— Tu pourras en faire des confitures.

— Des tartines de fleurs d'orage et de désir, précise Lola en souriant.

— Des filles du désir dans ton jardin… Tu n'aurais pas fait un rêve érotique cette nuit ? C'est ce qui arrive à Inès Dolorès, les roses naissent de ses caresses.

Un chien aboie derrière la haie de thuyas au moment où Lola s'apprête à me répondre. Elle sursaute et s'enfuit soudain terrorisée. Je la suis sans comprendre.

Une fois la porte vitrée de la cuisine soigneusement refermée, Lola m'avoue qu'elle ne supporte pas les chiens, qu'une simple photo de chien suffit à la faire paniquer. Elle préférerait se jeter d'une falaise plutôt que d'être approchée par l'une de ces sales bêtes. Elle en a une sainte horreur ! Comme je ris de la voir tellement agitée, Lola se vexe et se dit fatiguée. Elle compte savourer son dimanche en solitaire. Et la lecture ? Les quelques bouts de papier qui restent ne vont pas s'envoler d'ici le week-end prochain.

Je prends mes affaires et je m'en vais en jetant un dernier regard vers le fond du jardin où le rosier sauvage pousse à vue d'œil.

Les chiens

Assise dans son salon, Lola entend encore les aboiements dans le silence. Elle a élaboré une technique pour se débarrasser de son angoisse : elle écoute du Bach en avalant de petites gorgées de tisane brûlante, elle se concentre sur le parcours du liquide en elle pour noyer les chiens. Lola ne pense même plus aux roses, elle les a oubliées, les roses n'aboient pas, ne mordent pas, elles peuvent bien s'emparer de son jardin avec leurs valeureuses épines, leurs pauvres tiges et leur parfum entêtant, pour l'instant Lola s'en fiche. Tant qu'il y aura un chien derrière les thuyas, elle ne sortira pas, elle restera calfeutrée chez elle ! Personne n'a besoin de savoir à quel point elle craint ces bêtes-là. Personne ! Des images la traversent dès qu'un chien s'approche, des images qui montent d'on ne sait où et qu'elle ne parvient pas à décrire. Il faut que tout ça disparaisse au plus vite, que ces visions déchirées, qui l'envahissent et dont elle perçoit la violence sans rien y comprendre, s'effacent. Ces souvenirs de morsures et de douleurs ne lui appartiennent pas !

Elle a appris que cette phobie siégeait quelque part dans son cerveau reptilien, que son esprit décodait de travers le moindre signe de la présence d'un chien, qu'il se sentait immédiatement en danger de mort et lui imposait une réaction démesurée pour sauver sa peau. Mais elle a beau savoir tout ça, rien n'y fait. On ne craint pas les chiens sans raison. Ils sont forcément attachés à son histoire. S'ils ne viennent pas de son enfance, de son passé, c'est qu'ils sont à venir. Cette terreur est sans doute prémonitoire. Un jour ou l'autre, ils surgiront. Ils la dévoreront comme les loups dans les contes. Ils la dévoreront si elle sort de sa cachette et elle ne courra jamais assez vite, elle ne pourra pas leur échapper. Lola tremble en tenant sa tasse et le liquide tremble dans la porcelaine blanche et il lui semble que la chaise sur laquelle elle est assise est contaminée par le même tremblement et que les livres s'agitent à leur tour sur leurs étagères. Les lattes de bois du parquet du salon, les murs vert d'eau, l'air lui-même vibrent. Elle ferme les yeux, certaine que la maison entière va s'écrouler et que le chien va passer la haie, entrer et la dévorer, si elle ne le noie pas à temps.

Alors elle boit frénétiquement sa verveine.

Personnages en quête d'auteure

Vous avez remarqué ? Les hommes viennent à la poste depuis quelques jours. Et même quand il y a la queue, ils essayent de rester aimables. Je me demande s'ils ne font pas du gringue à notre postière. Ils défilent tout pomponnés, lui lancent des regards gluants et la seule à ne rien voir, c'est la tôlière derrière son guichet. Tous ces gars, le printemps les chamboule. Il me semble qu'ils n'étaient pas si assidus les années passées. C'est que ce mois d'avril est particulièrement pimpant, non ? Il y a quelque chose dans l'air qui nous émoustille tous. Un parfum de roses… Ça sent le printemps ! Ça embaume l'amour !

L'amour, ça pue la charogne !

Pascale, tu nous assommes ! Tu détruis nos petits bonheurs. Laisse-nous donc rêver ! Tu ne veux pas y croire un peu pour nous faire plaisir ?

Croire en quoi ? En l'amour ? Fadaises ! Vous vous souvenez de ma mère ? Vous êtes venues à son enterrement. Mais elle était morte depuis longtemps déjà. Elle s'est eloignée progressivement, un simple désintérêt, la fin du désir. Je l'ai sentie disparaître, je la tenais pourtant de toutes mes forces de petite fille et de jeune femme conjuguées, mais ma main, ma voix, mon regard ne la touchaient plus. La vie est garce, elle réserve de douloureuses surprises. L'amour éternel ? Si le temps est parvenu à dissoudre ainsi l'amour de ma mère comme l'eau dissout le sel, alors rien ne peut tenir, ni les villes grandioses, ni les statues d'airain, ni les bibliothèques, ni même les étoiles au ciel ! Si je lui suis devenue étrangère, alors les souvenirs ne sont que des feux de paille, même les plus beaux, ceux des baisers et des caresses, ceux des mots tendres ! Tout s'efface si l'amour d'une mère ne résiste pas à la vieillesse ! Oh, croyez-moi, rien ne tient, nos vies sont écrites à la craie. Pourquoi diable vibrons-nous tant ? Pourquoi nos merveilleux sens ? Pourquoi aimons-nous si fort, si tout est destiné à s'éteindre ? Que pouvais-je espérer si les sentiments les plus intenses étaient tellement fragiles, s'ils s'usaient, et si même l'amour d'une mère se voilait, comme ça, sans bruit ? Si l'amour ne tenait pas une vie durant, comment pouvait-on imaginer s'aimer par-delà la mort comme elle me l'avait promis ?

Ma mère a dénoué tous les liens une bonne fois pour toutes, personne ne m'a plus jamais été essentiel. Aucun sentiment ne vaut la peine qu'on y croie, l'amour ne peut rien contre la mort, l'amour ne peut rien contre le temps. Jamais je n'ai eu d'enfant, ni de vrai amant. Puisque aucun amour ne tient, mieux vaut ne rien tenter, ne pas promettre, ne pas faire croire, ne pas y croire. Mieux vaut la solitude, elle n'est jamais décevante. Ma mère me disait qu'elle resterait toujours là, à mes côtés, elle murmurait dans mon oreille de petite fille que, même morte, elle viendrait la nuit m'embrasser sur la pointe des pieds, sans faire de bruit, pour ne pas déranger, m'embrasser tout doucement pour que je n'oublie jamais la tendresse. Elle n'est pas venue, et c'est de son vivant qu'elle m'a abandonnée. Hantée par je ne sais quelle aigreur ancienne, je n'ai *jamais compris ce qu'elle marmonnait à la nuit. Elle a fini par se taire tout à fait, par ne plus être qu'une coque vide, des yeux sans regard et sans larmes, des lèvres sans mots et sans baisers. La vie est garce, oui! Je suis seule ici-bas depuis mes vingt-cinq ans et d'autant plus orpheline que ma mère était aimante.*

Les douze coups de midi sonnent, c'est l'heure des êtres sans ombre, et Lola n'ose pas mettre toutes ces dames dehors. Pascale, aurait-elle réussi à la remuer? Personne ne bouge. Seule Nelly trouve la force de briser le silence.

Mais, Pascale, l'amour, c'est comme la vie, que cela ne dure pas ne doit pas nous empêcher d'y croire et d'y tenir. Il faut savoir goûter l'éphémère, la beauté de l'instant! D'ailleurs l'éternité, quand on y songe, ça doit être d'un barbant!

Des graines folles

En passant la grille en fer sur le côté de la poste, je change de saison, un plein printemps m'assaille et me fait la fête comme un jeune chien. Les roses aux trente-six pétales de soie se sont multipliées, elles prolifèrent dans une explosion de couleur, de parfum et d'épines! Elles rampent ou s'élancent vers le ciel. Oscillant au vent comme des encensoirs, elles libèrent leurs charmes. Elles grimpent sur les arches de fer où la glycine s'éveille et une partie du buisson rouge sang atteint déjà une hauteur phénoménale. Elles ont embarqué le jardin dans leur danse sensuelle. Loin de les étouffer, elles stimulent les autres plantes et orchestrent une floraison chaotique. Les arbres se couvrent de feuilles d'un vert tendre ou de fleurs blanches ou roses, jonquilles et narcisses poussent par paquets. Les camélias éclatent. L'air s'est peuplé d'insectes et de bavardages d'oiseaux. Les roses faramineuses vont bientôt atteindre les thuyas et gagner les bois.

Lola, assise sur le seuil de sa cuisine, sourit à cette nature foisonnante, de ce magnifique sourire qui, lui aussi, est un jaillissement. Lola ensoleille son jardin, Lola m'ensoleille. Je mesure à quel point cette femme a changé en trois semaines.

Elle contemple le printemps fou en précisant qu'elle ne contient plus rien. Je remarque qu'elle a laissé deux mèches frisotter à l'avant de ses oreilles, deux charmantes petites anglaises semblables aux vrilles de sa vigne vierge ou aux tiges de ses petits pois. Lola se sent différente, elle ne s'en inquiète plus, elle aime ce nouvel état. Elle se demande dans quelle mesure ces roses sont en lien avec les sensations qui la travaillent la nuit. On ne peut plus passer dans la rue sans être saisi par leur parfum.

— J'ai perdu le contrôle, me confie-t-elle.

— Si ces fleurs deviennent trop envahissantes, on y mettra le feu.

— Le feu attise les roses et je n'ai plus envie de les détruire. J'aimais infiniment mon jardin, mais voilà que je l'aime davantage encore maintenant qu'il me déborde. Ces roses se comportent comme des ronces. Et toi, tu travailles? Ton roman avance?

— Non, rien ne vient. Rien de bon. Je rêverais de ne plus rien maîtriser, d'être un territoire occupé par mes personnages, je voudrais que mes pages soient envahies comme ton jardin, mais non, je m'épuise à mesure que j'écris, je me dévide sur le papier et je m'efface aussitôt par peur de me regarder en face.

— Je croyais que l'écriture d'un roman était une tentative d'évasion, une façon d'échapper à sa propre vie.

— Rien ne s'exclut. Je m'échappe à travers des personnages qui me sortent des mains, du crâne, du ventre. Je suis moi et l'autre tout à la fois.

184

— Tu devrais oublier que tu utilises ta propre matière pour écrire. Si tu imaginais que le texte poussait sans toi, en dehors de toi, tu pourrais le laisser faire, te laisser faire, comme j'accepte que ces fleurs saccagent mon jardin avec un tel brio. Il faut savoir s'abandonner, n'est-ce pas? La plénitude est à ce prix. Souviens-toi que nous avons avalé une graine de chaos! Je n'en reviens pas d'être capable de dire ça! Tiens, tu as retiré ton alliance?

— Voilà deux matins que je la retrouve sur ma table de nuit en me réveillant. C'est étrange. Moi qui ne m'en sépare jamais, cette fois, j'ai même oublié de la remettre.

Dans le cœur d'Inès Dolorès

Enlisée dans les coussins de mon fauteuil, j'écris ma vie que nul ne lira jamais. Mon histoire n'a aucun sens, je l'ai vécue au jour le jour sans chercher d'autre jouissance que celle de l'instant, je n'ai rien compris à mon époque. Chaque saison, chaque minute me comblait. Mon temps n'était qu'une succession d'instants qui m'emportaient dans leur ronde. La ronde continue sans moi, je ne danse plus !

Aujourd'hui, l'instant m'est devenu si pénible qu'écrire n'est sans doute qu'un moyen de m'en extraire. Le moindre geste m'essouffle et l'immobilité me crispe. En écrivant, ma main se souvient de cette autre main qui l'a accompagnée dans ses premières boucles. Je sens le souffle de ma mère dans mes cheveux, sa joue contre la mienne, elle m'enveloppe comme autrefois, tandis qu'elle guidait ma plume et que, concentrée, dans sa chaleur, je m'appliquais en tirant la langue.

Était-ce de l'amour ? Elle ne m'a jamais regardée dans les yeux, elle ne m'a pas offert ce regard que j'ai mendié toute ma vie, ce regard que j'ai cru trouver dans les yeux d'ambre d'Augustino et qu'il m'a fallu chercher ailleurs. J'ai aimé les yeux des hommes posés sur moi comme des insectes. Mais aucun d'eux n'a pu m'emplir vraiment.

*

Par la fenêtre de ma chambre, je contemple les couleurs fades du parc, mes yeux usés ne distinguent plus que des taches de lumière et la montée de l'ombre qui voile tout. Dehors, les arbres se mêlent et se confondent, et tout se brouille en dedans.

Où donc ont fui les parfums délicieux?

Dehors et dedans s'effacent en nausée. Je sais bien que rien n'a bougé, que le parc est toujours ordonné et serein, que le soleil couchant ne brûle que mes yeux, que les contours des choses ne s'estompent pas vraiment. Rien n'a changé que mon regard. Ce monde n'est pas le mien, il s'éloigne à une vitesse vertigineuse. J'y suis passée en visiteuse, et mourir ici, c'est mourir en terre étrangère. J'aurais voulu m'éteindre au jardin sauvage de mon enfance, dans cet ailleurs dont ma mémoire a préservé l'éclat. Mais j'ignore où il se trouve, je ne connais pas de chemin pour revenir en arrière. Pourquoi n'ai-je pas semé des cailloux blancs tout du long en le quittant?

On ne pense pas au retour quand on a seize ans. On ne pense pas au vieillard qu'on deviendra, on se dit qu'on n'en arrivera jamais là, qu'on crèvera avant. On ne suit que son cœur, sans douter de la force de ses rêves, de ses jambes, de ses désirs. Mais la route est longue et tout finit par s'affaisser. Dans mon miroir, ne reste qu'une grosse vieille difforme et floue, dont les cernes – vilaines bêtes! – dévorent le visage flétri.

Le temps est un vandale sans talent! Mon cœur a vieilli lui aussi qui pétarade sans raison et regagner mon lit à petits pas m'est devenu tout un voyage.

Il faudrait chausser mes souliers de bal pour mon dernier rendez-vous. Les écouter chanter sur le chemin pierreux. Mes bottes de sept lieues.

Oh, mon amour, me reconnaîtras-tu dans ce costume de vieille femme? Je porte ton anneau d'or au doigt, je ne parviens plus à l'enlever.

J'ai semé quelques graines de mes roses fauves au jardin sous l'orage dans l'espoir de t'appeler. Mais elles ne fleurissent plus pour moi. Elles guettent ma petite-fille Rosa, l'unique enfant de la Niña, et son joli Pablo. Ma saison a passé. Il faut savoir céder la place. Se faner avec grâce. Chacun de ces morceaux de papier griffonnés m'est un pétale tombé. Pathétique poésie.

*

Ce matin, en entendant ma petite-fille Rosa Dolorès frapper à la porte de ma chambre, j'ai cessé de broder et caché à la va-vite tout mon petit attirail : mon cœur de tissu, mes bouts de papier pliés, mon encre, mon fil et mes ciseaux.

Sitôt entrée, Rosa m'a posé sur le front un baiser, léger comme un moucheron, et elle a ri, avec cette énergie joyeuse qui la caractérise, en me disant que je n'avais pas besoin de faire ça en douce et que mon cœur de tissu dépassait sous mon chandail.

Elle attend que je meure pour partir, elle sent que la République a fait long feu et que la ville tombera bientôt aux mains des nationalistes. Elle me l'a dit : Quand la ville tombera, j'emporterai vos trois cœurs, celui de ma mère, cette Niña que j'ai si peu connue, celui de ta mère qui s'est pendue et le tien, qui bat si fort pour nous sans parvenir à nous dire son amour. Là où j'irai, vous serez mes racines !

Elle me croit capable d'aimer, d'aimer vraiment, comme certaines mères aiment, je ne la détrompe pas, je ne discute jamais les convictions des uns ou des autres. C'est peine perdue !

Elle m'a demandé qui était son père. Elle a insisté, il fallait qu'elle le sache pour ne pas être trop tentée par nos secrets quand elle les aurait sous la main dans leurs écrins de tissus.

Je lui ai répondu que c'était sans doute un mort, que notre famille avait une relation singulière à la mort, que cette chienne nous volait nos premiers amants, nous condamnant à l'errance, et que son père pouvait être ce syndicaliste de Jerez qui se battait pour que la terre appartienne à ceux qui la travaillent, un garçon lettré et démuni que la Niña, sa mère, avait enflammé, un petit poète au parfum gris qui lui avait écrit des vers dont elle s'était enivrée. Rosa m'a demandé son nom, mais je n'en avais aucun à lui donner. Je ne retiens pas les noms, je ne retiens pas grand-chose. Son nom est mort avec lui. Peut-être Miguel en sait-il plus. À moi, la Niña n'a jamais rien confié, elle ne me parlait plus depuis si

189

longtemps. Quand Rosa m'a demandé pourquoi nous nous étions fâchées, sa mère et moi, j'ai répondu que je n'en savais rien. J'ai menti.

Le cœur rouge de la Niña ne contient peut-être que les poèmes de ce jeune homme fade. Un piètre amant. Je me souviens de son corps maigre et pâle, de sa peau trop douce, de son sexe fin, je me souviens de sa silhouette aussi que j'ai si souvent vue glisser des lettres pour ma fille sous la porte de la maison à colonnades. Est-il mort de faim, ce pauvre garçon ? Il arrive que les poètes meurent de faim, surtout quand ils sont journaliers. La poésie ne tient pas au corps.

J'ai changé de sujet de conversation, m'étonnant de voir ma Rosa coiffée comme un garçon. Mais je fatigue vite et je n'ai pas bien écouté ce qu'elle m'a répondu.

Ma petite-fille m'a quittée en me disant qu'un magnifique rosier rouge poussait au jardin et qu'elle me ferait un bouquet pour parfumer ma chambre.

*

Ce serait drôle de revoir tous les hommes que j'ai connus, de les convoquer dans cette chambre... Écrire fait surgir des fantômes. Ce serait drôle, mais je ne me souviens pas de leurs visages et j'ai oublié leurs noms. Je ne me rappelle que le grain de leurs peaux, leurs étreintes, leurs grosses mains calleuses aux gestes doux, leurs doigts longs et fins qui agrippent et qui griffent. Je me souviens de jouissances qui m'ont clouée au ciel des lits. Le désir me montait à la tête et je me servais. Je prenais des amants de tous les bords, la politique ne m'a jamais touchée, avant d'entrer en moi ces derniers mois comme une épine. C'était tellement simple autrefois, jeunes journaliers, *señoritos*, soldats, musiciens gitans, étudiants, je cueillais tous ceux que je voulais, je les laissais me butiner. Je ne pourrais pas dire que celui-ci est le père de Clara, ou celui-là le père de Maria. La vérité, c'est que Miguel, avec lequel je n'ai jamais couché, est leur père à toutes. Mes filles n'en doutent pas. Elles ne doutent que de moi, et elles m'ont souvent demandé si j'étais vraiment leur mère.

Non, je ne pourrais pas démêler ces nuits dont mes filles sont faites.

*

Je déteste l'hiver, il m'a volé mon premier enfant.

C'est durant un hiver terrible, plein de courants d'air froid venus du Nord, du bout du monde, de ce point au sommet de la Terre que Miguel nomme l'Arctique, c'est durant cet hiver de pluie que la Niña est tombée dans la rivière glacée, en pleine soleá, après avoir tourbillonné, crépité comme une flamme debout sur la digue de pierres, tourbillonné dans ma voix, que je ne parvenais pas à faire taire, dans ce chant qui jaillissait malgré moi dans la nuit, qui giclait hors de moi, comme le sang gicle d'une jambe arrachée. J'étais ivre et je n'ai pas songé à me mettre un poing dans la bouche pour endiguer l'hémorragie. J'ai continué à chanter la peine des hommes sans terre, les mots de son jeune poète que je savais par cœur, j'ai même chanté le goût désespéré de ses baisers. C'est cet hiver-là que la Niña a sombré dans l'eau noire.

Nous sommes tombées.

Plus jamais, je n'ai chanté.

Et pourtant, je n'aimais pas ma fille.

*

Je suis rentrée chez Miguel ce soir-là. J'avais les clefs des grilles et des portes. Miguel avait éteint sa lampe. Je ne l'ai pas réveillé, je ne lui ai rien dit. Il saurait bien assez tôt. L'ivresse s'était dissoute dans la seconde qui avait suivi la chute de la Niña, me laissant seule et nauséeuse avec une folle envie de serrer dans mes bras cette enfant que je n'avais pourtant jamais aimée. Oui, l'ivresse, elle-même, m'avait abandonnée. Le corps de ma fille n'avait pas pu être repêché, il avait été embarqué par les remous de la rivière folle jusqu'à la mer. Alors j'avais continué ma tournée des bars et l'on m'avait offert du vin, encore plus de vin, toujours plus de vin pour noyer ma tristesse. Mais l'ivresse ne revenait pas, l'ivresse me refusait son réconfort. Si bien que j'ai marché dans la nuit, tout droit, jusqu'à cette grande maison silencieuse où mes autres enfants étaient couchées chacune dans son lit.

Combien de temps ai-je arpenté le long couloir du deuxième étage qui tourne autour du patio avant d'oser entrer dans la chambre de la Niña où ma petite-fille Rosa Dolorès dormait dans son berceau sans se douter de la mort de sa mère?

192

En me penchant sur elle, j'ai vu le petit cœur de tissu rouge qu'elle tenait dans ses bras.

J'ai aussitôt su de quoi il s'agissait, j'ai voulu m'en emparer, pour le lire, pour comprendre… Ce soir-là, je l'aurais fait, je l'aurais déchiré avec mes dents, comme j'avais coupé le cordon bleu qui me reliait à ma fille quand elle m'était tombée du corps, mais les mains minuscules ont résisté et j'ai dû renoncer à le leur arracher. Rosa endormie refusait de lâcher le cœur de sa mère morte.

Ainsi la Niña avait pris le temps de se broder un cœur et d'écrire ses secrets, la Niña avait refermé son histoire à l'aiguille et l'avait offerte à son enfant. Cette très jeune femme avait pensé à la mort comme je le fais aujourd'hui, moi qui suis vieille et malade.

Sa chute dans la rivière n'était donc pas un accident, mais le final qu'elle s'était imaginé. Elle avait choisi de mourir ce soir-là, de mourir en dansant à mes côtés ! Ma voix n'y était pour rien, mon chant ne l'avait pas poussée dans l'eau noire, il l'avait juste accompagnée. Ma fille, qui depuis toujours portait sa beauté comme un habit trop serré, comme une robe qui ne lui appartenait pas vraiment et qu'elle ne parvenait à faire sienne qu'en dansant, ma fille avait choisi sa sortie.

En arrêt face au berceau de Rosa, j'ai senti que c'était un morceau de mon propre cœur que l'enfant tenait dans ses bras, un morceau que j'avais ignoré jusque-là et que la rivière venait de m'arracher. Dehors, le Sereno a crié l'heure, le temps ne s'était pas arrêté avec la mort de ma fille. Le temps marchait dans la rue à la vitesse du pas lent du Sereno, le temps ne se tarirait jamais. *¡Las dos en punto y sereno!*

Dans le miroir, je me suis vue vieille, empâtée et abattue. En mourant, ma fille ne m'avait pas rendu la beauté qu'elle m'avait volée. J'ai songé que la Niña avait échoué elle aussi, qu'elle n'avait pas réussi à aimer son enfant, sans quoi elle aurait choisi de vivre pour Rosa, pour le plaisir de la regarder grandir et devenir reine à son tour, au lieu de l'abandonner dans son joli berceau.

Je suis repartie dans la nuit en me répétant que ce n'était pas ma faute. La porte du cimetière ne fermait plus, je me suis allongée sur la tombe d'Augustino qui m'était une couche un peu étroite désormais et j'ai murmuré dans le O de son prénom, je lui ai chuchoté à l'oreille qu'il fallait qu'il prenne soin d'elle. Je lui ai dit que je n'avais pas su, que les fleurs n'étaient pas faites pour être mères. J'ai dormi là comme jadis et, au matin, j'ai retrouvé dans un coin du caveau mon anneau d'or et, à ses côtés, trois bouts de papier froissés.

*

Elle avait quoi? Sept ans peut-être, je venais de lui apprendre à écrire et nous nous étions rapprochées le temps de cette initiation. Elle avait insisté pour que je l'emmène à la fête, elle voulait assister avec moi à l'embrasement des *hogueras*. J'étais reine de la San Juan cette année-là. Elle était sage, et fière de me donner la main. Sa petite main minuscule, si fine, agrippait mes doigts de toutes ses forces, et je trouvais ça agaçant, comme quelque chose de collant, mais je ne parvenais pas à m'en débarrasser alors que nous marchions sur la plage dans les chansons et les cris, que nous passions entre les bûchers où se consumaient les immenses poupées de bois et de chiffons, et qu'elle tenait contre son cœur les trois bouts de papier où étaient écrits ses désirs secrets, ceux qu'il faut brûler au soir de la San Juan pour qu'ils se réalisent. Dans la nuit noire, les pantins partaient en fumée et ma fille riait aux éclats au milieu des flamm-mèches en s'agrippant à ma main. Et sa paume était moite. Elle m'avait fait promettre que nous jetterions ses trois vœux au feu ensemble, mais je n'ai pas de parole et, emportée par mon désir, j'ai réussi à me dégager d'elle, de son amour poisseux, j'ai perdu mon enfant dans la foule en suivant un parfum d'ambre gris. Je l'ai abandonnée une nouvelle fois, oubliée toute la nuit, je lui ai préféré les caresses d'un inconnu. Je ne me suis souvenue d'elle qu'au matin, quand la note de fond du parfum de mon amant s'est éventée.

La Niña ne m'a jamais parlé de sa nuit d'errance, elle ne m'a plus jamais parlé, mais Miguel a tenu à me répéter ce qu'elle lui avait raconté quand il l'a retrouvée. Une meute de chiens errants l'avait poursuivie alors qu'elle tentait de rentrer toute seule, ils avaient voulu la dévorer comme les loups dans les contes, elle serrait encore dans son petit poing les trois vœux que nous devions jeter au feu ensemble, elle les avait gardés dans sa main toute la nuit et, pour échapper aux dents des molosses, elle avait couru et s'était réfugiée à bout de souffle juste à côté d'ici, dans un mausolée gitan du cimetière San Rafael où un garçon au visage couronné de boucles brunes lui avait joué des soleás à la guitare pour la rassurer, la consoler et la bercer. Ce jeune homme, si joli, lui aurait parlé de moi, affirmant que j'étais la plus belle et qu'elle me ressemblait. Ce soir-là, elle s'était endormie sans le savoir dans les bras de son père, endormie en me maudissant d'être le grand amour de cet homme-là.

Au matin, le jeune gitan avait disparu et sa guitare poussiéreuse était suspendue au mur. Des araignées avaient tissé leurs toiles entre les deux seules cordes encore intactes, l'enfant avait laissé sur la tombe les petits morceaux de papier chiffonnés où elle avait écrit avec soin ses trois souhaits.

*

Miguel déteste l'Espagne féodale d'hier, qui ne s'est jamais souciée de nourrir son peuple, autant que les violences d'aujourd'hui, il déteste les multiples chefaillons blancs, rouges, noirs, tous ces êtres qui, pour s'emparer du pouvoir, s'affublent d'une idée magnifique ou odieuse et l'agitent comme un habit de lumière en oubliant que dessous ils sont nus, qu'ils ne sont pas l'idée, qu'ils l'ont même souvent perdue en route et ne sont plus qu'une ambition démesurée poussant les hommes à s'entre-tuer. Au lieu de calmer le monde, ils l'embrasent. Pourquoi? Par amour du feu? Par goût du pouvoir? Parce qu'ils sont convaincus de détenir la vérité? Ou incapables de céder la place? Quand le feu a pris, on n'entend plus que les incendiaires, et tout est ravagé. Selon lui, ils ont sapé la République dès sa proclamation en 31. Au lieu de s'entendre, ils ont accouché d'un tyran. Car, plus que tout, Miguel hait l'Espagne que ce petit général à la voix de fausset dessine, il ne cesse de s'étonner que la ridicule Phalange, inexistante dans les urnes, soit devenue en si peu de temps un monstre hérissé de tant de poings levés. Il pleure son ami Lorca, il pleure toutes les victimes, poètes, ouvriers, paysans, philosophes, il pleure même les curés qu'il n'a jamais aimés. Il pleure le courageux Unamuno, pétri de contradictions, incarnation de l'Espagne, il pleure l'intelligence. Quelle misérable farce ! Les fascistes approchent aux cris morbides et absurdes de « *Viva la Muerte* » !

Miguel n'est pas dans le camp des futurs vainqueurs. Il a de l'argent, des amis influents, mais il est veuf d'une utopie magnifique qui a collaboré à sa propre perte et il comprend que Rosa Dolorès et Pablo, son amoureux, s'en aillent, qu'ils quittent le jardin, la ville, le Sud ! Rosa, ma petite-fille, suivra son bel idéal dans la débâcle !

Moi, je ne suis pas capable de saisir toutes leurs grandes idées, je n'y comprends rien à Marx ou à Bakounine, je n'ai lu que des botanistes, et je mourrai bientôt. Rosa Dolorès s'imagine qu'après la prise de la ville, son amoureux et elle fuiront par la côte vers le nord, mais je sais bien moi que Pablo ne partira pas, qu'il est déjà mort, j'ai reconnu sur sa peau le parfum des roses fauves, je sais qu'il mourra les armes à la main cette nuit ou la suivante. Et peut-être même avant moi. Je sais que l'histoire familiale bégaie et qu'une fois mort, il viendra faire un enfant à ma petite-fille Rosa.

*

J'ai un goût de sang dans la bouche! J'ai bu des litres
d'eau sans en venir à bout. L'eau se change en sang dès
qu'elle passe mes lèvres. L'eau se change en sang et la
nuit part en éclats. Ça se déchire en moi et alentour!
Des morceaux de mon ombre s'éparpillent dans le jardin de Miguel et des bouts de jardin me traversent le
corps, me criblent de lueurs. Je ne vois plus ma feuille,
je ne vois plus mes doigts. J'entends des coups de feu
tout proches, ça canonne sous mes fenêtres, ça gueule
dans mon crâne, des cris de douleur et de peur, la mort
hurle dans le moindre taillis, des bottes piétinent mes
seins de vieille femme.

J'ai soif! Le sang ne désaltère pas!

Je suis ce jardin qu'on embrase. Combien mourront
ce soir?

Est-ce l'approche de ma mort qui me pousse à écrire
n'importe quoi, à imaginer les bruits d'une guerre pour
couvrir les battements de mon cœur épuisé?

Sereno! Dis-leur de se taire! De crever en silence!

J'entends Pablo, l'amoureux de Rosa, hurler, poursuivi par des chiens, celui qui aimait tant à rêver comme
on rêve à vingt ans.

Donnez-moi à boire pour diluer ce goût de fer, pour
noyer ma douleur. J'ai soif! Je voudrais vivre encore,
mais il faudrait faire taire les chiens!

Sereno! Je ne t'entends pas égrener les heures de la
nuit sous nos fenêtres! J'écris à voix haute et, comme
ma bouche est sèche, les mots, pâteux, s'accrochent à

mon palais. Je suis reine, Sereno! Une reine fanée! Et je veux dormir! Dis-moi qu'il est l'heure!

Rosa sera veuve avant d'avoir été mariée, comme sa mère, comme moi, comme toute la lignée. Veuve, tu seras veuve, Rosa! La mort nous vole nos amants et je suis sa digne fille!

Sereno! Trouve-moi un lieu tranquille, toi qui as toutes les clés! La nuit n'avance pas. Qui donc pourrait m'offrir le silence? Qui pourrait m'offrir le sommeil? Et l'oubli? Je veux dormir! Mourir avant Pablo, ne pas entendre les chiens le dépecer vivant, ne pas entendre le cri de ma petite-fille découvrant sa dépouille au matin, cette défroque de chair déchirée, poupée exsangue empalée au jardin, épouvantail écorché. L'idée généreuse abandonnée aux mains des bouchers. Sereno! J'attends ta voix qui seule peut faire trotter les heures de la nuit. Je veux dormir! Je vis la terreur blanche depuis mon lit. Je suis spectatrice et territoire occupé, mon corps est le champ d'une bataille déjà perdue depuis les premiers massacres. Est-ce ma douleur qui explose au-dehors? Les agonies que j'entends ne sont peut-être que les facettes de ma propre fin, il se peut qu'en vérité rien ne résonne ce soir dans la ville que les cloches, la voix du Sereno et les cris des oiseaux en fête. Suis-je assez égocentrique pour prendre ma fin pour une fin du monde? Je n'ai plus d'eau à pleurer, rien que du sang à vomir dans la cuvette de faïence blanche.

Sommes-nous tous d'un même sang que la terre boit et recrache dans la couleur des roses?

Ma petite, ma Niña, je n'ai jamais ouvert ton cœur, mais j'ai lu tes trois vœux de fillette, ces trois morceaux de papier que j'ai retrouvés dans la tombe d'Augustino le soir de ta mort.

Je voudrais que leur République vive plus longtemps que moi, mais je l'entends crever, je l'entends râler dans le matin qui vient, je sais que le soleil d'Espagne se lèvera tout à l'heure sur des criminels qui s'ignorent et crient victoire, sur des cadavres plantés dans des parterres de roses et des pelotons d'exécution aménagés le long du mur du cimetière. L'imbécile cruauté des hommes m'est un coup de marteau en pleine face, j'en pleurerais s'il me restait quelque chose à pleurer, oui, je pleurerais jusqu'à ce que le jour me frappe comme une balle. Je veux dormir !

Je ferme les yeux, et ma fille danse quelque part en moi, ma fille que je n'ai jamais sentie dans mon ventre y danse ce soir. J'ai déplié les trois petits bouts de papier trouvés dans la tombe d'Augustino. Les trois vœux que mon enfant comptait jeter au feu le soir où je l'ai perdue sur la plage. Ceux qu'il aurait fallu regarder brûler pour qu'ils se réalisent. De son écriture enfantine et appliquée, elle demandait à San Juan que je l'aime aussi fort qu'elle m'aimait. Elle voulait que je la serre dans mes bras et que nous nous tenions la main jusqu'au bout de la nuit, jusqu'au bout de la vie, et même au-delà. Elle voulait que nous nous aimions éternellement d'un amour léger comme une caresse. J'ai déplié l'amour de ma fille.

Demain, ceux qui se pavaneront, les vainqueurs excités, de quoi donc seront-ils si fiers ? Se souviendront-ils qu'ils ont achevé des hommes ?

Ma fille avait recopié trois fois les mêmes phrases. Ses

trois vœux n'en étaient qu'un. Elle n'espérait que mon amour et ma main dans la sienne. Mais sa tendresse m'écœurait, sa main collait et son regard était trop doux. Il s'est durci dans la suite.

Est-ce les quelques graines de roses que j'ai jetées dans ce jardin qui ont ravagé le monde?

*

Son petit poète me plaît bien et je suis jeune encore. Je chante ses textes en lui offrant un vin noir de Jerez. Ça le trouble d'entendre ma voix et ses mots mêlés. Il m'avoue son amour pour ma fille, il me dit qu'il veut l'épouser, mais qu'il craint que Miguel ne lui rie au nez s'il lui fait sa demande. Je l'encourage, s'il a mon accord, la partie est déjà à moitié gagnée. Il lui suffit de me convaincre, et ses poèmes me séduisent. Il sourit tandis que je lui caresse l'âme en lui parlant de son talent et du plaisir que j'éprouve à chanter ses mots. De verre en verre, je vois son regard s'amollir et je sens mon désir enfler. Je pourrais me détourner, m'éloigner, me chercher un amant ailleurs, mais le vin nous trouble. Alors je l'enivre jusqu'à ce qu'il accepte mes doigts sur son bras, ma main sur sa cuisse, mon corps frôlant son corps, jusqu'à ce qu'il soit mûr, et je l'entraîne sur la plage, pour y finir au goulot une bouteille de vin noir comme la nuit en chantant face à la mer. Il aime ma voix, ses poèmes sur mes lèvres, sa langue dans ma bouche, il aime mes caresses, il en redemande. C'est sa première fois. C'est ma millième fois. Je suis belle encore, aussi belle que ma fille, mais nous avons tant bu, lui et moi, que l'allégresse ne dure pas. Un feu de paille. Son corps est trop volatil, son parfum s'altère aussitôt en odeur grise.

Cette nuit ne m'a pas marquée. Même si elle avait laissé une trace dans mon cœur, les larmes du jeune poète au petit matin l'auraient effacée. Il a pleuré comme un enfant. Je lui ai dit que tout cela était sans importance, que c'était déjà oublié, mais ça ne l'a pas consolé. Son désespoir m'a ennuyée, je l'ai quitté légère, ravie de me débarrasser de son parfum fade.

La Niña n'a pas su alors. Pourquoi dire les choses sans importance? Il n'a plus reparu sur le seuil de la maison à colonnades après cette nuit terne passée entre mes cuisses. Il est sûrement mort, puisqu'on ne l'a jamais revu. C'est sans doute son fantôme qui a planté Rosa Dolorès dans le ventre de ma fille. La Niña a tant pleuré ce garçon qui ne revenait pas. Après ça, elle n'a plus jamais aimé, elle s'est contentée de danser et de cueillir les hommes. Nous nous ressemblions tant. Je chantais et elle dansait, nous étions en communion d'esprit et de musique.

*

On tambourine à la porte.

Miguel, n'ouvre pas! Laisse la guerre dehors!

Mais comment pourrait-il refuser de l'aide à un ami en détresse? Et même si c'est un inconnu…

Cesse donc de trembler, vieille folle ! Que Miguel accueille celui qui l'appelle dans la nuit !

La mort entre chez nous. Mes filles hurlent, celles qui vivent encore dans cette maison et celles qui sont venues s'y réfugier avec leurs enfants. Elles essayent de retenir leur père, elles s'accrochent à ses habits, il se dépêtre d'elles et part dans la nuit pour tenter de sauver Pablo, de l'arracher aux dents des chiens.

Mais la mort est venue pour moi aussi, la mort s'est faufilée, la mort cherche sa fille, je l'entends marcher dans le corridor et ouvrir les portes une à une. Elle approche. La voilà.

La nuit pétarade comme un soir de fête.

Ma fille danse son amour en moi… Un grand feu.

Je ne ressens plus rien, je ne ressens plus qu'elle, ma Niña.

Ma grand-mère Inès Dolorès vient de s'éteindre, je l'ai trouvée dans son lit, couchée au milieu d'un tas de bouts de papier pliés, comme endormie à côté de son cœur ouvert. Elle tenait ce dernier feuillet à la main.

Moi, Rosa Dolorès, je ne lis rien, je me contente de finir cette page et de fermer son cœur et ses paupières. Je laisse son corps à Miguel et j'emporte son cœur sur les routes.

Je referme le cœur de ma grand-mère à l'aiguille, j'écrirai un jour le mien. Mais je ne sais pas broder encore. Ma mort devra attendre.

Avril ne te découvre pas d'un fil

Cette fois encore, Lola a dormi plus tard que d'habitude. Ça ne l'agace plus. Cette aventure la perturbe certes, mais sa vie n'attendait que ça, un peu d'air frais pour secouer la routine dans laquelle elle s'était non pas installée, mais enlisée ! Pourtant, comment nier le bonheur qu'elle a eu à se contenter de son jardin ? Un bonheur plein qui n'emmerdait personne et qui aurait pu lui suffire jusqu'à la fin de ses jours.

La tête lourde, Lola entre dans la douche. Le calva stagne quelque part à la racine de ses cheveux ! Ne pas trop bouger le crâne ! Elle s'est enivrée hier soir après la mort d'Inès Dolorès, enivrée pour la première fois de sa vie, pour oublier la guerre d'Espagne, ses tourments, et tout ce que nous avons vécu ensemble, hantées par un même souffle jusqu'à ce qu'il s'éteigne. Comme nous nous sentions aussi orphelines qu'à la fin d'un livre qu'on a dévoré, j'ai proposé de découdre le cœur suivant, pour savoir si la Niña avait compris ce que sa mère lui avait volé, pour connaître le prénom du jeune poète, mais Lola a fermé l'armoire en disant que nous attendrions qu'il craque de lui-même. La lecture d'un seul des cœurs l'avait déjà suffisamment remuée !

Imaginer qu'elle est peut-être l'enfant d'un fantôme, comme toutes les aînées de sa lignée, la dégage de ce père qui l'a torturée. Elle aime cette idée un peu folle, le mot qui grippait son existence a éclaté, un mot n'est rien que des lettres accrochées les unes aux autres.

Lola change et elle s'étonne de tant changer à son âge. Elle se sent une vitalité d'adolescente et surtout elle a cette amie qui efface la voix du père et tous les mots blessants, cette amie dont elle a rêvé si longtemps. Notre complicité l'exalte presque autant que l'histoire de son aïeule.

Lola se savonne au gant de toilette pour effacer les odeurs sous les bras, passe en revue chaque repli, se rince à l'eau froide, elle aime ce coup de fouet matinal. Elle se sèche, la serviette en nid-d'abeilles frotte sa peau sans ménagement jusqu'à la faire rougir. Lola retrouve les gestes routiniers qui la structurent et la cadenassent, ces gestes censés l'endurcir. Elle tient la masse de ses cheveux serrée dans sa main gauche, les tire à s'en arracher le cuir, tandis que sa main droite lisse ses mèches en raclant son crâne au peigne. Tendu entre ses doigts, son élastique casse. Les élastiques ne sont plus ce qu'ils étaient, le petit point de colle ne tient pas ! Tous ces produits « made in China » ne sont que des ersatz de vrais objets dont on aurait comme oublié la fonction. Elle en prend un autre, mais rien à faire aucun ne résiste, elle les détruit tous un à un. Ça l'amuse presque, ce combat dérisoire contre une mondialisation insensée.

Dans le miroir de sa salle de bains, elle surprend son

reflet qui sourit. Son éclat l'étonne. Elle finit par détacher ses cheveux qui, livrés à eux-mêmes, s'arrangent autrement. Les boucles autour de son visage l'adoucissent, elle se ressemble à peine dans ce nouveau cadre, elle pourrait les laisser ainsi, lâchés, pour une fois. Peu importe, on est dimanche, elle ne compte pas sortir, personne ne le remarquera, à part son amie l'auteure quand elle se réveillera. Qu'est-ce qu'elle risque? Elle ne va pas s'attirer les foudres de son père. Il est crevé depuis des années et, si l'histoire familiale s'est répétée, cet homme-là n'était même pas son géniteur. Allez! Il est temps de se libérer de lui une bonne fois pour toutes! Courage! Pas d'élastique aujourd'hui! Sans compter que la sensation de se promener les cheveux au vent doit être délicieusement agaçante. Elle voudrait courir nue pour sentir ses boucles rebondir sur ses épaules.

Et si elle ne s'habillait pas? Si elle sortait là, tout de suite, dans son jardin, sans rien sur le dos que ses cheveux lâchés? Si elle s'accordait cette folie? Personne n'en saurait rien. Elle expérimenterait le frôlement sensuel du vent sur sa peau, le plaisir de s'abandonner au parfum des roses, d'oublier les interdits de l'enfance, de casser tous les élastiques si peu élastiques qui la contraignent, et même si, avec sa patte folle, elle n'arrive pas à courir aussi bien qu'une autre, ce doit être un tel sentiment de liberté de se jeter à poil dans l'air frais du matin.

La voilà nue dans les escaliers pour la première fois. Sur ses gardes, elle descend prudemment, prête à faire demi-tour au moindre bruit, accrochée à la rampe, envahie par une gêne qui la crispe. Sa nudité est la plus lourde des parures et chaque marche une petite victoire sur sa pudeur. Le bois, doux sous ses pieds, lui donne un peu d'assurance. En se persuadant que beaucoup de gens se promènent nus et désinvoltes dans leur maison sans en faire tout un plat et que les habits ne sont pas une armure, elle atteint le salon, qu'elle traverse. Sa nudité la fragilise, mais dans sa bibliothèque les petits cercueils de papier la saluent au passage, toutes ces femmes aux vies folles l'encouragent. Ses orteils se posent sur le carrelage froid de la cuisine, elle aime cette autre surface sous sa plante. Elle est attentive à chaque parcelle de sa chair, capte la moindre sensation, et son regard bascule pour tenter de percevoir son corps du dehors et d'apprivoiser cette démarche qui l'a cloîtrée si longtemps, elle apprécie la singularité de son déhanché. Elle s'arrête dans la lumière devant une fenêtre, regarde les taches de soleil jouer sur son ventre, sur ses cuisses, sur son duvet hérissé, c'est chaud comme une caresse, la douceur de sa peau la bouleverse, elle s'approche de la porte vitrée, pose sa main sur la poignée. Elle rit comme une gamine de ce qu'elle est en train d'oser et ferme les yeux pour se donner le courage de pousser la porte. Elle plonge dans l'air frais, les pieds sur le gravier pointu, le vent bouscule ses cheveux, même en ouvrant les paupières, elle ne voit rien, ses mèches lui fouettent les joues, couvrent ses yeux et la chatouillent, elle avance à l'aveuglette jusqu'au gazon. Un tapis d'herbe rase. Elle écarte les bras en tournant sur elle-même et rit dans le soleil. Elle respire enfin ! Immense et libre !

Elle n'a plus de gueule de bois, sa nudité est devenue

un voile léger que le vent agite, elle n'est plus gênée ou contrainte, elle s'abandonne.

En dégageant la masse de ses cheveux pour éviter de tomber dans l'énorme massif de fleurs sauvages qui dévore désormais une bonne part de son jardin, elle se retrouve soudain face aux yeux doux d'un grand cheval charnu qui l'observe en mastiquant tranquillement ses roses.

Un cheval dans son jardin !

Lola lève aussitôt la tête et croise le regard bouleversé du cavalier qui la surplombe.

Aucun des deux ne se détourne.

Ils vibrent ensemble.

Un fil est tendu qui les lie l'un à l'autre, aucun des deux ne voudrait qu'il casse, ils y sont suspendus, aucun des deux ne fait un geste, ils tiennent l'instant du bout des yeux... Délicat funambule.

...

Soufflée par cette rencontre, Lola ne remarque pas d'abord que l'inconnu tient un casque doré à longue crinière à la main et qu'il porte un uniforme de cuirassier de la guerre de 14. Elle se souvient juste qu'elle est nue et se contente de rentrer les épaules et de cacher autant que possible ses seins et son sexe en enroulant ses longs bras autour de son corps si fin et en ouvrant ses mains comme des éventails. Elle ne réalise pas grand-chose face à cet homme sorti d'on ne sait où qui la regarde. Un soldat aux cheveux cendrés parfaitement coiffés, dont la moustache est taillée avec soin, la peau comme peinte et la clarté des yeux soulignée par la masse sombre des sourcils. Une vraie gueule de héros.

208

Quelque chose la chavire dans ce visage inconnu. Une telle apparition n'a rien de plausible, c'est un morceau de rêve rutilant, un être né de son désir, dans ses roses.

Mince ! Mais qu'est-ce qu'il fiche là sur son cheval au milieu du massif ?

L'homme finit par balbutier qu'il est désolé, qu'il n'a rien à faire dans son jardin, non vraiment, que c'est de la faute de son cheval, qu'il ne parvient pas à descendre de cette fichue monture tout seul, qu'il est tout engoncé dans cette cuirasse, avec son sabre, son casque et son fusil, qu'il est tout engoncé dans cette putain de guerre, qu'il n'en peut plus, qu'il voudrait bien que tout s'arrête, que si ça se trouve il est déjà crevé et qu'elle est un ange.

Oui, c'est ça, elle est un ange !

Et il se tait de nouveau, sans la quitter des yeux.

La cloche de l'église sonne, mais aucun des deux ne sait combien de coups. Ils ne l'entendent pas. Les coups résonnent dans le vide. Leur temps est arrêté.

L'uniforme du cuirassier étincelle et Lola est toujours plus nue.

Il recommence à parler parce qu'il a peur du silence, que le silence est plein des éclats à venir, que le silence n'est qu'une longue attente, celle de la patate qui va leur sauter en pleine gueule, que ça ne se voit pas, mais qu'il est ému, drôlement, qu'elle lui fait un effet du tonnerre, qu'il comprend enfin grâce à son apparition qu'il est loin du front, loin des cons qui se sabrent par héroïsme, qu'il devrait se détourner, ne pas la regarder, mais que c'est plus fort que lui, que ses yeux sont aussi têtus que cette mule qui bouffe des roses, qu'ils se sont emballés à leur tour, que le monde peut s'écrouler là tout de suite, que le massacre peut bien continuer à l'est, l'étripage général se poursuivre en fanfare, qu'il s'en fout quand il la regarde et que cette rencontre dans cette roseraie est la plus belle qu'il ait vécue.

Il a un accent étrange et un sourire solaire. Le pire, c'est qu'elle s'entend lui répondre qu'il est « beau comme un dimanche », mais elle n'est pas sûre de l'avoir vraiment dit et de ne pas s'être contentée de le penser.

En tentant de descendre de cheval, le soldat bascule au milieu des roses. Casque doré à longue crinière, uniforme, moustache, fusil, sourire disparaissent, entièrement avalés par le bosquet, et ne reste en surface que le cheval impassible. Puis les fleurs s'agitent et l'homme resurgit, sabre en main, en gueulant que quelques épines ne sont rien comparées au feu des boches et que, pour une fois, sa cuirasse est un peu utile. Pour se dégager des tiges qui l'enserrent, le cavalier décapite les roses en s'excusant, pendant que Lola se replie vers la maison sans même penser à cacher son handicap ou ses fesses blanches. Une fois la porte refermée, elle se couvre avec ce qui lui tombe sous la main – la grande nappe blanche qu'elle arrache à la table et enroule autour de sa poitrine comme une serviette –, avant de se planter devant sa fenêtre pour assister à la fin de la bataille dont le soldat sort vainqueur.

C'est le moment que je choisis pour débouler dans la cuisine, mais Lola, bouche bée, collée au carreau, la nappe autour des seins et les cheveux lâchés, ne me voit pas. Elle fixe ce si bel homme en pantalon garance qui avance vers elle et toque à la porte vitrée. Lola reste pétrifiée. Je lui dis d'aller ouvrir, que c'est tout de même curieux ce cheval dans ses roses et ce soldat dans son jardin. Alors, le corps drapé dans sa nappe trop blanche, Lola m'obéit, elle ouvre, mais sans proposer au cavalier d'entrer. Elle le laisse dehors, debout sur son paillasson en forme de cœur.

Comme frappé par la grâce, tellement troublé qu'il en est inquiétant, il tient une rose à la main.

Je reste en retrait. Il me semble que je connais cet homme. Ses mouvements sont fluides et une puissance singulière se dégage de son corps massif, un genre de charme qu'on n'oublie pas.

— Je ne devrais pas être là, je me suis perdu dans les bois ! murmure-t-il à Lola. Ne croyez pas que j'ai déserté, non, quoique ce n'est pas l'envie qui m'en manque, mais cette bourrique s'est emballée. Vous êtes un ange ?

— Non, je suis la postière, lui répond Lola un peu raide en lui tendant la main droite dont il s'empare tendrement.

— Vos fesses adorables sont la plus belle chose que j'aie vue depuis le début de cette guerre, continue-t-il en gardant la main de Lola dans la sienne. Avant tout ça, j'étais jardinier à Dinan, ça paraît fou, non ? Je veux dire qu'un gars qui a passé une vie tranquille à faire pousser des fleurs, un gars comme les autres, se retrouve à sabrer d'autres gars comme les autres sans même savoir ce qu'ils faisaient dans la vie avant de se mettre à taillader des gars comme lui. C'est comme s'attaquer à un miroir ! On s'en fiche maintenant de ce qu'on était avant, du temps où l'on n'imaginait pas qu'une telle folie pouvait nous tomber sur le coin de la gueule sans

211

prévenir ni rien, oui, on s'en fiche et on en tue juste autant qu'on peut, des ennemis, qui nous ressemblent comme deux gouttes d'eau, on les tue en essayant de ne pas y passer soi-même ! C'est le grand foutoir de jour comme de nuit ! L'exploit, c'est d'être le plus grand criminel possible, de zigouiller dans l'allégresse. Quand le plaisir n'y est pas, reste la peur ou la bêtise ! L'amour de la patrie, l'héroïsme, c'étaient les motivations du début ! Mais ça n'a pas tenu, ces foutaises ! La meilleure des raisons de se battre reste la camaraderie : voir tomber des gars qu'on connaît, des pays comme on dit, ça met la rage contre ceux d'en face. Moi, je pense qu'il faudrait se retourner pour comprendre d'où vient la mort. Mais là, en vous regardant, quelque chose se réveille en moi et il me semble que j'ai dormi ma vie jusqu'à aujourd'hui. C'est comme un coup de foudre silencieux qui effacerait le tintamarre du front. Les abeilles ici ne sont que des insectes, rien d'autre ne nous vrille les oreilles que mes mots. C'est magnifique !

— Je deviens folle ou vous vous fichez de moi ? se fâche la postière en reprenant sa main. Ça suffit maintenant ! Qui êtes-vous à la fin ? Et qu'est-ce que vous faites dans mon jardin ?

— Pardon d'être entré chez vous, bafouille-t-il affolé. Mon cheval s'est glissé entre les thuyas, le parfum des roses l'a sans doute attiré, voyez comme il les broute, ce nigaud ! Je n'en ai jamais vu de pareilles et pourtant les roses, c'est mon dada. Je pense tant face à vous que je m'oublie et je n'ai aucune envie de revenir à moi ! Je m'appelle Pierre Seval !

Des voix retentissent dans le bois de l'autre côté de

la haie en partie mangée par les roses. Des gens crient :
« William ! William ! »

— Les voilà, il va falloir que je vous abandonne, lui chuchote-t-il comme désespéré.

Ses yeux sont d'un bleu intense qui la brûle.

— J'aimerais tant qu'on se revoie. Sans vous ce monde n'a aucun goût, ajoute-t-il.

Une tête passe entre les thuyas. « *The horse is here !* »

— Voulez-vous dîner avec moi cette semaine ? demande-t-il à Lola.

— Je ne sors pas en semaine, j'ai trop de travail.

Trois hommes essoufflés débarquent dans le jardin en se faufilant dans la brèche ménagée par les roses. Ils sont vêtus de parkas et de jeans, ils ont des talkies et des bottes. Deux d'entre eux attrapent le cheval, tandis qu'un petit homme à lunettes, casquette canadienne vissée sur la tête, s'avance tranquillement vers la maison.

— Oh ! William ! Tu nous as fait une de ces peurs ! Tu es tombé ?

— Oui, je suis tombé…

— Et ça va, tu n'es pas blessé ?

Le cuirassier semble contrarié, il se contente de hausser les épaules en se détournant du nouveau venu.

— Toute l'équipe t'attend. Le décor est en train de fondre ! S'il y a des dégâts, madame, appelez ce numéro. Votre rosier est magnifique ! On doit filer, la neige artificielle s'abîme. Allez, William, on y va ! L'heure tourne.

— Pas William ! Pierre ! Brigadier Pierre Seval ! corrige le soldat.

— Oui, c'est vrai, Pierre ! admet l'homme à la casquette.

— Je ne quitterai pas ce jardin sans avoir l'assurance de vous revoir, cher ange, déclare le cuirassier buté.

— Dites-lui oui! Sinon il va camper sous vos fenêtres. William, pardon, Pierre a une fâcheuse tendance à se prendre pour ses personnages pendant les tournages et les personnages sont toujours plus capricieux que les comédiens, c'est bien connu. N'est-ce pas, brigadier?

— Pas plus capricieux, juste plus passionnants!

— Bon, chaque minute nous coûte une fortune, là! bougonne le réalisateur en s'éloignant. S'il faut te menotter, t'arrêter pour désertion, je te préviens, je ne vais pas me gêner, mais tu vas retourner sur le plateau.

— Venez dîner à la maison samedi prochain, finit par lâcher Lola et il lui semble que ce n'est pas elle qui a parlé tant cette invitation lui paraît saugrenue dans sa bouche, elle s'en veut déjà de l'avoir formulée.

— Merci! Ne l'écoutez pas, il ne comprend rien aux choses essentielles, à ce qui nous arrive là à tous les deux. Vous vous appelez comment? Marie?

— Non. Lola. Lola Cam.

— Ah! Ce n'est pas grave. Vous êtes parfaite. Je garde cette rose contre mon cœur en souvenir de vous et de ce lumineux jardin, elle me protégera, conclut le cuirassier en saluant la postière qui, emballée dans sa nappe, n'a pas bougé d'un pouce.

Une étoile dans un jardin

— Lola, je crois que c'était William D.H.!

Mais je m'exclame dans le vide. Occupée à débrouiller ce qu'elle ressent, Lola ne réagit pas.

Sa vie si bien réglée part à vau-l'eau. Les roses sont plus nombreuses que jamais, elles surgissent comme ces bulles d'air qui montent du fond d'une casserole quand on fait bouillir de l'eau. Son jardin est en ébullition. Le poteau téléphonique lui-même commence à bourgeonner et une pointe de baïonnette lui agace le cœur sous cette nappe blanche et lisse qu'elle plaque contre sa poitrine. Un morceau de tissu comme seul rempart!

Cet homme a-t-il seulement remarqué qu'elle boitait?

— Tu penses qu'il va vraiment venir dîner samedi prochain? finit-elle par me demander. Il se moque de moi!

— Pourquoi veux-tu qu'il se moque de toi? William D.H. est un acteur sublime. Fou, mais sublime.

— Je me fiche qu'il s'appelle Pierre, Paul ou William! Je me fiche qu'il soit une star! C'est mon premier rendez-vous amoureux et s'il était agriculteur ou prof, ce ne serait pas plus simple, ça ne me rassurerait pas !

— Tu ne devrais pas te mettre dans un état pareil pour une simple invitation à dîner.

— Tu ne comprends rien ! Je n'ai jamais invité un homme à dîner ! J'aimais ma vie d'avant, tu sais. J'étais heureuse dans mon jardin, je n'attendais rien d'exceptionnel.

— Un peu de légèreté, voyons ! Cela ne vous engage à rien.

— Je ne connais pas ce gars-là, je vais lui dire que j'annule ce repas. Tout cela n'a aucun sens ! Et en même temps, non, je préfère ne rien lui dire de vive voix, ne pas le revoir du tout. C'est trop inquiétant. Je vais lui écrire.

— Prends ton temps, tu as toute la semaine pour te décider.

— Tu accepterais de lui porter une lettre de ma part ?

— Non, je ne veux pas m'en mêler ! C'est ton histoire. Tu n'as qu'à lui envoyer ça par la poste ! Après tout, c'est ton boulot.

La nappe trop blanche glisse et révèle son corps splendide. Sa chair ne ressemble à aucune autre. Elle a la beauté des statues. Elle éclate de rire et ramasse aussitôt le tissu. Je ne pensais pas qu'un corps de femme pouvait m'émouvoir à ce point.

Gurvan

Ah! Mais qui voilà ? Gurvan! Toi aussi, tu t'es fait beau pour nous, Gurvan ?

L'homme qui vient d'entrer paraît disproportionné dans le bureau de poste. Avec une telle stature, on a sans doute du mal à trouver des lieux à sa mesure. Le grand chapiteau d'un cirque, peut-être, ou une fresque de Michel-Ange… La lettre que tient le colosse ressemble à un jouet d'enfant dans ses énormes mains calleuses, des mains que la terre travaille au quotidien, y traçant des crevasses sombres, des mains toujours comme un peu sales, alors qu'il les a soigneusement décapées, des mains magnifiques.

C'est fou, les gars qui passent ici depuis quelque temps, on dirait qu'ils sortent tous de chez le coiffeur. Ils soignent leur enveloppe!

Gurvan est un homme du dehors que les intérieurs contraignent. Il s'est mis en frais pour venir « en ville ». Ses cheveux sont propres et encore humides. Leur masse est tranchée par une raie, bien droite, bien nette, et, de chaque côté, les dents du peigne ont dessiné des sillons dans sa chevelure brune.

Plus personne n'utilise de peigne de nos jours à part nous, les vieilles. Encore un objet qui tombe en désuétude, il finira dans la catégorie des choses oubliées avec le bidet, le chausse-pied, les cassettes, les timbres...

Ses joues portent les marques des trois feux conjugués du rasoir, du soleil et de l'émotion.

C'est peut-être pour notre receveuse qu'il s'est mis sur son trente et un, le Gurvan !

Elles ont raison, le géant rougeaud a fait un vrai effort de tenue, sans toutefois parvenir à être élégant. Sa tentative ratée m'émeut. Son cou épais est engoncé dans le col blanc de sa liquette, sa peau est irritée par le frottement du tissu. En voyant les muscles de ses bras comprimés sous ses manches trop étroites, j'imagine qu'il a eu du mal à enfiler sa chemise.

Lola le salue à peine. Il vient pour envoyer une lettre en recommandé, les yeux baissés, il précise de sa voix grave et forte qu'il essaye en vain d'étouffer : « un recommandé avec accusé de réception ». Quoi qu'il tente, il reste bourru. Sa gêne le désaccorde. Sa timidité le raidit.

La postière lui tend sèchement un formulaire à remplir.

Tandis qu'il s'applique à écrire en silence, avec un stylo soudain minuscule entre ses doigts gercés, les tricoteuses s'amusent de son émoi en me parlant de lui à voix assez haute pour qu'il entende.

Gurvan a eu cinq filles, mais sa femme les a quittés, abandonnés du jour au lendemain, et il n'a pas su les élever, si bien qu'elles n'ont aucune limite et tombent toutes enceintes à un âge où les autres jouent encore à la poupée.

Gurvan préfère ne pas relever, il réagit en homme habitué aux médisances, elles l'écorchent, mais il a le cuir épais. Il sait qu'il vaut mieux ne pas se mêler de tout ce que les gens peuvent raconter, qu'il ne fait que passer, que sa place est ailleurs, dans la forêt, dans ses champs, auprès de ses bêtes, dans un monde à son échelle, pas dans cette salle poussiéreuse où des bouches édentées cherchent à combler leur vide en ruminant la vie des autres. Il rend le formulaire à Lola, paye, la remercie et sort en marmonnant un salut.

Il n'est vraiment pas causant, cet homme-là, un vrai sauvage !

Il les aime, ses gamines, et elles ne sont pas si jeunes. Vous condamnez toujours les filles mères et leur famille, vous ne valez pas mieux que vos grands-mères ! Vous êtes des pestes !

Il paraît qu'il noie ses chats !

Et vous, vous brûleriez ses filles sous prétexte qu'elles couchent et vous noieriez leurs petits en les traitant de bâtards !

Oh ! Nelly, ne nous engueule pas ! On s'amuse, c'est tout ! N'empêche qu'aujourd'hui, c'est facile de prendre la pilule.

Les tricoteuses, déçues d'avoir si vite perdu leur proie, ne poursuivent pas sur leur lancée.

Mon arrière-petite-fille m'a dit qu'on pouvait fréquenter sur Internet, tomber amoureux à distance, sans rien voir de l'autre, sans même l'entendre, en s'envoyant juste des petits cœurs dans le téléphone. Pas besoin de prendre la pilule, pas de risque, pas de maladie.

Vaut mieux entendre ça que d'être sourd ! Il est vraiment temps que je crève.

Le printemps a retourné le monde, chamboulé les bêtes et les fleurs, je ne l'ai jamais vécu d'aussi près, sa violence me sidère. À Paris, comme le moindre arbuste est contenu, cerné de grilles, de goudron, de petits chiens qui pissent, le printemps peut passer inaperçu. Mais ici, il règne en maître, il éclate dans le paysage. Sa fulgurance, sa violence, son énergie m'émerveillent. Le monde végétal s'ébroue et dévore tout ce qu'on lui abandonne.

Cette maison par exemple, au toit incurvé comme le dos d'un vieil âne, disparaît de jour en jour, avalée par le lierre et les ronces. C'est étrange, lorsque je me promène dans les bois, absorbée par mes rêveries, mes pas me conduisent systématiquement devant cette ruine endormie sous son manteau d'épines. J'aime longer la rivière et marcher jusqu'ici pour repousser le moment de me mettre au travail. Mais je ne m'approche pas et, arrivée là, je rebrousse chemin.

Lola m'occupe. Elle m'accompagne dans mes longues promenades en solitaire. Elle m'absorbe. J'ai commencé à l'écrire. Son éveil au sentiment amoureux pimente ma petite existence.

Je ressens l'état de surexcitation dans lequel cette rencontre de William D.H. l'a mise et j'imagine la suite de son histoire. Quand je décris ce sourire qu'elle ne parvient pas à maîtriser et qui se dessine malgré elle sur ses lèvres, même aux heures d'ouverture de la poste, je l'envie d'être empêtrée dans cet émoi tout neuf. Ce qu'elle vit là, cette façon qu'elle a de respirer le monde avec délice, cette excitation qui prend aux tripes, je l'ai vécue. Mais l'amour peut-il vraiment durer toute une vie, se réinventer constamment ?

Il me semble que je ne désire plus rien que ce livre que je n'arrive pas à écrire.

Au relais-château

D'après Lola, le printemps est plus fragile qu'il n'y paraît, il ne faut pas s'y fier. Jusqu'aux saints de glace, le gel peut tout reprendre d'un coup. Elle a tout de même remisé son affreux manteau de laine brune dans son armoire et enfermé l'hiver avec.

Je l'ai taquinée toute la semaine en lui demandant où en était sa lettre de rupture, cette lettre qu'elle voulait envoyer à William D.H. pour annuler leur rendez-vous.

Nous sommes vendredi, la cloche sonne six coups, et Lola n'a toujours rien posté à son cuirassier. Il n'est plus temps de laisser Max, le facteur, se charger de son courrier enfin cacheté, il faut qu'elle la lui remette elle-même en main propre ou qu'elle se résolve à l'accueillir demain soir avec ses verres à moutarde dans sa cuisine.

Je ravale les conseils que je voudrais lui donner et je m'impose de rester sur le bord, de n'intervenir en rien dans cette aventure qui n'est pas la mienne. Lola est mon personnage quand je me promène au bord de la rivière, quand je l'allonge sur mes pages, que je passe mes journées avec elle en pensée, mais je pense qu'elle ne suivrait aucun de mes conseils, puisqu'elle n'en fait qu'à sa tête et que c'est d'ailleurs ce qui la rend tellement singulière. Lola m'échappe.

Sa lettre à la main, elle paraît perdue. Tout l'inquiète et la ravit. Ses années de solitude ne l'ont pas préparée à l'intensité de ce printemps du cœur. Savoir que son aïeule se prenait pour une fleur ne la rassure pas.

— Me trouves-tu vraiment attirante ? me demande-t-elle soudain.

Sa question me trouble. Je ne sais comment lui dire à quel point je la trouve belle. Peut-être devrais-je l'embrasser pour le lui faire comprendre. Mais elle me rejetterait à jamais et je ne supporterais pas de perdre cette place qu'elle m'a offerte à ses côtés. Des mots me viennent en tête. Il faudrait les dire en vrac sans mesurer leur force et, plus elle me regarde, plus je sens l'attrait qu'elle exerce sur moi.

Tu es rare, tu ignores ton éclat comme attisé par ce printemps fou. Tu m'inspires, tu m'obsèdes, j'aimerais te prendre dans mes bras, revoir ton corps où s'allient la chair, la pierre et le parfum des roses. Tu es une splendeur cachée sous une cloche opaque depuis toujours et soudain libérée. Mon cœur explose. Mais comment faire le tri entre ce qui t'appartient en propre et ce que je brode dans les silences de ta pudeur ? Entre ta réalité et ma créature ?

Je réponds « oui » dans un souffle comme si nous étions à la mairie.

Alors elle empoche la lettre et m'entraîne à sa suite. Nous montons dans sa voiture. Elle conduit en apnée, accrochée à son volant, concentrée sur la route. Elle garde un sérieux d'enfant sage dans tout ce qu'elle fait.

Le relais-château n'est qu'à cinq kilomètres, nous y arrivons au moment où le soleil embrase la futaie de hêtres. C'est un joli château du XVIIe en briques ocre et en pierres blanches restauré avec goût. Son corps central, aux lignes épurées, est flanqué de deux tourelles symétriques.

Lola se gare à l'arrière du bâtiment à côté des camions de la régie, tellement anachroniques dans ce décor. L'endroit grouille de monde. Les vieilles de la poste se sont renseignées, la production a loué la totalité des lieux pour trois semaines, mais tout le staff ne dort pas sur place, une quarantaine de personnes sont logées au village et dans les alentours. Ne séjournent ici qu'une partie de l'équipe artistique, le matériel, les costumes et les chevaux.

Lola demande à une jeune femme, aux cheveux bleus et aux avant-bras tatoués, qui paraît moins pressée que les autres, où nous pouvons laisser une lettre pour William D.H.

Elle nous déconseille de chercher à le rencontrer : il est très concentré et ne supporte pas les fans. D'après elle, le mieux est de déposer notre courrier à l'accueil. Lola la remercie. La jeune femme, qui marche à nos côtés, remarque soudain la boiterie de la postière, elle la dévisage avec une attention nouvelle.

— Vous ne seriez pas Lola ?

— Si. Lola Cam.

— J'aurais dû m'en douter. Je suis Esther, sa maquilleuse. Il nous a bassinés toute la semaine avec son dîner de demain. Nous avions un tournage de nuit au programme, il a imposé au premier assistant de modifier le planning et si vous saviez comme c'est compliqué de décaler quelque chose dans cette usine à gaz! Je vais vous conduire à lui. Il a fini pour aujourd'hui et il est sans doute aux écuries avec son cheval.

— Je préfère me contenter de déposer ma lettre à l'accueil, comme vous me l'avez conseillé, je voudrais juste m'assurer qu'il la récupérera bien ce soir. Pouvez-vous le prévenir?

— Non, non! S'il apprend que je vous ai laissée repartir, il est capable de me faire virer. S'il vous plaît! C'est à cinq minutes. À moins que votre hanche ne vous fasse souffrir…

— Je peux marcher, répond Lola piquée au vif.

Sur le chemin, notre jeune guide nous explique que le réalisateur a exigé qu'une grande partie du film soit tournée dans l'ordre de l'histoire, c'est plus simple pour les comédiens, mais, pour les autres, c'est l'enfer, ça leur a imposé un travail de dingues. À la déco surtout, ils bossent à la pelleteuse pour creuser des tranchées dans un champ voisin, ils conçoivent un décor d'apocalypse. L'équipe artistique est arrivée à Trébuailles il y a presque quinze jours, mais ils vivent ensemble depuis trois mois et c'est la dernière ligne droite, après ça, le film passera en post-prod.

— Je ne devrais pas vous le dire, mais si vous saviez à quel point vous l'avez bouleversé! Nous sommes tous émus par la beauté des lettres qu'il vous écrit chaque jour, il nous les lit à voix haute dans sa loge, mais il n'ose pas vous les envoyer. Il se promène tout le temps avec une rose sur le cœur, une rose au parfum intense qu'il a cueillie dans votre jardin et qui ne fane pas. Il nous en a fait voir depuis le début du tournage, nous étions pressés d'en finir, de nous débarrasser de lui, de ses caprices et de ses crises de nerfs, mais je dois dire que là, c'est un autre homme. Même son jeu s'en ressent. C'est un comédien exceptionnel, il est devenu Pierre absolument, il ne revient plus à lui entre deux prises. C'est très surprenant. Vous savez qu'il a passé un an à cultiver des roses, à parler français, à jouer du violon et à lire des correspondances de poilus pour s'imprégner de son personnage?

— Et il raconte quoi, ce film que vous tournez? demande Lola un peu gênée.

— Vous connaissez *L'histoire du soldat* de Stravinsky? Le film s'en inspire, répond Esther. Le cuirassier Pierre Seval revient de la guerre, il croise le diable qui va tenter de lui voler son âme, sa mémoire et tout ce qui fait de lui un être sensible et doux. Pour l'affronter, le soldat n'a plus qu'un atout, Marie, une femme qu'il connaît depuis l'enfance, qu'il n'a pas pu épouser, mais dont le souvenir l'a hanté dans l'horreur du front, si bien qu'entre deux obus, il s'est promis de lui avouer son amour s'il en sortait vivant. Il lui a rendu visite en secret lors de sa première permission et, maintenant que la guerre est finie, il la rejoint pour de bon. Mais, en vérité, ce pauvre Pierre n'est pas du tout en train de rentrer dans son village comme il le croit, il agonise dans le no man's land et tout ce qu'il vit n'est qu'illusion. Il ne reviendra jamais.

— C'est gai! murmure Lola.

— Toute la fin du film se déroule dans l'esprit de Pierre, dans un espace onirique entre la vie et la mort. Rien n'est réel et pourtant il se retrouve face à lui-même, au plus près de ce qu'il est. Il l'ignore, mais lors de ce dîner avec le diable, car le diable l'invite à dîner, il fait ses bagages, il choisit ce qu'il emportera avec lui pour l'éternité, poursuit Esther.

— Et qui joue Marie ?

— Dans le film, on ne voit jamais son visage. Elle pourrait être n'importe qui. Mais elle est boiteuse et j'imagine que William vous a donné ce rôle dans son esprit. On aime tous beaucoup Pierre, ce personnage nous fait presque oublier les sautes d'humeur de William D.H. Depuis votre rencontre, la star lunatique s'est effacée, on dirait que W.D.H. ne joue plus, il est tellement plus vrai depuis qu'il a laissé place au cuirassier écorché par la guerre. J'adore cette idée de la cuirasse, même si celle de Pierre n'est pas l'une de ces cuirasses héroïques dont la disproportion des muscles m'a toujours fascinée. Et vous, Lola, vous étiez nue, vraiment nue, face à cette nudité de fer, et vous avez vaincu ! Une vraie scène de cinéma !

Les retrouvailles

Pierre vient de perdre un coup décisif dans cette partie qu'il joue contre le diable. Pour lui démontrer la faiblesse de l'amitié, l'adversaire lui a fait revivre la mort de deux de ses compagnons d'armes, des Bretons comme lui, des conscrits, engagés avec lui en 14, deux gars de son village qu'il n'a pas pu sauver, par lâcheté, lui a dit le diable. Le Malin lui a fait sentir qu'il les avait abandonnés, enlacés sous une pluie de feu. « Que vaut ton amitié ? » lui a-t-il demandé et Pierre, effondré, n'a pas pu répondre.

Le cuirassier est très affaibli, en abîmant l'amitié, le diable lui a arraché une part de ses plus beaux souvenirs. Sa mémoire s'anéantit à mesure qu'il perd la partie et, peu à peu, le soldat sombre en solitude. Le diable le dépouille progressivement, comme l'araignée vide ses proies. Il ne compte laisser qu'une cuirasse vide sur le champ de bataille.

Pierre marche lentement vers nous sans nous voir. Lola s'est immobilisée face à lui en haut de l'allée qui mène au château. Une véritable apparition.

Pierre avance en regardant ses pieds, il quitte les écuries où il vient de panser son cheval. L'animal est devenu l'un de ses confidents. Bientôt il le perdra, lui aussi, le diable le lui volera en lui rappelant que la guerre de position et l'infanterie ont fait de la cavalerie un corps obsolète, qu'il est devenu un cavalier à pied, un pauvre poilu enterré dans la boue comme les autres. Car c'est là qu'il est en réalité, enlisé, en train de crever, sans amis, sans cheval, sans violon, sans soleil. C'est là qu'il vit ses derniers instants à côté d'une rose blanche.

Ce rosier, c'est lui, Pierre, le petit jardinier breton, qui l'a planté un peu à l'arrière des lignes, il y a des mois en pensant à Marie, son premier amour. Le front s'est déplacé, les Français ont reculé et son rosier s'est retrouvé dans le paysage désolé du no man's land, entre les deux camps au beau milieu des barbelés. Il ne porte plus qu'une fleur blanche qui nargue la sale guerre, le carnage. Une fleur que les tirs n'ont pu étêter. C'est à cette rose qu'il songe en avançant vers Lola, à cette rose qui est son souvenir le plus précieux, celui qu'aucun obus ne saurait lui arracher, le souvenir d'un amour qu'il a caché dans un recoin de sa tête toute sa vie, d'une jeune femme avec laquelle il vivra bientôt. Ce premier amour le console de tout, depuis toujours, il n'en a pas parlé au diable. Il n'a pas voulu partager le souvenir de Marie. Mais le diable est futé et attentif, il flaire que le soldat cache un atout dans son jeu, qu'il y a quelque chose de plus précieux à prendre, quelque chose d'enfoui, quelque secret dans cette rose que le cuirassier porte contre son cœur et dans celle qui flotte entre les lignes au-dessus des combats comme un dérisoire drapeau blanc. La beauté peut pousser au pire endroit du monde.

Le soldat se rapproche de Lola, il n'a toujours pas relevé la tête et l'apparition commence à vaciller, à avoir envie de se dissiper, de prendre ses jambes à son cou. Il lève les yeux au moment où Lola vient de décider de rentrer chez elle, dans son jardin clos de murs, parmi ses légumes, de reprendre sa place dans ses pulls tricotés main et ses biographies de femmes mortes.

Mais il est trop tard pour s'enfuir, le soldat s'est arrêté et il la regarde comme personne ne l'a jamais regardée, avec cette même intensité bleue que lors de leur première rencontre. Il est à une dizaine de mètres à peine, et une nouvelle fois, plus rien ne bouge. Pierre regarde Lola, et ce regard efface toute gêne.

Lola oublie que nous sommes là, Lola oublie qu'elle n'a jamais été aimée, elle oublie les moqueries, le rire de son père, sa boiterie. Elle se sent juste dans le regard de Pierre, merveilleusement à sa place. Lola ne se souvient plus qu'elle est venue jusqu'ici pour éviter de le revoir demain soir, qu'elle est là pour lui échapper, qu'elle a une lettre à lui remettre. Toute à son trouble, elle ne sait plus rien, elle pourrait aussi bien être un ange ou même une rose blanche au milieu des barbelés.

Le soldat avance vers elle en murmurant « Marie ! », et nous nous effaçons.

Tête-à-tête

La cloche sonne sept coups et Lola panique.

Dans une heure, pour la première fois, elle accueille un homme chez elle, un homme qu'elle connaît à peine. Elle ne comprend toujours pas pourquoi elle ne lui a pas donné sa lettre hier soir, comme elle avait prévu de le faire, pourquoi elle n'a pas annulé leur repas en tête à tête, pourquoi elle s'est promenée à ses côtés avec ce printemps dans le ventre et ce sourire collé aux lèvres. Quelle idiote ! Désormais, elle ne peut plus reculer.

Elle a rédigé un programme pour ne pas se laisser déborder par ses émotions, pour ne pas trop penser. Elle a tracé le planning de sa journée heure par heure, dessinant des cases à la règle et les remplissant au quatre-couleurs. Reprise malgré elle par ses tocs, ses petites manies, tous ces rituels qui la rassurent, elle a parfaitement aligné ses paires de chaussures, tourné la statuette du violoniste dans sa bibliothèque face vers le sud pour attirer la chance, vérifié quinze fois la température du frigo, chassé la moindre mouche, compté et recompté les quarante lattes du parquet de sa chambre. Un chiffre rond, pair et prévisible qui l'apaise.

Après s'être longuement interrogée sur sa coiffure, elle a renoncé, pris un élastique bien solide et s'est attaché les cheveux comme d'habitude. Elle a essayé et abandonné successivement les boucles d'oreilles, les rouges à lèvres et les robes offertes chaque Noël par ses sœurs, la bleue, la rouge et la jaune. Elle s'est insurgée contre cette soudaine coquetterie qui l'éloignait d'elle-même et a opté pour la simplicité : un pantalon à pinces gris et un chemisier blanc qu'elle a soigneusement repassés et qu'elle n'enfilera qu'au dernier moment pour ne pas les tacher.

Le planning du samedi a été modifié pour permettre à W.D.H. de dîner avec Lola. La dernière scène de la journée se tourne en forêt, à deux pas du village. Si près qu'il entend avec angoisse la cloche de l'église sonner 7 heures, puis la demie, et qu'il est prêt à s'enfuir et à abandonner toute l'équipe si l'on exige de lui qu'il refasse ne serait-ce qu'une petite prise de plus.

Le pâté breton attend sur la desserte à côté du pain complet, les haricots verts sont équeutés, les kouign-amann caramélisent au four, la table est mise, les assiettes y sont disposées de façon absolument symétrique, tout est parfait.

Rien ne cloche qu'elle.

Ses sœurs l'ont appelée, toutes les trois. Elle a touché un mot de ce dîner à la jaune, elle n'aurait pas dû.

Il se débarrasse de son casque, de sa cuirasse et Esther a à peine le temps de le démaquiller qu'il enfourche son cheval et s'enfuit dans son ample chemise blanche au grand galop pour rejoindre sa postière. « Comme dans une série sentimentale de la BBC, soupire le réalisateur agacé de voir son personnage s'affranchir du scénario et se vautrer avec une telle allégresse dans un lieu commun. On n'aime que ce qu'on reconnaît! De là, le succès des clichés. La star et la postière, c'est un peu le prince et la bergère. »

Une seule chose la turlupine : la nappe!

Certes ce n'est pas la même que lors de leur première rencontre, mais toutes ses nappes sont blanches et elle seule peut les différencier. Il va croire qu'elle a délibérément ressorti celle qu'elle s'était enroulée autour des seins. Il est trop tard pour en acheter une nouvelle.

Ce détail la gêne, elle ne pense qu'à ça en regardant la table dressée. Il va s'imaginer qu'elle l'invite à s'attabler devant sa nudité. Mais non! Pas du tout! Elle en rougit d'avance, elle lisse parfaitement le tissu pour faire disparaître le moindre téton, la plus petite rotondité et c'est son corps qu'elle a la sensation de caresser en effleurant la nappe du bout des doigts, si bien que son désir pointe, cette même excitation qui la réveille la nuit depuis que les roses poussent dans son jardin. Honteuse, elle retire sa main du tissu, comme s'il brûlait, elle n'ose plus y toucher, et l'heure tourne.

W.D.H. pourrait trouver son chemin jusqu'à Lola les yeux fermés, il lui suffirait pour cela de suivre le parfum des roses. Il lui semble qu'elles l'appellent et que s'il devait mourir bientôt, elles le guideraient jusqu'à cette femme qu'il aime comme il a toujours rêvé d'aimer. Jeune homme, il a laissé une fille lui dévorer l'esprit. Mais ce n'était pas vraiment de l'amour! Il ne pensait pas à elle, il ne pensait qu'à lui. Cette fois, il s'oublie! Il est un autre, plus généreux, plus fragile, infiniment plus sensible. Il n'a jamais regardé le monde avec une telle

candeur. Les couleurs, les lumières, les textures l'émeuvent,
l'amour qu'il éprouve pour cette femme la déborde, elle est tout
à la fois ce parfum, le jardin et la rose. Elle est le bois, les prés,
le printemps adorable et sa beauté se glisse en toutes choses. Elle
est l'orage qui gronde et la mort qui approche. Elle... grimpe
à l'étage enfiler ses pantalons et son chemisier de coton
blanc. Blanc comme la nappe. Le sang lui monte aux
joues, elle a chaud soudain, tellement chaud, elle ouvre
les fenêtres en grand pour rafraîchir la pièce et cesser
de penser à ce malheureux bout de tissu.

Même s'il en accepte peu, voilà vingt ans que W.D.H. saute
d'un rôle à l'autre, d'une vie à l'autre, d'une femme à l'autre,
sans se laisser le temps d'être lui-même, comme s'il craignait de
se regarder en face. Il est admiré, vénéré, dévoré, nul ne voit sa
vacuité, que lui, les mauvais jours. Il ne parvient pas à aimer
les filles qui se succèdent dans sa vie, il se fane dans leurs bras.
Mais, grâce à Pierre, il lui semble qu'il retrouve sa capacité à
s'émouvoir. Pierre le hante, le comble, le console de la solitude
où sa célébrité l'a exilé.

Le parfum des roses s'empare de la chambre et
l'enivre. Elle enlève son polo en essayant de ne pas se
décoiffer, le parfum en profite pour se déposer sur sa
peau et elle surprend son reflet assis sur son lit en sous-
vêtements blancs dans le grand miroir. Elle a les cuisses
légèrement écartées, elle les ouvre un peu plus, elle a si
chaud dans le parfum de ces roses animales.

Arrivé devant la grille, il voudrait crier son prénom à s'en
ouvrir la poitrine. Elle surgirait aussitôt entre les vaporeux
rideaux bleus d'une fenêtre et elle lui ferait signe avant de
disparaître derrière les voilages. Mais non, il n'ose pas et se
contente de le chuchoter, ce prénom, avant de mettre pied à

terre et d'entrer dans le jardin, bride en main. Comme un tout jeune homme, il flanche. Peut-être devrait-il faire demi-tour... Ne pas abîmer cet émoi qui le porte, le garder intact jusqu'à la fin du tournage.

Elle s'effeuille, se débarrasse du coton blanc qui la ligote. Le soleil joue sur ses seins, les cernant de lumière dorée, et le désir s'intensifie face à son propre corps, le désir la submerge, il lui faut éteindre cette envie brutale qu'elle a d'elle-même, alors elle ne résiste plus, elle s'abandonne à son reflet qui la chavire, elle s'éparpille dans le paysage champêtre de la toile de Jouy qui couvre les murs de sa chambre, elle se caresse sans penser, sans retenue, sans se souvenir que les fenêtres sont grandes ouvertes sur son jardin, et le plaisir monte, lui coupe la respiration, elle gémit et ne bouge plus pour que ça cesse, mais cela ne s'arrête pas, ses doigts ne s'arrêtent pas, leur cadence s'accélère, son reflet continue à l'ébranler, elle aime jusqu'au grain de sa peau et s'allonge entre les bras de tissu de son chemisier blanc, le plaisir la tient plaquée sur le lit, son petit monde ordonné vole en éclats, elle ramène le couvre-lit de soie rose sur sa peau, goûtant du bout des doigts sa chair et l'étoffe brodée dont elle se fait comme un cocon, le plaisir fuse, elle crie et s'immobilise en chien de fusil, espérant une accalmie, sans parvenir à se souvenir si la demie a sonné ou non.

Il ferme les yeux pour tenter de l'appeler de nouveau et il la sent à ses côtés, il perçoit sa présence contenue dans le parfum des roses, sa présence dans une robe tachée d'ombres. Elle lui souffle des mots d'amour à l'oreille, il étreint son petit corps gracieux et il lui semble l'entendre gémir. Il respire dans le

buisson de roses comme dans l'échancrure d'une robe, il respire
un air chaud et délicieux, il respire ce parfum âcre qui tient de
la fleur et du fauve.

Alors elle perçoit du bruit dans le jardin et elle n'a pas besoin de regarder par la fenêtre pour savoir qu'il est là, parfait, au milieu des ronces et des roses. Son monde bascule, sens dessus dessous, plus rien n'est symétrique, les lattes du plancher ne sont plus à leur place, comment pourrait-elle les compter? Il est là, mais elle ne parvient pas à se redresser, son corps ne l'y autorise pas encore, la sensation aiguë risquerait de rejaillir, comme ces petites balles en plastique dont on ne maîtrise pas la force des rebonds, il faut qu'elle se calme, qu'elle respire, qu'elle se rattrape aux draps, au bois du lit, à la petite barque rouge qui se répète sur les murs, encore et encore, qu'elle s'agrippe aux joncs qui bordent la rivière écarlate. Et si elle refaisait surface, si elle se levait, il la verrait nue comme au premier jour : fenêtres, rideaux, voilages, tout est ouvert. Il regarde sûrement par ici, peut-être même l'a-t-il entendue gémir. Elle l'imagine debout, planté dans son jardin, fixant la fenêtre de sa chambre où elle est renversée sur son lit, et le savoir là fait naître une nouvelle vague qui abat barrages et digues et les noie, elle et la petite barque rouge, dans la douceur de la soie, de sa peau et de la toile de Jouy. Chavirée...

Un cri s'échappe d'une fenêtre à l'étage et dissipe la vision
de William, qui s'inquiète soudain. Pourquoi crie-t-elle ainsi ?

Le nez enfoui dans son oreiller, elle étouffe ses gémissements, se retient de ciller, de respirer, de hurler. Elle ne bouge plus du tout pour éviter les ricochets.

8 heures sonnent. Elle est en retard !

Il tape à la porte vitrée de la cuisine. Mais Lola n'arrive pas aussitôt et Pierre ne s'autorise pas à entrer sans y être invité. Il vient d'acheter une bouteille de champagne au bar du Progrès, il la sent, fraîche contre sa hanche, dans son sac en bandoulière.

Elle s'arrache aux bras du chemisier, calme son corps fou, récupère ses affaires à quatre pattes, en comptant les lattes, et se précipite dans sa salle de bains. Elle l'a entendu frapper à la porte de la cuisine. Ce n'est pas possible, elle ne supporte pas le moindre retard, il faut qu'elle l'accueille, qu'elle s'habille au plus vite, elle n'a pas le temps de se recoiffer, elle n'est pas elle-même, elle est toute retournée, elle suffoque. Mon Dieu, l'effet que ça lui fait tout ça ! Ce corps qu'elle ne maîtrise pas plus que son jardin, ce corps bousculé par le parfum tentaculaire des roses ! Elle enfile son chemisier froissé. Elle a oublié son pantalon dans la chambre, alors elle saisit l'un des cadeaux de ses sœurs, une jupe trop courte qu'elle a abandonnée accrochée à un cintre au-dessus de la baignoire sans même l'essayer, une jupe sous laquelle ses cuisses nues frottent l'une contre l'autre, ce qui l'excite terriblement, ça ne cessera donc pas ! Il faut qu'elle se change, elle ne peut pas rester avec un truc pareil sur les fesses, c'est ridicule ! Il va peut-être repartir si elle tarde trop à lui ouvrir, finalement ce ne serait pas plus mal. *Il attend, sans oser frapper de nouveau au carreau.* Non, elle veut le voir, le toucher et qu'il la touche ! Oui ! Qu'il la touche, comme elle vient de se toucher ! Bien sûr que non, il ne la touchera pas, elle aurait l'air de quoi ? Et sans doute n'en a-t-il même pas envie ! N'oublie

237

pas que tu n'es qu'une boiteuse, ma fille, et que personne ne peut t'aimer ! Boiteuse ! *W.D.H. n'a pas l'habitude qu'on le fasse attendre. Il voudrait redevenir un homme du commun, mais ce n'est pas si simple.* Boiteuse ! Boiteuse ! Boiteuse ! *L'idée de disparaître, de ne plus être désiré, le terrifie. Il a besoin d'être choyé, il est dépendant du regard des autres, de leur admiration, c'est une drogue dure, dès qu'on le prive de cette attention, il meurt un peu. Il peut tout jouer, devenir n'importe qui. Il n'est rien comparé aux personnages qui l'habitent, il n'est rien, et même les plus simples le bouleversent, l'écrasent et lui révèlent son inconsistance.* Boiteuse ! Boiteuse ! Boiteuse ! *Mais, cette fois, il se sent en accord avec ce jardinier, Pierre l'élève au lieu de le réduire, l'intensité de son amour pour cette femme lui suffit. Plus rien ne le brisera. Il peut patienter, il doit patienter, réapprendre à prendre son temps. À ne pas tout cueillir dans l'instant.*

Tais-toi ! Elle étouffe la voix de son père – qui sans doute n'est pas son père – en se regardant dans la glace au-dessus du lavabo où elle se trouve certes négligée, mais pas si laide. Elle est bien trop en retard pour arranger ses cheveux comme il faut, alors autant se débarrasser de l'élastique. Elle descend en tirant sur sa jupe sans parvenir à l'allonger et sa culotte est toute mouillée.

Elle apparaît de l'autre côté de la vitre. Ses cheveux encadrent l'ovale parfait de son visage légèrement empourpré. Lumineux et massif dans son ample chemise blanche, il lui sourit. Sous cette satanée jupe, ça s'échauffe de nouveau. Qu'est-ce qu'il est beau ! Elle détourne les yeux pour qu'il ne croise pas ses pensées. Elle lui ouvre en bafouillant des excuses pour son retard, *et il l'entend respirer. Ce simple détail le trouble, elle a couru pour le rejoindre.* Elle ne sait pas mentir. Il se penche vers elle pour l'embrasser pas si loin des lèvres et son corps jubile aussitôt. Oh, non ! Il a le parfum des roses ! Elle ne tiendra pas tout un repas. Elle a les nerfs à vif.

Une odeur de brûlé la sauve. La voilà rappelée à l'ordre, à sa grille, au nombre de lattes du parquet de sa chambre. Elle a oublié les kouign-amann ! Elle se précipite vers le four en lui disant d'entrer, de faire comme chez lui, de se mettre à l'aise. Elle parle très vite, enchaîne les phrases, se penche pour sortir le plat du four, sans se souvenir que sa jupe est trop courte,

Aimanté par les nuances nacrées de sa chair, il s'approche d'elle

cela lui revient à l'esprit quand elle se redresse, le plat à la main,

pris d'une envie folle de toucher la peau de ses cuisses

et qu'elle le voit face à elle, si près.

Mais non, Pierre n'a pas son expérience des femmes, Pierre est timide et tendre, Pierre n'ose rien. L'amour l'affame.

Entre eux, il n'y a rien que des gâteaux brûlants. Elle murmure « pardon ». *Il recule.* Elle pose le plat sur l'évier, retire ses gants et passe un coup d'éponge sur le plan de travail déjà propre. Ça l'aide de s'affairer ainsi. Il n'a pas bougé, pas dit un mot depuis qu'il est entré.

Tous les mots sont usés, il les a susurrés si souvent, à tant d'autres, dans la vie comme au cinéma. Il faudrait les laver à grande eau pour les revivifier ou en inventer de nouveaux !

Il pourrait s'approcher d'elle, là, tout de suite et relever sa jupe trop courte, elle le ferait si elle était lui, elle glisserait une main entre ses cuisses, promènerait son index sur le coton blanc et mouillé, passerait tous ses doigts sous l'élastique... Elle pourrait l'embrasser comme Inès Dolorès a embrassé son jeune gitan, elle pourrait déboutonner le pantalon garance et caresser son sexe, mais elle est bien trop pudique pour faire les premiers pas et elle ne sait même pas à quoi s'attendre. Est-ce doux un sexe d'homme? Elle a honte, se sent rougir et éternue, comme chaque fois qu'elle a une pensée un peu érotique. Comment peut-on être aussi gourde? Elle rêverait d'être une autre, d'affirmer son désir, de mener la danse. Non! Une boiteuse ne danse pas! Boiteuse! Boiteuse!

Il la sent inquiète, il aimerait la rassurer, la caresser sans la brusquer, mais elle bouge en tous sens, fragile comme un moineau, et ne soutient plus son regard. Elle s'empourpre. Pierre se sait tout aussi lisible qu'elle et ça le gêne. Pierre ne coucherait pas avec cette fille ce soir, Pierre serait capable de rêver d'elle une vie entière sans jamais oser la toucher. Pierre est un imbécile qui le comble.

Alors elle l'invite à s'asseoir pour glisser la table entre eux. Il la quitte enfin des yeux en se souvenant qu'il a une bouteille de champagne fraîche dans son sac. Sa voix déraille quand il dit ça, *J'ai une bouteille de champagne! Je la débouche?* Elle comprend qu'il n'est pas aussi sûr de lui qu'elle le croyait et ça la soulage un peu.

Il s'entend lui proposer d'ouvrir la bouteille de champagne et sa voix est si rauque qu'il la reconnaît à peine. Les mots se coincent dans sa gorge. Il se découvre une fragilité qu'il aime assez. Celle de l'idiot.

240

Dans un souffle, elle précise qu'elle boit très peu, qu'elle n'a pas de flûte, qu'il faudra se contenter de verres à moutarde et qu'elle ne tient pas bien l'alcool. *Il lui répond en riant que c'est tant mieux, qu'il pourra l'embrasser plus facilement!* Elle n'en revient pas qu'il ait dit ça. Elle se répète la phrase, tandis qu'il ouvre la bouteille, elle tressaille quand le bouchon saute, il est projeté dans la pièce, quelque part, elle n'aime pas que les choses traînent, ça l'agace, mais elle le retrouvera plus tard, elle ne va tout de même pas se mettre à quatre pattes pour le chercher avec cette jupe ridicule.

Sur la table, il y a cette nappe blanche qui couvrait sa nudité! C'est la première fois que W.D.H. se sent excité par une nappe, qu'il trouve quelque chose de sexy à un morceau de tissu blanc posé sur autre chose qu'un cul.

Surtout qu'il n'a pas du tout l'air de s'en soucier, de ce bouchon.

Il verse le champagne dans les verres à moutarde qui débordent un peu, la nappe blanche se mouille. Il regarde le tissu trempé et l'essuie du bout des doigts en souriant. Elle se liquéfie. *Le champagne, ça ne tache pas! Il joue un peu avec la petite flaque, avant de porter ses doigts à sa bouche.* Fait-il exprès de la titiller comme ça? Il faudrait éponger. *Un verre dans chaque main, il s'approche d'elle qui ne s'est pas encore assise. Il lui en tend un.*

— Trinquons à l'amour! dit-il.

Ils boivent en se regardant dans les yeux et le champagne entre dans le nez de Lola qui s'étouffe. *Pierre se retire une seconde et laisse W.D.H. attraper une serviette et essuyer lentement les lèvres roses de Lola, son menton, son cou.*

Il respire le parfum de chair tiède et de rose qui s'échappe de son décolleté. Pierre le retient.

— Vous n'écoutez jamais de musique ? lui demande-t-il.

— Si, du Bach, en noyant des chiens !

— Je vous inviterais bien à danser, mais sur du Bach, ce sera difficile. La prochaine fois, si vous m'autorisez à revenir, j'apporterai du tango...

Parfum d'épines

— Nous avons passé la soirée d'hier ensemble « en tout bien tout honneur », se sent obligée de me préciser Lola quand je lui rends visite le dimanche. Nous avons bu du champagne, j'ai toujours dit que je n'aimais pas ça, sans jamais en avoir goûté, et en fait j'adore. Il m'a raconté le quotidien des hommes au front, il m'a parlé de tous les témoignages qu'il avait lus pour construire ce personnage qu'il incarne et qu'il aime tant. Je l'appelle Pierre pour lui faire plaisir et ça nous fait rire. Il me dit que je serai bientôt la seule à le nommer ainsi, qu'il gardera en lui quelque chose de ce personnage grâce à moi. Il sait bien qu'il est un peu dérangé, qu'il n'est pas vraiment ce soldat qu'il prétend être, mais il se sent habité, presque possédé, et se dit tellement plus vivant depuis qu'il m'a rencontrée. Il se sent si proche des poilus, de leur souffrance qu'il lui semble l'avoir vécue et se rappeler. Comme moi, il aime les textes autobiographiques, comme moi, il croit aux fantômes, comme moi, il est réveillé par une ombre ces derniers temps. Il me touche infiniment. Il est attentif, il m'écoute, il ne cherche pas à se mettre en avant. Il revient samedi soir prochain. Je n'ai pas beaucoup dormi. Et je suis heureuse ! Voilà, tu sais tout !

Je ne retiens pas la façon dont les gens sont habillés, sauf si leur tenue a quelque chose de singulier, d'un peu décalé, de somptueux ou de l'ordre du déguisement. Dans mes souvenirs, personne n'est vraiment vêtu, sans être nu pour autant. Le corps est là, très net, sa posture, ses gestes, son élégance, ses formes, mais le plus souvent, même si l'image me paraît complète, le vêtement manque. Alors, si j'en ai vraiment besoin, je le recrée, je rhabille mes souvenirs.

Ce jour-là, il fait doux et Lola porte une robe fluide et fleurie qui s'accorde à la couleur des roses, c'est la première fois que je la vois si coquette. Nous nous sommes installées sous sa tonnelle autour de la table en fer forgé pour déguster une tarte à la rhubarbe à peine sortie du four.

Le sourire collé aux lèvres, les cheveux lâchés et les yeux légèrement maquillés, Lola ne ressemble plus vraiment à la postière sévère que j'ai rencontrée quelques semaines auparavant, ni même au personnage que j'ai construit à partir de ce que je savais d'elle. Je la trouve un peu sotte pour la première fois, comme si, tout en l'embellissant, l'amour lui avait coupé les épines, édulcorant cette révolte muette qui la rendait tellement singulière.

Je m'en veux aussitôt. Ne puis-je me contenter d'être heureuse pour elle au lieu de regretter que son bonheur la banalise ? Pourquoi ai-je cette sensation d'être soudain dépossédée ? Ce comédien me vole mes samedis soir à ses côtés. J'ai peur que cet homme ne me l'abîme, je voudrais encourager Lola à plus de prudence.

Mais comment aimer si l'on ne risque rien? Et n'est-il pas merveilleux que cette femme, encore tellement contrainte le mois dernier, parvienne ainsi à s'abandonner?

Elle me remercie d'avoir été là, de l'avoir encouragée à lire le cœur de son aïeule et à planter les roses folles d'Inès Dolorès dont je commence à trouver la prolifération franchement inquiétante. Mais je me tais, je ne parle pas de ma méfiance à l'égard de ces fleurs, je ne dis plus rien contre W.D.H., et pas seulement pour ne pas abîmer son bonheur un peu niais. Je ne dis rien par lâcheté. Ces ogresses, qui ont attiré cet homme dans ce jardin, rampent désormais jusqu'aux graviers tout en lançant leurs lianes fleuries à l'attaque des arbres et des murs, elles exhalent un parfum triomphant qui corrompt l'air et étouffe toutes les autres odeurs. Tandis que Lola me parle de cet homme et qu'elle revit en boucle des extraits choisis de leur soirée en tête à tête, ce parfum qui m'agace depuis mon arrivée me prend soudain à la gorge, sans serrer trop fort, juste assez pour m'écœurer et m'empêcher d'apprécier ma part de tarte.

Ces maudites fleurs me menacent, mieux vaut ne pas en dire de mal, ne pas tenter de les arracher, ni même essayer de tempérer l'exultation de Lola, ce parfum pourrait s'épaissir jusqu'à m'asphyxier si, d'une manière ou d'une autre, je cherchais à les détruire ou à ralentir la progression du sentiment amoureux de mon amie. Ce parfum fauve n'est plus un outil de séduction, mais une mise en garde, il colle à mes habits, il s'étale sur ma peau, m'entre dans le corps à chaque inspiration, il dénature jusqu'au goût de la rhubarbe.

W.D.H. arrive alors en amant magnifique, toujours à cheval, mais sans cuirasse. Bien qu'il ne ressemble en rien à la star dont parlent les magazines people de Nelly et qu'il soit simple, presque timide, je préfère tout de même m'éclipser pour les laisser seuls et me promener en compagnie de ma Lola imaginaire dans les senteurs légères des prés, loin des exhalaisons délétères des roses faramineuses.

Sur la plage interdite à la baignade, un grand saule est tombé, abattu par la foudre.

Le soleil joue sur la rivière, des libellules rouges se posent çà et là sur l'eau, laissant de minuscules traces aussitôt effacées par le vent, avant de reprendre leur incessant ballet entre les joncs.

Une grande famille s'est installée sur la rive opposée pour un pique-nique champêtre avec tables et chaises pliantes, barbecue, cubi de rosé et matériel de pêche. Ils ont l'air tellement tranquilles. Les plus jeunes enfants sont allongés à l'ombre sur des couvertures qu'ils caressent en s'endormant, les autres courent le long de l'eau, tandis que leurs parents vident le thermos de café en se racontant des histoires drôles. Les fils tendus des cannes à pêche plantées sur la berge sont oubliés dans le courant. Deux hommes fument côte à côte assis sur une grosse pierre face à la rivière. Ils se ressemblent comme des frères. L'un des deux passe affectueusement son bras autour du cou de l'autre. Leurs têtes se touchent. Ils rient. La vie est douce. Le dimanche est une trêve dont chaque seconde se goûte. Je les envie de constituer un tableau si charmant, si paisible. Ils ont le génie du peintre, un vrai sens de la composition. Quelle harmonie ! C'est un grand talent que de savoir vivre ensemble des moments simples. J'admire leur grâce depuis l'autre rive. Ils sont un souvenir d'enfance qui m'émeut.

Depuis quand m'a-t-on chassée du paradis ?

Mais sont-ils vraiment tous aussi heureux qu'ils en ont l'air ? Qui sait ce qui se trame dans leurs têtes, ce qui remue sous la surface, leurs mensonges, leurs angoisses, leurs désirs ? Il faudrait gratter le vernis. Ils pourraient être un bon début de roman que je commence aussitôt à rêvasser encouragée par la petite chanson de l'eau piquée de cris d'oiseaux.

Je me mêle à eux. Je plonge dans leur dimanche limpide.

Depuis toujours, je débroussaille le monde en traduisant la vie en fables. Ma rêverie tord le réel, ce bricolage m'est une sorte de système immunitaire contre la vacuité et l'angoisse. Mais la menace est là, toujours présente, de me laisser dévorer par ce qui m'habite, charmer par ces univers boiteux que je m'invente. Je pourrais disparaître dans l'une de ces failles délicieuses, me réfugier dans un éternel dimanche, me noyer dans ces heures claires, maintenant que Laurent ne m'attend plus vraiment sur la rive.

La maison dans les ronces

Absorbée par mes pensées, par l'histoire cachée sous la peinture bucolique, je ne remarque pas tout de suite la femme en longue jupe noire qui me devance sur le sentier de la berge. Elle a une bonne centaine de mètres d'avance, ses cheveux blonds sont pris dans un étrange petit bonnet de tissu blanc et elle boite.

Certaine d'avoir affaire à celle que j'ai déjà aperçue sur la plage, à ce vieux fantôme qui m'a suivie dans la nuit, à la femme qui m'a fait signe depuis sa carte postale, j'accélère le pas pour tenter de la rattraper, mais j'ai beau faire, la distance entre nous reste la même. Je la vois bifurquer dans les herbes hautes vers la maison au toit défoncé. Je pénètre dans les fourrés de ronces à sa suite en me disant que je vais sûrement me choper des tiques – c'est une vraie phobie chez moi, ces petites bêtes minuscules qui se vissent sur notre peau pour nous sucer le sang tout en nous refilant des maladies atroces. Penser aux tiques me ralentit, les épines m'agrippent, j'ai des broussailles jusqu'à la taille et, à force de vérifier qu'aucune de ces bestioles ne me grimpe sur le corps, je perds la femme de vue.

Les orties sont couchées sur le seuil de la ruine, elle a dû entrer dans la vieille bâtisse. Je décide d'en pousser la porte à mon tour pour en avoir le cœur net. Le bois a joué et je force un peu pour la décoincer. Elle s'ouvre en grand.

J'appelle sans que personne me réponde.

D'un coup d'œil, je peux vérifier que la maison est déserte. La pièce unique est à peine meublée : un évier très profond taillé dans le granit, une pompe à eau, un de ces poêles en fonte qui servaient de cuisinière, de chauffage et de bain-marie autrefois, une table et quatre chaises, un lit double en bois, une armoire bancale, et du temps déposé sur tout ça, en couche épaisse.

Le lierre s'est faufilé entre les pierres, il a brisé des carreaux pour prendre possession des lieux, la maison semble prête à craquer sous la pression de ses innombrables tentacules. Sous leur manteau de poussière, les objets sont à leur place, intacts, en attente des habitants, comme si personne n'avait touché à quoi que ce soit depuis leur départ et que j'étais la première vivante à entrer là depuis un siècle. Il n'y a pas d'autres traces au sol que celles de mes pas.

Les fenêtres crevées sont occultées par la végétation, mais le soleil qui pénètre dans la pièce par la porte, que j'ai laissée ouverte derrière moi, vient frapper le mur du fond, illuminant deux photos clouées sur une poutre à hauteur de visage. Je retire les clous qui tiennent à peine et je passe la main sur les deux clichés anciens pour les dépoussiérer.

Sur l'un d'eux, un homme pose en tenue de cuirassier de la Première Guerre mondiale une rose à la main.

La ressemblance entre ce soldat en noir et blanc et W.D.H. est frappante, elle ne se limite pas à l'uniforme. Mais peut-être que l'acteur a étudié des portraits de poilus pour créer son rôle et que ces pauvres gars envoyés au front finissaient tous par se ressembler, par avoir le même regard dérouté, la même odeur, la même maigreur, à force de souffrir ensemble, de partager leurs boyaux et de traverser l'horreur collés les uns aux autres.

Sur l'autre photo, une ravissante jeune femme en longue robe noire se tient toute raide devant cette maison encore intacte et ornée d'un rosier grimpant.

Tous deux sont sérieux, figés sur leur cliché pour l'éternité. Et ces êtres, séparés à jamais, chacun sur son bout de papier, semblent se faire face et se regarder. J'empoche discrètement les photos de peur que quelqu'un ne me surprenne et je m'en vais en refermant la porte avec soin. Je pars sans faire de bruit comme une voleuse, fascinée par ma trouvaille et persuadée d'avoir été guidée jusque-là par un fantôme.

Au retour mes pique-niqueurs sont toujours là, endormis sous le soleil, mais deux d'entre eux se sont enfuis du tableau, ils ont traversé la rivière à la nage et sont arrivés de mon côté du monde. Cachés dans les broussailles, ils s'embrassent passionnément en se murmurant des mots d'amour.

Les enfants nous cherchent ! Viens, il faut y retourner !

Encore un peu, reste encore un peu, s'il te plaît.

Demain je dirai à ton frère que je le quitte, demain, je

le lui dirai, je te le jure. Mais là, il faut y aller. Je ne veux pas qu'il nous surprenne.

Non, reste encore dans mes bras. Je t'aime.

Comme il m'est difficile d'écrire un dimanche limpide sans le troubler !

Thérèse

Dès le lendemain matin, je suis à la poste avec mes photos volées pour questionner le chœur des tricoteuses sur cette étrange maison abandonnée aux ronces et aux orties, au ban du village.

Ah! La maison de la boiteuse? De la boiteuse? *Après sa mort, personne n'a jamais voulu de cette bâtisse, elle ne porte pas bonheur à ce qu'on dit. Il n'y a que Thérèse qui l'a un peu entretenue jadis. La bonne de tes parents, Nelly. Tu te souviens d'elle?*

Oh, oui! Je l'aimais beaucoup, Thérèse, quand j'étais gamine, bien que mes parents l'aient toujours considérée comme une simplette et qu'ils n'aient jamais compris mon attachement. Elle vivait dans la famille depuis ses quatorze ans. Sa mère était morte et son père l'avait placée là du temps de mes grands-parents en attendant de la marier et, finalement, elle est restée chez nous toute sa vie. Son père lui avait tellement répété qu'elle était née au lendemain de la chance qu'elle était persuadée qu'elle ne devait rien attendre de la vie. Elle collectionnait les emballages dorés des chocolats et les papillons morts. Elle les dépliait et en tapissait les murs de sa chambre sous les combles, elle trouvait ça joli. Elle n'avait personne dans sa vie que moi et un amoureux imaginaire.

Des papiers dorés et des papillons crevés, il faut être un peu fada tout de même !

Et pourquoi pas ? Elle collectionnait ce qu'elle trouvait beau et je partageais son enthousiasme ! Chez toi, Pascale, c'est plein de porcelaine de Limoges et de carafes en cristal. C'était sans doute un genre de beauté inabordable pour elle, elle s'est contentée de celle des emballages. Je me glissais dans sa minuscule chambre de princesse aussi souvent que possible et je lui rapportais tous les chocolats que je trouvais. Nous les mangions ensemble en nous racontant des histoires d'amour. Elle est morte en souriant dans une pièce couverte de papier doré. Un vrai sarcophage ! Et c'était somptueux, cette collection dérisoire. J'espérais qu'on la laisserait tranquille, allongée dans sa merveilleuse chambre mortuaire, comme un pharaon d'Égypte, mais ils l'ont mise dans un trou et on a aussitôt engagé une autre bonne. Il a fallu débarrasser la pièce pour la suivante. J'ai tout décollé en pleurant, j'ai fait ça soigneusement, mais les papillons épinglés s'émiettaient et les emballages se déchiraient. Une fois décroché, ça ne prenait pas beaucoup de place, ça faisait un petit tas de rien du tout. Nos vies se résument sans doute à ça, à un petit tas de papiers plus ou moins brillants, on a mangé les chocolats et gardé quelques emballages en souvenir. Sa vie à elle, qui n'avait l'air de rien, lui a offert une mort de reine dans une pièce tapissée d'or. Je ne sais plus ce que j'ai fait du trésor, la bonne suivante l'a peut-être jeté, j'en ai seulement gardé un souvenir tout mité. C'est l'une de mes feuilles d'or.

Pauvre Thérèse, tu te souviens d'une vieille femme, mais elle est partie jeune, elle avait à peine la cinquantaine. Pierrette,

sa mère, était la seule amie de la boiteuse, la femme qui habi-
tait dans cette fameuse maison qui vous intrigue tant, madame
l'auteure. Après la mort de sa mère, Thérèse est restée très
proche de la boiteuse et cette relation l'a mise au ban du vil-
lage. Personne ne les a jamais trop aimées ces deux-là. Dieu
seul sait ce qu'elles avaient fait.

Je leur avoue que je suis entrée dans cette ruine et
que j'y ai trouvé deux photos. Je m'apprête à les sortir
de ma poche quand le « gling » de la porte tinte.

Les regards se tournent aussitôt vers le nouvel arrivant
et les visages s'illuminent. Mes photos n'intéressent plus
personne. W.D.H., le magnifique, a débarqué en uniforme de cuirassier dans leur petit monde de tricoteuses.
J'observe Lola qui tente de le recevoir comme elle rece-
vrait n'importe quel usager, mais c'est impossible : les
vieilles minaudent, le naturel a déserté les lieux, plus
aucun mot ne sonne juste. Cela doit être insupportable
d'être au centre de toutes les attentions dès qu'on arrive
quelque part.

Lola se plonge dans son ordinateur, tandis que
W.D.H. me salue et serre la main de chacune des habituées en précisant qu'il s'appelle Pierre et qu'il est jardinier, ce qui ne surprend personne, puisqu'elles sont
déjà au courant. Depuis ce week-end, tout le monde en
parle de cet acteur américain qui se prend pour son personnage et ne s'exprime plus qu'en français. Seul son
coup de cœur pour leur postière n'a pas encore percé.
Et, malgré leur perspicacité, les vieilles, aveuglées par
l'éclat de la star, ne remarquent pas la valse des regards.

Mauricette tapote l'assise du siège libre à côté d'elle
et W.D.H. se sent obligé de s'installer entre nous deux.

Je souris : il est coincé à son tour, pris dans le même piège que moi le premier jour.

Comme personne ne sait trop quoi dire et que l'ancienne cuisinière tient à la main un petit bouquet que lui ont cueilli les enfants, W.D.H. lance la conversation en montrant les fleurs.

— Mes préférées, ce sont les coquelicots, dit-il dans un français parfait. Les poilus racontent qu'ils déplient leurs corolles près des soldats à l'agonie pour leur rappeler que toute beauté est éphémère.

Ça aide à s'endormir ! Maman les utilisait en décoction pour nous assommer. On tombait comme des mouches. D'ailleurs, depuis qu'ils ont disparu de mon jardin, je ne trouve plus le sommeil. Ils ont disparu des champs aussi, non ? C'est vrai, on en voit moins qu'autrefois. Les bleuets aussi se font rares. Tu te souviens, Nini, qu'on en mangeait pour éloigner les peines. On obligeait les garçons qui nous aimaient à mâcher les cinq pétales des boutons-d'or, ça leur brûlait la langue. Et cette question bizarre qu'on posait : « Aimes-tu le beurre ? » La fleur répondait en projetant un reflet doré sous notre menton, une tache de soleil. Jadis, le jardin de mes parents se couvrait de minuscules pâquerettes, écarquillées tout le jour, comme des yeux posés dans l'herbe et qui appelaient la nuit en se refermant sous leurs cils blancs et roses.

— Moi, j'aime les myosotis, dit Lola, leurs inflorescences bleues, leurs petites feuilles poilues comme des oreilles de souris et le nom que leur donnait ma grand-mère Rosa : « *No-me-olvides* ». Elle s'en faisait des infusions pour lutter contre l'oubli.

Ces fleurs ne réparent pas la mémoire, on les appelle comme ça depuis qu'un chevalier s'est penché vers la rivière pour en cueillir un bouquet à sa belle et que, entraîné par le poids de son armure, il est tombé dans l'eau, l'imbécile. On raconte qu'il a coulé à pic en tendant son petit bouquet à sa fiancée et en lui disant : « Ne m'oubliez pas ».

Encore un sot qui a cru en l'amour éternel!

W.D.H. remarque les photos que j'ai posées sur mes genoux.

— Mais c'est une photo de moi! souffle-t-il, étonné.

— Non. Juste quelqu'un qui a vécu ici jadis et qui vous ressemblait. Je l'ai trouvée dans la maison de la boiteuse. Vous voyez qui ça peut être, mesdames?

C'est un soldat de la Grande Guerre. On est vieilles, mais pas à ce point-là! La doyenne, c'est Nini. Tu le reconnais, ce gars-là, Nini? On a presque le même âge, je suis née en 20. Comment veux-tu que je le connaisse? C'est vrai qu'il vous ressemble, mais il a un doigt en moins, ce pauvre garçon. Vou n'en avez encore perdu aucun et comme il est plus jeune que vous...

— Et sur l'autre photo, cette femme devant le rosier, elle vous dit quelque chose? demandé-je.

Ça doit être la boiteuse, puisqu'elle pose devant sa maison. Je ne l'imaginais pas comme ça. Ce qu'elle était jolie! La boiteuse, c'était notre bête du Gévaudan quand on était gamins. On nous disait qu'elle nous dévorerait si on traînait dehors la nuit. Il m'est arrivé de l'entendre clopiner dans mon dos! Cette photo, nous aurait épargné bien des cauchemars.

Lola, n'y tenant plus, quitte son guichet pour se joindre à nous, regarder les photos et s'approcher de W.D.H. qui se lève aussitôt pour lui laisser son siège. Quand ils se croisent, ils en profitent pour se frôler et l'air continue de vibrer longtemps entre eux pour prolonger la caresse.

Thérèse m'emmenait sur sa tombe un jeudi par mois pour y déposer un bouquet, elle s'appelait Marie.

— Marie ? s'étonne W.D.H.

— Comme une fille sur deux à l'époque, relativise Lola en haussant les épaules.

— Elle vous ressemble, lui répond W.D.H. en plantant ses yeux bleus dans les siens, si bien que la postière gênée se lève en rougissant et se réfugie derrière son guichet.

— Elle est blonde ! Vous dites ça parce que je boite ? murmure-t-elle.

— Pas du tout. Elle ne boite pas sur la photo, se défend l'acteur.

Nos mères détestaient cette vieille baraque ! On se prenait de ces roustes quand elles apprenaient qu'on avait joué dans ce coin-là. Si bien qu'à notre tour, on a interdit à nos gosses d'y aller. Elle est pleine de mouches. Aujourd'hui encore, personne ne s'aventure par là.

Mauricette a pris la photo du soldat, elle la tient précieusement entre ses mains, en répétant « Pierre », si bien que W.D.H. se rassoit à côté d'elle. *On dirait qu'elle vous aime bien, notre Mauricette ! Elle n'est pas la seule, on vous aime toutes ! Je peux avoir un autographe pour ma petite-fille ?*

Je demande où est la tombe de cette Marie au cimetière, mais j'ai perdu la vedette, les vieilles dames ne m'écoutent plus, l'acteur éclipse la romancière. W.D.H. accepte les selfies et les photos de groupe avec une patience d'ange... Seule Nelly a entendu ma question.

J'ai fait une croix sur mon enfance. Je me rappelle juste un petit tapis de myosotis et un caillou couleur d'ardoise où, avec Thérèse, nous écrivions trois prénoms à la craie : Jean, Marie et un dernier que j'ai oublié.

Trois prénoms que la pluie effaçait...

Les souvenirs du grand saule

Dans l'après-midi, je croise Mauricette qui a échappé à la surveillance des enfants, elle est assise sur le tronc du grand saule foudroyé à côté d'un pot de confiture vide et, son petit bouquet à la main, elle contemple la rivière. C'est donc là qu'elle vient se perdre quand tout le village la cherche et qu'elle finit par rentrer chez elle comme si de rien n'était et que sa mémoire était intacte. Elle a beau s'égarer dans sa propre maison, elle trouve toujours le chemin de cette plage. Tout a bougé dans son univers, à l'exception de quelques lieux qui restent des points fixes dans le grand désordre spatio-temporel qu'est devenu son quotidien.

Elle n'a pas du tout l'air en déroute, ni même surprise de me voir là, elle semble bien à sa place au bord de l'eau, avec son éternel cabas, sa blouse rose et son manteau bleu ciel, elle me sourit en tapotant l'écorce à côté d'elle pour m'inviter à m'asseoir. J'obéis et je m'installe contre elle. Elle ouvre le pot de confiture vide et me prend dans ses bras. Je me sens bien dans la chaleur de son corps à regarder la rivière s'écouler vers la mer.

Mauricette m'enveloppe, sans m'étouffer, elle me berce en chantant une ballade ancienne dans une langue que je comprends sans la connaître. Sa tendresse a un parfum de sucre. Dans les bras de cette vieille femme souriante, je m'abandonne, je savoure un moment de paix, je fais le vide en moi et le sommeil me prend, le sommeil ou un état que j'ai goûté, il y a très longtemps, dans d'autres bras, une tendresse monstre qui apaise les chagrins d'enfance. Je ne bouge pas, je ne dis rien, je me laisse partir au fil de l'eau, je me laisse aller dans les bras de Mauricette. Rassurée, certaine d'être aimée.

J'ai fermé les yeux un instant, pas plus… Les ai-je vraiment rouverts ?

Je vois toujours la rivière, mais je sais que je dors, je le sais car il fait soudain plus chaud et que la végétation s'est épaissie. Je le sais car l'arbre sur lequel nous sommes assises n'est pas tombé encore et qu'il projette sa grande ombre sur le sable pailleté d'or.

Une belle adolescente, jupes relevées et chaussures à la main, est plantée les pieds dans l'eau.

Est-elle fille de mon rêve ? Un pan de son long jupon blanc lui a échappé, le tissu flotte autour d'elle. Le vent se lève, souffle dans le bois, souffle sur les feuilles, souffle sur l'onde limpide. Les longs cheveux lâchés de la jeune fille se soulèvent, volent, dessinent une frondaison dorée dans les airs. Immobile, parmi les arbres, elle contemple le crépuscule.

Mais quelle heure est-il ? Peu importe…

Un garçon d'une vingtaine d'années l'admire depuis la berge, je le reconnais, c'est celui de la photo, en plus jeune, en plus joyeux, son regard est intact, la guerre n'a pas encore frappé. Il enlève ses galoches pour entrer dans la rivière à son tour. Il s'approche d'elle sans faire de bruit et lui pose une couronne de coquelicots et de myosotis sur la tête. Elle sursaute et se retourne.

Oh ! Pierre, tu m'as fait peur !

Le jeune homme sourit, tandis qu'elle l'éclabousse pour l'éloigner. Elle rejoint la berge, s'assoit sur un rocher, ôte la couronne et enferme ses cheveux emmêlés dans sa coiffe claire. Elle joue à effleurer la surface de l'eau du bout de ses orteils blancs. Elle dessine les lettres de son prénom. Marie. Des insectes marchent sur l'eau à leur tour, les mêmes qu'aujourd'hui, leurs longues pattes y produisent des remous plus petits. Écrivent-ils leurs propres noms ?

Pierre s'installe à ses côtés, sans savoir où mettre ses grosses mains déjà calleuses, des mains qui ne parviennent pas à rester immobiles et qui aimeraient tant se poser sur sa peau à elle. Alors, pour les occuper, il caillasse la rivière.

Maintenant que la femme du pharmacien est morte, tu vas rester à travailler chez lui ? lui demande-t-il tandis que les galets rebondissent à la surface, une, deux, trois fois, avant de couler. Pourquoi ça changerait ?

Je me disais que tu voudrais peut-être fonder un foyer, ma Marie. Je n'ai rien encore que mes doigts verts et les roses que je crée, il murmure en lui effleurant le cou, elle se laisse faire, alors il s'enhardit en continuant de parler, mais bientôt, ma jolie fleur… Il s'emballe et essaie de l'embrasser maladroitement.

Marie saute sur ses jambes en riant. Comme tu vas

vite en besogne, Pierre, le jardinier. Moi je ne t'ai rien demandé, c'est toi qui me cours après.

Et pourquoi je ne le ferais pas puisque tu me plais si fort ? Et puis c'est toi qui m'as embrassé hier avant même que j'aie eu le temps d'y penser, lui répond Pierre en essayant de l'attraper.

Menteur ! Tu en rêvais depuis toujours de ce baiser, je te l'ai généreusement offert pour te soulager.

Il m'est resté sur les lèvres depuis, je l'ai goûté toute la nuit, il a gâché mon sommeil. Viens, il faut que je te le rende pour parvenir à l'oublier.

Ne m'attrape pas qui veut ! Je cours plus vite que toi !

Marie s'échappe et Pierre reste seul sur la berge.

Un jour, je créerai une rose merveilleuse dont le parfum te ligotera à moi ! Une rose aussi folle que mon désir ! Ne te sauve pas ! Reste encore un peu ! Marie ! Tu oublies ta couronne !

Pierre lance la couronne dans l'eau. Elle est emportée par le courant qui fredonne. Ne m'oublie pas !

Je me réveille dans les bras de Mauricette, qui n'a pas cessé de chanter sa berceuse. Je ne sais pas ce que j'ai vu.

Ai-je rêvé ? Ces êtres sont-ils ceux que je promène dans ma poche ? Est-il possible que les lieux gardent le souvenir des événements dont ils ont été le théâtre ? Que la rivière n'ait pas oublié ces deux jeunes gens ? Que cette vieille femme m'ait fait voyager dans le temps en m'enlaçant ?

Mauricette me sourit en refermant son pot de confiture vide, elle a toujours son petit bouquet de fleurs sauvages sur les genoux, mais il est tout flétri. Elle tente de se lever, d'arracher son corps si lourd au tronc, je

263

lui tends la main pour l'aider. Une fois debout, elle refuse de me laisser porter son vieux cabas où ses pots de verre s'entrechoquent, me prend le bras avec cette autorité souriante et muette qui m'entraînerait au bout du monde, et nous marchons ensemble lentement vers le village.

J'imagine que nous allons à la poste, mais non, Mauricette continue un peu au-delà. Elle s'engage à petits pas dans l'impasse qui mène au cimetière et je l'accompagne parmi les tombes. Je repère aussitôt le mur du jardin de Lola que les roses enjambent. Heureusement, le vent ne vient pas de là. Je ne peux vraiment plus souffrir leur parfum. Nous nous dirigeons vers le mur opposé et nous nous arrêtons devant un petit tapis de fleurs bleues, des myosotis, qui entourent une pierre noire où trois prénoms sont écrits à la craie. Marie, Jean et Louise.

Un roman est un gouffre. Mes heures se réduisent à quelques lignes. Je file les jours en textes que je défais à la nuit. Les mots ne sont jamais les bons. Quand je n'en peux plus d'être enfermée dans ma page, je cours les bois en espérant voir le fantôme de ma boiteuse.

Je suis seule avec mes personnages, seule à broder un monde second à petits points, un texte que mes nuits démaillent. Il faudrait que je dorme. Je vais m'interdire de travailler à partir d'une certaine heure. Mais, écrire, c'est un peu dormir et rêver.

Parfois, depuis que je vis ici dans l'espace de mes cahiers, je m'éveille la gorge serrée, comme quelqu'un qui aurait beaucoup pleuré. Est-ce que je pleure pendant mon sommeil ? Peut-être avons-nous une double vie, peut-être habitons-nous un autre monde quand nous sommes endormis, un monde dont nous ne gardons pas le souvenir. Qui suis-je quand je dors ? Qui suis-je quand j'écris ?

Seule Nelly, ma logeuse, ose frapper à la porte du chalet. Elle veille sur moi par crainte que je ne tourne folle, dit-elle. Elle pense qu'il n'est pas sain de s'enfermer ainsi dans un roman, qu'il faut que je reprenne pied dans le monde réel, que j'appelle Laurent et les enfants plus souvent. Elle ouvre mes fenêtres en grand en affirmant que mon antre sent le fauve. Elle s'inquiète de voir mon alliance traîner à côté de mon lit, elle me répète que je vais finir par l'égarer, qu'il vaudrait mieux la ranger quelque part puisque je la retire toutes les nuits.

Vais-je finir par la perdre ?

Nelly est toujours impeccablement coiffée, ses sourcils épilés sont redessinés au crayon, ses cheveux sont trop blonds, ses lèvres trop roses et ses paupières trop nacrées. Elle cache une grande sensibilité sous sa couche de fond de teint.

Pour m'aérer, elle m'impose des promenades dans l'œuvre de sa vie, ce grand parc élégant qu'elle a dessiné et dont elle s'occupe au quotidien avec Gwen, sa « jardinière », qui se joint parfois à nous à l'heure du goûter. J'aime les écouter parler des plantes qu'elles entretiennent ensemble. Gwen travaille pour Nelly depuis des lustres, mais je vois bien qu'il y a autre chose entre ces deux femmes, quelque chose que le temps n'écorne pas.

J'ignorais qu'un jardin exigeait tant d'attention. Avant mon arrivée ici, les fleurs n'étaient à mes yeux que de charmantes touches de couleur, sans grand intérêt, un vulgaire passe-temps pour retraités désœuvrés. Depuis mes déceptions de gamine, depuis les noyaux d'avocat percés de cure-dents et tenus en équilibre dans un verre d'eau, depuis toutes ces graines de haricots abandonnées sur le rebord de ma fenêtre dans du coton humide et qui jamais n'ont daigné germer, je ne me suis plus aventurée à planter quoi que ce soit. Grâce à ces deux femmes, je comprends mieux en quoi les fleurs peuvent être passionnantes. Je me coltine la terre et, en y plongeant les mains, je découvre un monde terrible et mystérieux. Les réseaux souterrains des fougères, ces rhizomes profonds et invisibles, m'ouvrent un chemin vers mes propres abîmes. Les longues racines des orties que j'arrache sont des fils d'Ariane que je tente de suivre jusqu'à la source de mes inquiétudes.

Le monde végétal a pallié l'absence de mouvement par une relation différente au temps et une grande imagination sur le plan chimique. D'après Nelly et Gwen, chaque racine, chaque fleur, chaque feuille est un fantastique laboratoire capable de générer des substances volatiles, des couleurs, des odeurs qui sont des armes contre ses prédateurs et ses concurrents, ou d'irrésistibles pièges pour les créatures que la plante utilise pour se reproduire ou disséminer ses graines. Les végétaux se sont associés aux insectes volubiles qui leur offrent leur incessant mouvement et les fécondent. La sexualité végétale dépend d'un tiers sans lequel les gamètes ne pourraient se rencontrer. Aux tiers sont délégués tous les transports. Il suffit de s'allonger au printemps dans un jardin pour entendre le brouhaha incessant qui anime l'air, les vrombissements, les bourdonnements, l'activité foisonnante des délices, ce coït titanesque, énorme accouplement du minuscule en plein soleil sans lequel nous ne serions pas. Et les jardiniers prennent part à la danse, les fleurs les mènent par le bout du nez, les utilisent comme elles utilisent les insectes qui les butinent. Les roses surtout qui ont conquis nos cœurs depuis des siècles et ont profité des voyageurs pour répandre leurs parfums de par le monde.

Je ne touche plus terre depuis que Laurent ne m'appelle plus. Depuis qu'il a lâché le fil qui retenait sa femme-ballon, les roses se multiplient. Ces fleurs, dessinées dans la marge sans y prendre garde, envahissent mes cahiers, mes pensées, elles me débordent. Elles s'emparent des feuilles, se glissent entre les lignes, ouvrent des brèches dans mes phrases, dans mon sommeil, dans mon crâne. Elles me réclament d'être plus qu'un simple décor, elles se veulent personnages, elles aussi.

Les oiseaux

J'avais prévu de rejoindre Lola pendant sa pause ce midi, mais, arrivée devant chez elle, j'ai dû renoncer à pousser la porte en fer forgé. Le parfum des roses est comme chargé de minuscules épines qui me déchirent les poumons. Il faut se rendre à l'évidence, son jardin m'est désormais interdit. Je ne comprends pas comment une odeur peut m'indisposer à ce point, ni pourquoi elle ne déplaît qu'à moi.

Suis-je soudain devenue allergique aux roses ?

Je me promène dans le cimetière en attendant la réouverture du bureau de poste. Personne ne semble s'inquiéter de la prolifération de ces fleurs. Elles forment pourtant une énorme vague rouge qui se déverse sur les tombes et commence à en submerger quelques-unes.

À midi, les allées sont désertes et silencieuses, un calme de bibliothèque. Pour m'occuper, je lis les noms et les dates, calculant l'âge des morts, et je m'arrête sur la tombe de Marie. Les trois prénoms ont été de nouveau repassés à la craie.

Je ne prie pas, je ne prie plus depuis très longtemps, mais je parle à cette Marie. Je lui parle de mes parents qui vieillissent et s'éloignent, de leur amour émoussé, déformé, abîmé par le temps, de mes enfants qui grandiront et se détacheront, de la peine que ce sera de les voir s'éloigner à jamais, de devoir se passer de leur merveilleuse tendresse. Je lui dis, et je m'en étonne moi-même, que je me suis réfugiée ici, dans cette histoire, pour fuir la mort de l'amour éternel, que j'y croyais pourtant, comme une enfant croit au merveilleux, mais qu'il me semble que tout finit par crever, l'amour comme le reste. Et vivre me paraît soudain vain. Je lui dis que parfois je ne désire plus rien.

Ni sa peau que j'aime tant, ni la mienne,
Parfois je ne désire rien
Ni m'éveiller, ni m'endormir, ni rêver, ni même écrire
Parfois je ne désire rien
Ni les grands arbres du dehors, ni le printemps brusque et coupant, ni l'été aveuglant
Parfois je ne désire rien
Ni l'eau fraîche sur mon visage au matin, ni le parfum du pain, ni le sucré, ni chant, ni cri, ni voix amie,
Rien, je ne désire rien
Pas même la fin de mon poème

Faut-il s'éteindre, savoir mourir un peu, accepter l'automne, traverser l'hiver lent, pour revivre une montée de sève et aimer de nouveau? Les morts, que nous plantons en terre comme graines, espèrent-ils un regain? Sont-ils les racines où nous puisons nos forces? Sommes-nous là pour les continuer?

Alors que je reviens sur mes pas, un vol d'étourneaux

s'abat sur le jardin de Lola. Les oiseaux se prennent dans le fouillis de tiges et d'épines du rosier fauve. J'écoute leurs multiples pépiements désespérés de l'autre côté du mur et puis, plus rien, plus un bruit.

Aucun étourneau ne reparaît.

Le baiser

À la fin de leur deuxième dîner en tête à tête, William met de la musique et invite Lola à danser. Elle prend peur, bafouille qu'elle ne sait pas, qu'une boiteuse ne danse pas.

Il lui sourit, lui tend la main, l'oblige à se lever de table et la prend dans ses bras. Il la trouve tellement menue et légère, il lui dit que si elle ne boitait pas, rien ne l'ancrerait à la terre, que le moindre coup de vent la balayerait. Il lui dit que sa boiterie est la pointe qui accroche le regard, un attrape-cœurs.

La musique s'empare du lieu. Un tango. Elle se crispe, alors il la décolle du sol, il la porte, il l'entraîne et elle finit par s'abandonner à la sensation délicieuse de se sentir enveloppée, soulevée, enlacée, et ils virevoltent en riant jusqu'à ce que la tête leur tourne. Le cœur de Lola reste suspendu.

— Le tango se marche, lui dit-il en la reposant sur le carrelage.

— Alors ça commence mal !

— Les pas sont glissés très près du sol, les genoux ser-rés se touchent presque dans la marche.

— Des pas glissés, je ne pourrai jamais.

Elle niche tendrement son visage dans le creux de son cou à lui. Elle sent son cœur battre, le sien et celui de cet homme qui ne la regarde plus, mais la transporte, elle aime la chaleur et l'odeur de son corps. C'est à la fois massif et souple un corps !

Elle lui avoue qu'on ne l'a jamais enlacée, que sa mère ne les serrait jamais dans ses bras, ni elle ni ses sœurs, qu'ils ne sont pas très tactiles dans la famille, qu'ils ne dansent plus depuis plusieurs générations, et qu'elle est la première à avoir des racines à la place des pieds, des pelles à la place des mains et une montre à la place du cœur.

Il l'écoute alors qu'elle murmure tout ça. Et quand elle se tait enfin, il lui montre le pas de base comme s'il n'avait rien entendu.

Il ne renoncera pas. Elle dansera avec lui ce soir.

— J'ai été un danseur de tango argentin dans l'une de mes vies. C'était il y a un paquet d'années, mais le goût m'en est resté. Je me suis entraîné pendant des mois.

— Je me souviens, j'ai vu ce film. Vous mouriez à la fin.

— C'est plus simple quand le personnage meurt à la fin. Il me quitte plus vite. Il laisse la place au suivant.

Il la guide en comptant leurs pas et, dans ses bras, elle accepte cette démarche chaloupée qui est la sienne, une démarche qu'il épouse, qu'il amortit, qu'il magnifie, elle se détend et, pour la première fois, elle se sent danser.

Elle aime glisser sur le carrelage lisse de la grande

cuisine, si près de lui. Le tango bat dans la poitrine de William, ça tangue comme une ivresse, comme un bateau au mouillage, elle l'aime, elle aime cette danse, elle aime cet homme et cette musique et cet instant qu'ils sont en train de vivre, et soudain William la renverse. Il penche son visage sur le sien, ses lèvres et ses yeux, tout est en place pour un baiser. Un vrai baiser de cinéma. L'image est fixe, comme arrêtée. Une ombre passe alors dans le regard bleu de W.D.H., une ombre dans son regard tranquille, tellement familier, dans ce regard qu'elle a reçu des dizaines de fois en gros plan, assise dans le fauteuil rouge d'une salle de cinéma. Il se trouble, la replace à la verticale et recommence à marcher sans la regarder. La musique finit par s'arrêter.

Lola n'entend rien, pas même cette mouche qui vrombit dans l'abat-jour. La cloche de l'église ne sonne plus. Mais il est tard sans doute.

Elle voudrait dormir dans les bras de cet homme, elle y est si bien, mais elle n'ose rien proposer. Elle le raccompagne en lui tenant la main jusqu'au rosier où son cheval l'attend et, là, maladroitement, elle ose l'embrasser dans les fleurs.

Elle adore la texture charnue de ses lèvres, le goût de sa langue. Elle a toujours trouvé l'idée de s'embrasser sur la bouche ridicule. Se coller, se lécher, partager sa salive ! Elle n'aurait jamais imaginé que c'était tellement délicieux de se goûter ainsi.

Oh ! Le pouvoir d'un simple baiser.

— L'équipe organise une soirée de fin de tournage dans quinze jours. Une sorte de bal populaire où tout le monde sera en costume d'époque. Je crois que le but est d'utiliser les images dans un making of ou je ne sais quoi. Les gens du village seront les bienvenus s'ils acceptent d'être filmés. Tu me réserveras ta première danse ?

Lola reste seule dans son jardin sous la voûte étoilée, seule dans le parfum des roses.

Elle rentre chez elle, flottante.

La mouche vrombit, se cogne dans l'abat-jour, mais elle ne l'entend pas, elle danse le tango.

Alors que j'écris installée sur la table en Formica, une grosse mouche bleue a décidé de me tenir compagnie. Elle me tourne autour, bourdonne contre la vitre, se cogne, se tait un instant, avant de refaire pétarader son agaçant moteur de Solex. J'ai beau l'abattre à coups de tapette, la pousser dehors, elle renaît, revient, s'obstine, me nargue, me prend pour un morceau de viande avariée. Pour avoir la paix, j'accepte ma défaite, je cesse de me débattre, je la laisse se glisser par je ne sais quelle fente dans le conte que j'écris et je l'observe tandis qu'elle se transforme. Ces bestioles sont des génies question métamorphose : œuf, asticot, nymphe, mouche, personnage. Ce n'est pas la première fois que j'enferme une mouche dans l'un de mes textes pour la faire taire. Elle peut ensuite continuer son tapage autant qu'elle le veut et même se poser sur mon écran pour y brosser ses pattes griffues, elle ne me gêne plus, bien au contraire, une fois devenue un être frontalier qui habite autant le monde réel que ma fantaisie, elle m'inspire. Ma bruyante petite muse parvient à trouver son chemin d'un univers à l'autre, à entrer dans ma tête comme dans un oiseau mort, à se glisser dans ma fiction pour y pondre ses œufs.

Intégrer ses obsessions à un livre, c'est une façon comme une autre de les contenir. Je ne suis même pas toujours consciente de ce qui se faufile ainsi dans mes romans pour rester supportable.

Les souvenirs du merisier

Je n'approche plus les roses depuis qu'elles ont décimé les étourneaux. Le parfum de ces fleurs-là couvre la puanteur de la mort, il masque la décomposition de tout ce qu'elles avalent. C'est peut-être ça qui m'inquiète le plus, cette odeur fantôme que je suis seule à percevoir. Je n'ai même plus envie de m'asseoir dans le bureau de poste.

Je ne devrais pourtant pas craindre ces fleurs : les roses ont attiré les oiseaux pour les dévorer, si elles me tiennent à distance, c'est que je ne leur parais pas comestible, on ne repousse pas ses proies. Ce n'est pas moi qui suis en danger.

Puisque les cerbères à épines m'éloignent du jardin de Lola, je le recrée sur le papier et dans la lumière de l'écran de mon ordinateur.

Je marche sous le ciel blanc comme une page.

Les tricoteuses ne s'inquiètent plus de ma soudaine disparition depuis que le bruit a couru que je m'isole pour travailler. Quand je les croise, elles se font discrètes et brident leurs bavardages pour ne pas troubler mon inspiration.

Je marche sous le ciel blanc comme une page.

Nini m'a tout de même chuchoté : *W.D.H. passe tous les jours à la poste et Lola Cam n'est plus qu'un grand sourire tremblant. Je ne sais pas si c'est vous qui inspirez tout ça, si en écrivant votre livre vous nous embarquez tous dans la danse, mais j'ai l'impression que nous vivons dans un roman. C'est à se demander si l'on existe vraiment...*

Je marche sous le ciel blanc comme une page.

Des fougères commencent à percer la terre en foule et à dérouler leurs crosses vertes, leurs jeunes tiges craquent sous mes semelles.

Je m'apprête à pousser la porte de la maison abandonnée, quand je découvre Mauricette, immobile, assise sur le vieux banc en pierre sous la fenêtre, son cabas bleu à ses pieds. Elle rit de ma surprise, pose sur une souche le pot de confiture vide qu'elle vient d'ouvrir et tapote la place à côté d'elle pour m'inviter à m'installer. Je lui obéis aussitôt, ravie à l'idée de voyager de nouveau dans ses bras.

Je connais le chemin, je me laisse embarquer par sa berceuse, le soleil parvient à percer le ciel de lait, il joue derrière mes paupières fermées, je sens sa caresse tiède sur ma joue, tandis que je m'endors la tête posée contre la poitrine de la vieille femme.

Et soudain, c'est l'été.

La souche, où Mauricette a posé son pot, est un jeune merisier qui nous offre un peu d'ombre. Les ronces ont cédé la place à un potager dont il ne reste rien aujourd'hui. Marie, amaigrie et le visage marqué, y cueille des tomates.

Pierre s'approche d'elle en souriant. Il a un bouquet

de roses blanches à la main. Il s'avance, ému, dans l'élan maladroit et la lumière des premières fois, sa gaucherie ajoute à son charme. Il s'arrête à quelques mètres de la jeune fille et la salue de loin pour ne pas l'effrayer. Elle se redresse, l'ignore et commence à rentrer chez elle son panier à la main. Elle boite terriblement et s'appuie sur une canne en bois pour marcher. Pierre la regarde un temps, avant de courir pour lui couper la route.

Cette fois, tu ne peux pas m'échapper, ma Marie. Il va falloir que tu te rendes, tu ne cours plus si vite.

Laisse-moi passer !

Il ne bouge pas. Que dit le docteur ?

Que je suis boiteuse, qu'il n'y a rien à faire et que c'est tant pis pour moi ! Je n'avais qu'à ne pas me prendre les pieds dans le tapis des escaliers du pharmacien.

Il reste en travers de sa route. Voilà deux mois que je demande à te voir et que ta grand-mère fait barrage.

Fiche le camp, Pierre ! Tu ne vois pas que je hais le monde entier ? Je ne supporte pas de ne plus courir les bois. Je ne suis plus bonne à rien !

Il lui tend son petit bouquet de roses blanches. Je les ai créées pour toi, ma sauvage. Je voudrais leur donner ton nom.

Elles n'ont ni parfum, ni couleur, ni épines ! Elles ne disent rien de ma douleur, s'emporte soudain Marie en piétinant les fleurs.

Je t'aime infiniment, insiste Pierre. Je voudrais vivre à tes côtés. Ce baiser que tu m'as donné un jour où je n'osais rien espérer m'a brûlé. Je l'ai vécu comme une promesse. Et ce long cheveu d'or, que tu m'as enroulé autour du doigt, il y est toujours, regarde ! Mais toi, tu joues avec mon cœur. Chacun de tes gestes, chacun de tes mots me séduit et me rejette aussitôt. Je voudrais t'épouser. Je prendrais soin de toi.

Elle relève enfin les yeux. Je n'ai que faire de ta pitié. Je ne serai jamais ta femme, Pierre, je préférerais mourir ! Ce baiser, je te l'ai donné sans y penser, il n'était rien. Si tu veux savoir, je ne m'en souviens même pas, j'en ai tant distribué, pour rire, pour jouer avec vos désirs de garçons, je ne t'aime pas plus qu'un autre. Des cheveux, j'en ai des milliers à offrir.

Dans les yeux de Pierre flottent des mots qu'il ne dit pas, des débris. Marie soutient crânement ce regard naufragé où tout se ternit, où rien ne subsiste qu'un sillage.

Pierre se détourne et s'éloigne.

Une vieille femme sort alors sur le seuil de la maison et s'avance vers Marie pour la débarrasser de son panier.

Qu'est-ce qui t'arrive, ma belle ? lui demande-t-elle. Je t'ai entendue crier. Pourquoi as-tu chassé Pierre qui t'aime tant ?

Parce qu'il ment et que personne ne peut plus m'aimer, parce que j'ai mal à en crever, parce que je me déteste et que je me débrouillerai sans lui ! Parce que je serai bancale et seule toute ma vie. Laisse ce panier ! Marie lui arrache brutalement le panier des mains.

On entend alors rire dans les fourrés où deux jeunes garçons sont cachés. Marie leur lance des pierres, tandis qu'ils détalent vers la rivière en chantant : *Quand la*

boiteuse va-t-au marché, avec son beau petit panier, rouli rou-
lant! Ah! Ma doué, quel trésor d'avoir épousé un cul en or!

La vieille soupire. Tu es trop orgueilleuse, fillette. Fais attention, parfois l'amour se venge!

Je me suis assoupie sur les genoux de Mauricette, elle me sourit quand je rouvre les yeux. Elle attrape un autre pot vide qu'elle ouvre. Même si tout cela n'est sans doute qu'un rêve, je la remercie pour ce voyage, avant de me redresser sous le ciel blanc, sous le merisier dépouillé par l'automne, face au potager.

Je ne prends pas aussitôt conscience de l'absence des ronces, mais j'ai froid comme au sortir du lit. Je crois avoir regagné ma place dans ma réalité, alors que j'ai juste sauté d'une vision à une autre.

Marie est là, vêtue de la même robe sombre et du même tablier, mais du temps a passé, plusieurs mois au moins et, comme il fait frais, elle a coulé un châle noir sur ses épaules. Elle déterre des patates qu'elle entasse dans son panier en chantant une chanson en gallo. Une chanson triste que les vieilles fredonnent souvent à la poste et qui parle d'amants désunis.

Pierre s'avance en uniforme de cuirassier, il emprunte le même chemin exactement que dans la scène précédente, mais son pas est tout autre, sa démarche est à la fois déterminée et paisible. Il a une main bandée et porte un sac en bandoulière. Des ombres se dessinent sur son front, ses joues creuses avalent la lumière. Marie se relève, surprise par sa présence, elle frotte ses mains rougies et terreuses contre son tablier.

Oh! Pierre! Mais qu'est-ce que tu fais là? Tu es en permission? J'ai été blessé, je sors de l'hôpital, ils m'ont donné quinze jours. Le jeune homme a gagné en profondeur ce qu'il a perdu en éclat. Marie semble émue. C'est grave ?

Pas assez pour me libérer tout à fait de cette guerre !

C'est ta femme qui doit être contente de te récupérer.

Il ne la quitte pas des yeux. Comme tu es belle, ma Marie, aussi belle que dans les rêves que je fais sous la mitraille, aussi belle que l'image que je porte en moi depuis ce jour où j'ai cru mourir et où ta présence silencieuse m'a sauvé.

Tu dis n'importe quoi, Pierre. Si Marthe t'entendait.

J'arrive à peine, j'ai posé mon barda chez elle, chez nous, mais je ne suis pas sûr de l'avoir croisée, je suis venu tout de suite ici. Je ne parviens plus à faire semblant de l'aimer. Je ne la vois pas, elle n'est qu'une ombre de plus dans ma nuit. Nous savons, toi et moi, pourquoi je l'ai épousée.

Personne ne t'y a forcé.

Si, toi, Marie !

Moi ? Mais je ne t'ai plus revu depuis le jour où tu es venu avec ton petit bouquet. Je ne t'ai forcé à rien.

Il lui répond posément comme s'il avait pensé aux mots qu'il voulait lui dire tout le long du chemin qui menait jusqu'à elle et même avant de prendre la route, comme s'il les avait choisis avec soin. Tu portes en toi une rage que je ne comprends pas. Depuis toujours, tu dis non, tu te moques, tu restes sur le côté. Tu refuses de te soumettre à quoi que ce soit, à l'amour comme au reste. As-tu peur qu'aimer t'affaiblisse ? C'est pourtant une grande force, je l'ai senti quand la mort m'a frôlé. J'ai voulu emporter ton visage avec moi, c'est toi que j'ai convoquée à mes côtés. À moins que tu ne sois venue de toi-même. Tu as traversé le champ de bataille en boitant. Tu t'es allongée contre moi pour me rassurer dans le trou d'obus où je m'étais réfugié, et la mort a eu pitié. La mort ne m'a relâché que pour toi, pour que je tente de vivre cet amour. Pour que je t'offre ce rosier fou que je t'ai promis un jour. Le voilà, aide-moi à le planter devant ta fenêtre, s'il te plaît. Tu verras, il résiste à tout et son parfum nous embarque au-delà de la douleur et de la peur, son parfum nous permet de continuer d'aimer, même au cœur de l'enfer. Tout se fond dans la masse, plus rien ne me semble réel que toi. Le monde entier part à la dérive, perd ses contours, seuls tes traits persistent et m'amarrent à la vie.

Tu parles bien, Pierre.

J'ai un ami poète. À force de vivre à ses côtés dans la boue, je parle un peu comme lui.

Marie obéit au soldat, elle va chercher la pelle et creuse un trou à côté du banc où nous sommes, Mauricette et moi.

Pierre sort une bouture de son sac, l'installe bien droite dans le creux de terre. Une fois le rosier planté et arrosé, ils s'assoient chacun à un bout de notre banc. Ils sont tout contre nous, je peux entendre leur respiration, percevoir leur chaleur, leur souffle, le moindre frémissement sur leur visage. Il me semble que je suis un fantôme.

Tu habites seule ici désormais ? demande Pierre.

Oui, ma grand-mère est morte, il y a trois mois. J'ai

beaucoup pleuré... Presque autant que quand tu as épousé Marthe.

Il sourit. Tu as pleuré quand je me suis marié?

Elle baisse les yeux, troublée. Mémé me disait affreusement orgueilleuse. Elle n'a jamais compris que je n'étais qu'une infirme et que personne ne pouvait sérieusement aimer une infirme.

Il rit. Une infirme du cœur! Voilà ce que tu es!

Marie regarde le rosier qui ne porte encore que de minuscules boutons. De quelle couleur seront tes roses cette fois?

Toujours blanches. Mais elles ont des épines. Tu les diras sans couleur. Pourtant d'après Henri, mon ami poète, le blanc les contient toutes. Sur le front, nous rêvons de cette blancheur que la boue, le sang et la merde nous ont ravie. La guerre salit tout. Tu les voudrais rouge sang? Sais-tu que le sang pue?

Le regard de Pierre s'obscurcit et Marie s'étonne d'y voir danser des ombres.

Non, je ne veux rien.

Pierre est soudain débordé par ses souvenirs, ses mots sortent comme ils peuvent. J'ai eu si peur, Marie! J'ai vu des hommes pisser le sang dans mes bras avant de crever, la guerre m'a rendu fou, seul l'espoir de te revoir un jour m'a permis de survivre à l'horreur. Aujourd'hui, me diras-tu encore que tu ne m'aimes pas et que ton baiser n'était rien?

Marie murmure, perdue. Tu es le mari de Marthe.

Pierre se tait un moment.

Elle sait mes sentiments pour toi, je lui ai tout avoué avant de l'épouser, je ne prends pas les gens en traître.

Elle a cru que je finirais par t'oublier, qu'on pouvait étouffer un premier amour. Mais cela ne se peut pas. Je t'en voulais tant, je partais au front et je souhaitais que quelqu'un pense à moi. Marthe n'attendait que ça. Quelle bêtise !

Il met sa tête dans ses mains comme s'il renonçait. Il pleure. Tout doucement.

J'ai pensé à toi, Pierre. J'ai vécu à tes côtés la plupart de mes journées. Je t'ai imaginé sur ton cheval sabre en main, je t'ai vu blessé, je t'ai vu mort. J'ai marché jusqu'au village pour glaner des nouvelles, j'ai écouté les femmes parler. Ils m'ont proposé de faire le ménage à la poste. Ils m'ont embauchée pour avoir la paix. Tu sais comme les gens causent là-bas. Le receveur apprécie que je sois muette, ça le repose, et ma boiterie ne m'empêche pas de travailler, elle me gêne juste du côté du cœur. J'ai tant tremblé pour toi.

Leurs mains se sont imperceptiblement rapprochées. Si bien qu'elles finissent l'une contre l'autre.

Ton tremblement m'a réchauffé, chuchote Pierre en posant sa main valide sur celle de Marie qui s'enfuit aussitôt. Il la rattrape et l'embrasse tendrement.

La main cesse de se débattre et s'abandonne.

Rends-moi ma main, s'il te plaît ! Déjà que je ne suis pas beaucoup aimée au village ! Ils n'ont pas encore vraiment de raison de me détester. Mais si tu t'attardes ici, au lieu de rentrer chez ta femme, tu leur en donneras une ! Ils n'attendent que ça, cette raison qu'ils n'ont pas de me haïr. On peine à être cruel sans excuses. En venant ici, tu leur offres de quoi me faire du mal! Je serai celle qui vole le mari d'une autre. Et Marthe est bien plus garce que tu ne l'imagines.

Ils ne sauront rien, tant que cette guerre ne sera pas finie, tant que tu seras seule, sans personne pour te protéger, je ne dirai rien. Pierre embrasse la main de Marie en parlant. J'ai le cœur plein de toi, mais nul ne le saura que mes amis soldats tant que cette guerre durera. Ensuite, je divorcerai. Nous serons assez forts pour les affronter. Mais pour tenir là-bas au front de la guerre, pour souffrir ces nuits de sang, il me faut le souvenir de tes lèvres sur ma bouche, de tes seins de craie dans mes mains, il me faut ton corps à parcourir de mémoire à tâtons dans la nuit des tranchées, toi seule peux me garder en vie. S'il te plaît, ne m'abandonne pas, et même si je meurs, je mourrai le cœur plein, je mourrai à tes côtés, je mourrai en espérant.

Ils nous embarquent dans leur étreinte. Je la vis avec eux, moi qui ne suis qu'un spectre. Nous n'avons rien à faire sur ce banc entre ces jeunes amants morts depuis si longtemps. Il faudrait les laisser à l'ombre du merisier. Je me détourne vers le rosier dont les fleurs s'épanouissent soudain, d'une blancheur de nappe, libérant un parfum puissant qui m'étouffe. J'ouvre les yeux.

Les roses ont disparu.

Du jeune merisier, tombé depuis longtemps, ne reste que cette souche sur laquelle Mauricette a placé son pot de confiture. Les ronces sont hautes comme des arbres et les amants, tellement vivants et si pleins de désir il y a un instant à peine, sont de nouveau sous la terre.

Mauricette m'embrasse au front, elle referme le pot, le range soigneusement dans son cabas avec les autres, et nous nous en allons.

Je marche sous le ciel blanc comme une page.

Lieu commun

Dès qu'il en a l'occasion, William s'échappe du film pour rejoindre Lola. On est mercredi, il sait qu'elle ferme son guichet plus tôt le mercredi, il connaît par cœur les heures d'ouverture de la poste. Il se réjouit de la retrouver, il s'abandonne à sa rêverie, au rythme du galop de son cheval. Il aime aimer, il jubile à l'idée de ce désir intact. De jour en jour, il s'allège, ne pense plus qu'à elle et au parfum des roses, elle lui secoue les entrailles à chaque fois qu'elle sourit. Il oublie de se nourrir, il en perd le sommeil. Ses traits se creusent. Elle le transforme, elle est son obsession, son destin, son étoile.

Il se souvient d'avoir beaucoup souffert adolescent, il ne s'était pas méfié alors de cette petite jeune fille qui avait progressivement occupé ses pensées, jusqu'à détruire toutes ses autres envies. Qu'il se sentait puissant quand il la tenait dans ses bras! Elle, si menue, prenait toute la place, elle envahissait ses rêves éveillés, il ne dormait plus. Il la voulait constamment, elle le comblait, elle le dévorait alors même qu'elle n'en pouvait plus d'être tellement désirée et qu'elle tentait de se dégager pour respirer. Plus elle se débattait pour ne pas étouffer, plus il resserrait son étreinte de peur qu'elle ne s'échappe. Il était un magnifique jeune homme que toutes les femmes regardaient, mais lui n'en voyait qu'une. Il avait fini par l'oppresser, alors, pour souffler sans doute, elle l'avait trompé, ce qui avait empiré les choses. Le jeune William était devenu follement jaloux. Il l'avait suivie, menacée, harcelée. Elle l'avait quitté terrifiée et il avait volé en éclats.

Il est mort pendant deux ans. Mort!

Il s'est reconstruit grâce au théâtre, il a réappris à vivre à travers les personnages qu'il a incarnés. Il a avancé prudemment, refusant d'abord les rôles qui lui correspondaient trop. Il lui fallait devenir un autre. Il a décidé de ne plus jamais se laisser embarquer par la vague qui l'avait submergé.

Pierre ressemble au jeune homme qu'il a été, il devrait faire attention, ne pas en mourir une nouvelle fois. Il a fait un rêve la nuit dernière. Ce n'était qu'un rêve, mais quelque chose de ce rêve s'est déposé dans le monde réel et trouble son bonheur depuis. Ce n'était qu'un rêve. Il a mûri, il saura se contrôler. Quel bonheur que d'aimer de nouveau après toutes ces années!

Il retrouve Lola dans son jardin et lui propose de l'enlever. Elle rit, il l'aide à monter sur son cheval et s'installe derrière elle. Il la conduit dans la forêt sous l'orage qui gronde comme une bête. La pluie s'abat soudain sur le monde, drue. L'eau ruisselle sur leurs corps, sur les feuilles, sur les crins du cheval, ils en ont plein les yeux. Le vent s'est levé, il agite les branches et couche les fougères. William la sent grelotter davantage à mesure qu'ils s'éloignent du jardin. Tremble-t-elle de froid, de peur ou d'émotion ? Un chien hurle quelque part. Elle se crispe et lui dit qu'elle préférerait rentrer.

Après leur brève promenade, ils reviennent au village, douchés. Il saute à terre et l'aide à descendre à son tour en la prenant par la taille. Il la garde là, entre ses bras, suspendue, cette femme qui ne pèse rien, mais domine ses désirs. Il la pose sans la lâcher. Le cheval salit robe et chemise en frottant sa grosse tête chaude et trempée contre eux. Le parfum des roses se mêle à ceux de la bête et de la terre mouillée. Lola cesse de trembler. L'ondée a dissous le voile si léger de sa tenue. Le drapé de sa robe de pluie, plaqué contre sa chair, souligne les formes de son corps, sa culotte blanche et les aréoles de ses tétons. Il tremble à son tour et son rêve lui revient en tête.

Dans le dos de Lola, les muscles du cheval frémissent, elle a peur qu'il ne lui écrase les pieds. Sa robe de lin raidie par la pluie se colle à ses cuisses, à son ventre. Sueur et pluie dégoulinent le long de ses joues, gouttent au bout de son nez, elle en a sur les lèvres. C'est un peu salé. Elle ne remontera plus jamais sur le dos de cet animal. Mais on ne descend pas d'un rêve plus facilement que d'un train en marche, alors elle a supporté l'épine du garrot et le fouet de l'averse. Les mains de William effacent tout. Lola les saisit alors qu'elles sont posées sur les fleurs de sa robe, comme arrêtées, sages, et elle les promène sur ses hanches mouillées, les fait glisser le long de ses cuisses, de ses fesses, et l'étoffe ne protège de rien, la chair bouscule la frontière de coton, le tissu

291

rapproche au lieu de séparer. Elle déboutonne la chemise de William et niche son visage contre son torse. Elle goûte la pluie sur sa peau, sel et sueur, sent son sexe contre son ventre.

Il lui glisse alors à l'oreille qu'ils ne sont plus seuls, que quelques-unes de ses habituées sortent de l'église et les regardent. Elle le repousse un peu et rajuste sa robe toute collante tandis que les vieilles dames s'éloignent en minaudant comme des gamines sous leurs parapluies noirs.

Lola les oublie aussitôt et prend la main de Pierre. Elle ouvre la porte en fer. Elle ne l'a jamais vu nu encore, elle n'a jamais vu aucun homme nu. Mais qu'importe ! Ce désir qui l'agite renverse sa pudeur, elle n'hésite plus, son corps mène la danse et lui inspire des images qui l'excitent et la pressent. Mais il se trouble soudain et recule. Il lui dit qu'il l'aime depuis si longtemps. Elle l'accule contre le tronc du noyer où s'enroulent les roses en lui répondant qu'ils se connaissent à peine. Il lui dit qu'il lui a offert une couronne de fleurs et qu'elle l'a abandonnée au bord de la rivière. Elle lui jure qu'elle n'aurait jamais fait ça et glisse sa main fraîche sur son ventre. Il lui dit qu'il a rêvé qu'elle lui refusait son amour et qu'il se noyait dans le parfum des roses. Elle rit en lui répondant que ce n'était qu'un rêve et en songeant : « Comme c'est doux un sexe d'homme ! » Il lui dit qu'il lui en veut encore d'avoir été si cruelle dans son rêve. Il le lui murmure dans le cou en l'appelant « Marie », et il s'arrache à elle, remonte sur son cheval et repart au galop par la brèche que les roses ont ouverte dans les thuyas, il s'échappe en lui criant qu'il l'aime.

Dégoulinante de pluie, dans sa robe flétrie, Lola le regarde s'éloigner. Adossée au noyer, elle s'en veut d'avoir été si pressante, tellement impudique, elle en est rouge de honte.

Il leur reste si peu de temps avant la fin du tournage, et après?

Elle le déteste de la laisser ainsi. Mais puisqu'il dit qu'il l'aime…

Elle a encore la chaleur de son sexe dans sa paume, elle balade ses doigts sur l'écorce de l'arbre, sur les pétales d'une rose qu'elle cueille, elle joue avec la fleur qu'elle trouve douce elle aussi, si douce qu'elle chavire délicieusement.

Une addiction

Assise sur les marches devant mon chalet, je fume une cigarette en admirant le bouleau centenaire qui trône dans le parc, un arbre magnifique qui menace la maison principale et que Nelly ne se décide pas à faire abattre. Je vois alors Lola arriver à contre-jour dans cette bascule qui la caractérise. Son sourire me réchauffe aussitôt. Sans elle, le printemps perdait un peu de son éclat.

Elle vient jusqu'à moi, puisque je l'abandonne et que je lui préfère son double de papier. Mais elle se contente de passer en coup de vent, elle ne peut pas rester longtemps loin de chez elle, William va peut-être venir l'embrasser à l'improviste et elle ne veut surtout pas le manquer.

Je suis certaine qu'elle se leurre et qu'elle répond moins à son envie de voir W.D.H. qu'aux ordres muets de ses affreuses fleurs qui se nourrissent des désirs qu'elles insufflent. En l'invitant à entrer, je lui fais remarquer qu'elle n'a qu'à lui proposer de nous rejoindre ici. Mais elle dit ne pas vouloir me perturber dans mon travail. Elle n'a pas tort, sa présence me gêne, elle provoque en moi une sorte de distorsion, une douleur aiguë me vrille le crâne depuis qu'elle a passé le seuil.

Je reconnais soudain le parfum des roses, je le reconnais avant même qu'elle ne me tende le bouquet qu'elle tenait dans son dos.

Je lui arrache les fleurs des mains et les jette par la fenêtre que je referme aussitôt. Ahurie, Lola me regarde en silence, tandis que je flaire la pièce à la recherche d'un dernier relent délétère. L'air est redevenu respirable et cela me rassure, j'ai craint un instant que Lola n'exsude cette senteur empoisonnée et que je ne puisse désormais la revoir sans malaise, mais ni sa peau ni ses habits n'en sont imprégnés, le bouquet seul m'a fait défaillir. Comme nous sommes loin du jardin, je saisis l'occasion de lui avouer cette aversion que m'inspirent les roses d'Inès Dolorès, à mi-voix et très vite, comme en catimini dans le dos d'un ennemi, je lui dis qu'elles sont toxiques, qu'elles m'ont prise à la gorge la dernière fois que je suis venue la voir, que je ne parviens plus à m'approcher de chez elle sans suffoquer, qu'elles puent la mort et que je me sens responsable de ce qu'il pourrait lui arriver. J'ai tellement insisté pour qu'elle sème ces graines.

Je lui conseille de passer moins de temps dans son jardin, d'échapper au parfum de ces affreuses fleurs en venant me voir plus souvent, de retrouver W.D.H. ailleurs, si elle tient vraiment à lui, et de déraciner cette créature invasive, de demander à Gurvan de l'écraser au tracteur tant qu'il en est encore temps.

Elle rit, j'ai vraiment une imagination formidable !

Quoi de plus innocent qu'un rosier, même foisonnant, même grimpant, même épineux ?

Elle n'est pas là pour me parler de ces fleurs, ni pour m'en offrir, c'était juste une attention délicate, elle croyait me faire plaisir puisque après tout nous les avons plantées ensemble justement. Et non, elle n'a pas de migraine, ni de problèmes respiratoires, ni aucun symptôme physique ! Elle se sent si bien qu'elle ne se soucie plus vraiment des roses justement, ni même de son potager ou des mirobolants. Tout ce qui lui a paru essentiel pendant des années n'a soudain plus grande importance à ses yeux. William a tout balayé. Elle vient me parler d'amour parce qu'elle ne sait pas à qui d'autre elle pourrait se confier et qu'elle a besoin de mon aide pour débrouiller ce qu'elle vit. Elle me bombarde de questions sans attendre mes réponses.

Comment être sûre que cet homme vibre avec la même intensité qu'elle et que tout cela n'est pas un miroir aux alouettes ? N'est-ce pas s'aveugler que d'y croire ? Survivrait-elle au désamour ?

Ils ont passé leur dernier week-end à se bécoter comme des moineaux, à s'occuper du potager et à tailler le rosier géant dont ni le sécateur ni la hache ne viennent à bout, mais qui se renforce et fleurit davantage à chaque coupe. Son petit jardin a désormais la puissance végétale d'une jungle. Mais William ne dort jamais chez elle, il se trouve quantité d'excuses pour s'échapper. Il retient son désir, sans qu'elle comprenne pourquoi, il s'efface comme un rêve et l'abandonne à la nuit. Il l'affame, la met dans un état d'excitation insupportable, et comme l'idée de ne pas savoir s'y prendre avec son grand corps d'homme l'affole, elle n'insiste pas. Mercredi dernier, elle est pourtant parvenue à surmonter la pudeur ridicule dans laquelle les mots de son père la tenaient enfermée jusque-là, mais William l'a abandonnée tout enflammée dans son jardin. La nuit, l'ombre de cette femme est toujours là, debout dans sa chambre, à attendre Dieu sait quoi. Est-elle une représentation de sa propre attente ?

Elle a besoin de tout me raconter et, moi, je ne songe qu'aux fleurs vénéneuses. Je voudrais la retenir à mes côtés, la protéger, je la supplie de rester avec moi le temps que je lui lise un passage de mon roman à voix haute. Je lui rappelle qu'elle ne comprend les émotions qu'inscrites dans un livre, que ça l'aidera sans doute de lire son histoire. Elle ne peut pas refuser, mais son impatience est palpable, elle n'écoute pas, ne tient pas en place, cherche à s'échapper, à regagner son jardin pour se noyer dans le parfum de ses roses scélérates. Elle m'interrompt un peu tremblante en plein milieu d'une phrase où il est question de l'amour de Marie et Pierre, où ces deux amants-là se promettent un amour éternel. Elle me dit qu'elle est désolée, mais qu'elle se sent fiévreuse, qu'il faut qu'elle rentre se reposer chez elle, que son sentiment amoureux l'obsède, la tend comme un arc et que Marie ne l'intéresse pas. Elle présente tous les symptômes d'un état de manque. Elle s'enfuit pour retrouver ses roses. Elle ne m'écoute pas, elle n'en fait qu'à sa tête.

La morsure des fleurs

Je l'aime infiniment, elle est mon héroïne, il ne me plaît pas qu'elle vive cette histoire avec un homme suffisamment inconsistant pour devenir n'importe qui! Il est évident qu'il se sert d'elle pour accéder à son personnage, pour être un autre, il n'éprouve pas ce qu'elle pense qu'il éprouve, elle va souffrir par sa faute dès que le film sera fini et qu'elle n'aura plus de nécessité. Si cet homme, qui s'est glissé dans la peau d'un autre, ou plutôt si ce simple véhicule était mon personnage à moi, s'il n'était qu'un être de papier, je pourrais l'éliminer. Oui, ce serait facile… Deux trois phrases suffiraient. Une chute de cheval, la morsure d'un chien, une épine de rose…

À peine Lola est-elle sortie que la vieille Pascale entre sans frapper, assoit son corps sec sur la chaise que la postière vient de quitter et me demande un café sans s'embarrasser de la moindre formule de politesse.

Les globes roux de ses yeux me fixent avec une acuité aiguë qui me transperce. Soudain, elle pose deux photographies anciennes sur la table, comme elle payerait l'addition. Une photo de mariage et la presque jumelle de celle du cuirassier au doigt coupé que j'ai trouvée dans la maison de la boiteuse.

— J'ai découvert ça dans une malle au grenier au milieu d'un fouillis de fleurs séchées, un bouquet de mariée en miettes. Des roses grises! Ma mère se nommait Marthe, elle était veuve de guerre et sans enfant quand elle a épousé mon père en secondes noces. Elle m'a eue sur le tard à plus de quarante ans. La première partie de sa vie était enterrée sous une épaisse chape de silence que je n'ai jamais tenté de percer. Son premier mari s'appelait Pierre. Ce prénom est écrit à l'arrière de la photo, vous voyez. Je viens de comprendre que c'était à lui que ma mère parlait à la fin de sa vie. Je m'en souviens maintenant, elle ne s'adressait ni à moi, ni à la nuit, ni à mon père mort, elle vivait avec son premier amour, avec ce Pierre.

— Peut-être que l'amour éternel existe alors!

— Si c'est le cas, il n'est pas source de bonheur! Je ne comprenais pas toujours ce qu'elle disait, mais ses mots étaient chargés de rancœur. Il était question de lettres qu'elle ne recevait pas, d'enfants qu'il lui refusait et qu'il allait planter dans le ventre d'une autre. D'une voleuse dont elle rêvait d'écraser le ventre à coups de pelle, à coups de pied, pour que rien n'en sorte plus. Rien. Elle oubliait que j'étais là, qu'elle avait eu elle aussi le ventre rond.

Tandis que Pascale parle, son regard se noie dans sa tasse, y fond comme tous les morceaux de sucre qu'elle y a plongés, et la petite cuillère tourne, tourne, créant un tourbillon sombre. Elle relève la tête et ses yeux s'arrêtent sur le mur derrière moi.

— C'est drôle, vous avez une autre photo de la maison de la boiteuse au-dessus de votre bureau.

— Une autre photo?

— Oui, là, ces deux enfants, ils ont été photographiés au même endroit que cette fameuse Marie, non?

En me retournant, je découvre l'image dont Pascale me parle, un cliché en noir et blanc que j'ai sous les yeux depuis mon arrivée ici et que j'ai oublié, que je ne vois plus, une image fantôme.

Un garçon d'environ huit ans et une fillette un peu plus jeune se tiennent par la main sans sourire. Je les sors de leur cadre et les pose à côté des autres photos. À l'arrière, quelqu'un a légendé l'image d'une écriture appliquée : « Jean et Louise, 1924. » Des lambeaux de papier doré sont encore accrochés dans les coins.

— Notre postière ressemble de plus en plus à cette fille-là. Vous ne trouvez pas? ajoute-t-elle en désignant la photographie de Marie.

— Oui, vous avez raison. Mais elle est plus souriante, enfin, ces derniers temps.

— C'est vrai, elle dégouline de niaiserie. Lola se change en Marie et W.D.H. en Pierre. Il y a comme un écho.

Pascale finit son café et me laisse ses photos, j'ai désormais cinq morceaux d'un même puzzle, six, si je compte la carte postale qui m'a attirée à Trébuailles. Mises bout à bout, ces images commencent à raconter quelque chose.

En repartant, Pascale se baisse pour ramasser le

bouquet de roses que j'ai jeté dans l'allée, mais elle le lâche aussitôt comme s'il l'avait mordue et porte son doigt à sa bouche en envoyant les fleurs valdinguer d'un coup de pied dans un bosquet d'hortensias sur le côté du chalet.

— Saleté de nid d'épines! bourdonne-t-elle.

Ce matin, Gwen a allumé un bûcher au fond du parc pour brûler les mauvaises herbes qu'elle accumule depuis un mois. Pourquoi ne pas en profiter pour immoler ces fleurs vermines qui contaminent mes pensées et envahissent mon roman? Le bouquet, que Pascale a jeté contre ma maison hier, a parfumé ma nuit de désirs confus et inquiétants dont les flammes pourront peut-être me libérer.

J'emprunte des gants à Nelly et je fouille dans les hortensias. Je ne retrouve pas les roses – les ai-je rêvées, ces fleurs? Ou seulement écrites? Je vis entre deux mondes et il m'arrive de ne plus les distinguer l'un de l'autre –, mais, en les cherchant, je déniche, dans un repli de l'écorce d'un frêne, un gros cocon brunâtre que je détache délicatement.

Je le pose sur mon bureau et le couvre d'une de ces cloches grillées qu'on utilise pour protéger les tartes des mouches. Je suis curieuse de savoir ce qu'il en sortira. Je le nomme Lola, car la couleur de ce cocon de soie grossière me rappelle l'affreux manteau d'hiver de ma postière. J'aime savoir Lola à mes côtés. Je lui parle en écrivant, je lui lis des bouts de ce roman que je lui consacre.

À 17 heures, mon réveil sonne – je mets une alarme pour me sortir de mon monde imaginaire, car le temps y passe plus vite que dans le monde réel –, je ferme mon ordinateur, il est l'heure d'aller chez ma logeuse qui m'attend pour le goûter.

Le salon de Nelly, largement ouvert sur le parc, ressemble à un éternel printemps. Le soleil trompé s'y précipite pour caresser les fleurs de tissu qui s'épanouissent sur les coussins et les rideaux, il rebondit contre le vernis des tableaux bucoliques et allonge ses rayons dans les ciels des tapis.

En entrant dans cette pièce, le malaise de la nuit, que la découverte du cocon était parvenue à dissiper, me reprend soudain. Le parfum vénéneux est dans la place, installé comme chez lui, il s'est emparé du lieu malgré les pots-pourris et l'odeur des sablés que ma logeuse a gentiment concoctés à mon intention. Il me semble reconnaître, dans un vase en cristal posé sur la table basse, le bouquet que j'ai cherché toute la matinée.

Oui ! Les roses d'Inès Dolorès, celles que j'ai plantées, mes filles, trônent, sublimes, rouge sang, à côté de la théière fumante. Elles ont trouvé leur chemin jusqu'ici. Elles m'attendent.

Nelly s'enfonce dans son canapé de velours lilas et m'invite à prendre place sur le fauteuil en face d'elle. Mais je respire difficilement, les roses m'étranglent, je ne peux ni rester dans cette pièce plus longtemps, ni expliquer à Nelly ce que je ressens. Les mots ne viennent pas en présence de ces fleurs qui ne se contentent plus de l'espace des cahiers, de l'écran ou du jardin de Lola que je leur ai abandonné, mais me poursuivent désormais jusque chez ma logeuse et se plantent dans ma vie comme dans du terreau. Je prétexte un rendez-vous téléphonique avec mon éditeur qui m'empêche de faire honneur à son adorable goûter, je me confonds en excuses. Je ne touche à rien, ni à ma tasse de thé dans laquelle l'une de ces fleurs a sournoisement laissé choir un pétale, ni aux sablés. Je ne demande même pas à Nelly comment ces roses ont pu sortir de mon roman et arriver chez elle. Je m'échappe en bousculant une chaise.

Je marche le long de la nationale sans trop savoir où aller et en tentant de me moquer de cette terreur que j'éprouve face à quelques roses en bouquet.

Je me réfugie au café-tabac où je ne me suis jamais attardée, n'y passant qu'une fois par semaine pour m'acheter un paquet de cigarettes. Je me sens délicieusement à l'abri dans l'odeur de graillon qui y stagne, pourtant les vieilles tables en bois, éclairées par des néons, n'ont rien de chaleureux et la télé verse son bruit en continu. La salle est vide. Seul un vieillard, installé face à la baie vitrée dans un fauteuil roulant, regarde la rue. Immobile et silencieux, il a le teint d'une statue de cire.

Au bar du Progrès

J'observe le patron derrière son bar, il doit avoir une soixantaine d'années, c'est un bel homme fin aux cheveux argentés et au sourire un peu forcé. Il dessine des petits drapeaux aux couleurs de Guingamp. Sans s'interrompre, sans même lever la tête, il répond à mon regard :

— C'est pour le match de ce soir.

Puis, après m'avoir demandé ce qui me ferait plaisir, il enchaîne :

— Vous êtes la copine de notre receveuse. L'écrivain. Vous y croyez, vous, à l'amour fou d'une star pour une postière ? Ça vous inspire, cette histoire à l'eau de rose ? Il paraît qu'il veut l'épouser. Il passe son temps à se marier, ce gars-là ! À chaque film, une nouvelle femme. Je ne suis même pas sûr qu'il prenne le temps de divorcer entre deux épousailles. Il faut avouer que Lola est drôlement canon depuis quelque temps. Les gars d'ici ont été bien bêtes de ne pas la remarquer avant. À notre décharge, elle n'a jamais été avenante, elle ne sortait que rarement de son trou et elle se fagotait comme une vieille fille. Ce qui me surprend, c'est sa soudaine métamorphose : cette femme sans intérêt est devenue tout à coup diablement désirable. L'amour embellit les gens.

— À moins que les hommes du coin soient des suiveurs : ce qui plaît au roi est forcément désirable.

— On n'est pas des moutons, affirme le patron en arrêtant son coloriage et en me regardant pour la première fois depuis le début de notre conversation. On a parlé de tout ça entre nous avant de savoir qu'elle fricotait avec l'Américain. Un roi de quoi d'abord ? Je ne vois pas ce que vous lui trouvez, toutes. C'est le côté show-biz qui vous excite ?

— Et moi, je ne comprends pas comment on peut s'enticher d'une boiteuse, grogne la poupée de cire oubliée en vitrine. Ce n'est pas bon signe, une boiteuse ! Je te l'ai dit et répété. Faut éviter de la fréquenter, cette fille-là. Les boiteuses ont déjà un pied en enfer et, au moindre faux pas, elles entraînent les gens dans le malheur. C'est de passer le seuil trop souvent entre la vie et la mort qui leur donne cette démarche. Elles savent faire ça. Revenir chez les vivants pour les faire chier.

— Oui, papa, on le sait bien que tu ne l'aimes pas, notre postière. Mais nous sommes de grands garçons ! Ce n'est pas une petite bonne femme de rien du tout qui pourrait nous faire tout le mal que tu nous annonces.

— Et pourquoi donc avez-vous si peur des boiteuses ? je demande.

— Sans te commander, Christian, peux-tu me pousser un peu de votre côté ? J'aime bien voir à qui je m'adresse, dit le vieux tout en os avec une autorité sèche.

306

— Tu n'y vois plus rien de toute façon. Mais t'entends tout, hein ? C'est fou à cent ans d'avoir l'ouïe si fine.

— C'est le métier qui veut ça ! Un siècle dans un bar, ça t'assouplit les feuilles. J'écoute malgré moi et j'attrape ce qui m'intéresse dans le brouhaha. Des fois, je préférerais être sourd, mais il n'y a rien à faire, on ne choisit pas, c'est les yeux qui se sont fait la malle. Les oreilles, elles, elles tiennent bon. Même quand mon fils met le poste à fond, j'entends ses petits secrets. Et je peux vous dire qu'il est mal barré, l'Américain. Ses collègues disent qu'il meurt d'amour, qu'il ne mange plus, ne dort plus, qu'il nage dans son déguisement de cuirassier et que son visage est tellement creusé que sa petite maquilleuse n'a pas besoin de beaucoup d'imagination pour lui donner cet aspect de mort-vivant que réclame leur film. Tant pis pour lui, il n'avait qu'à pas accepter ce maudit rôle. Encore un qui crèvera avant moi !

— Vous avez toujours vécu ici ?

— Je suis né juste au-dessus. Mes parents étaient les tenanciers, c'est eux qui l'ont construit, ce palais ! J'ai bossé en cuisine avant d'avoir du poil au cul.

— J'ai trouvé de vieilles photos de gens que vous avez sans doute connus. J'aimerais que vous m'en parliez. Mais si vous n'y voyez plus rien…

— Avec une bonne lumière et ma loupe, je peux lire le journal. Je ne suis pas tout à fait bigleux encore. Juste assez pour ne plus voir ma sale gueule dans le miroir ! C'est ça qui est bien, on dirait que nos yeux s'affaiblissent pour nous épargner. Nos yeux ont du cœur !

— Les voilà ! dis-je en lui présentant les photos de la boiteuse, du soldat et des deux enfants.

— Si je peux rendre service… Sans te commander, tu peux me passer ma loupe, fils, demande le vieux que le patron a installé à la table la plus proche. Asseyez-vous, je vous en prie, madame.

Je me place face à l'étrange vieillard aux mains tavelées et aux yeux moribonds. Son odeur aigre m'assaille, tandis qu'il se penche sur les clichés posés devant lui. Il les regarde à peine avant de les repousser brutalement vers moi.

— Pourquoi vous vous intéressez à ces gens-là ?

— C'est un peu bizarre, mais je pense que cette femme m'a attirée ici pour que j'écrive son histoire.

— Alors ne comptez pas sur moi pour me souvenir de quoi que ce soit ! Je n'ai jamais aimé les boiteuses et celle-là encore moins que les autres ! Je n'ai rien à vous raconter si c'est la Marie qui vous envoie. Qu'elle retourne clocher en enfer ! Je ne suis pas pressé de l'y rejoindre. Dites-le-lui, qu'il faudra qu'elle m'attende encore et que je compte bien traîner ici-bas le plus longtemps possible, juste pour l'emmerder !

— Eh bien ! Vous me l'avez drôlement énervé, le vieux ! ricane le patron en continuant son coloriage alors que je règle ma consommation. J'espère qu'il ne va pas nous pourrir le match.

Au réveil, une tristesse m'étreint, je sens une plaie sous mes côtes, un effondrement en un point précis, comme si j'étais de sable et que je me vidais entièrement de moi-même, j'ai mal. Quelque chose meurt en moi, en Laurent aussi, je crois, je l'entends dans sa voix les rares fois où je l'ai au téléphone. Je désespère de repriser l'accroc qui nous démaille. Comment une peine d'amour peut-elle provoquer une douleur physique ?

Sous sa cloche grillée, Lola a abandonné son affreux manteau. La métamorphose est achevée. À côté du cocon vide, se tient un gros papillon aux ailes flasques et fripées, il lui faut une heure encore pour les déployer tout à fait et, au bout du compte, l'insecte est presque aussi grand qu'une mésange. J'hésite à lui rendre sa liberté. Il est si beau que je décide de le garder un peu à mes côtés en écrivant pour continuer d'admirer les quatre ocelles dont ses ailes grises sont ornées. Je m'autorise à le tenir une nuit dans sa cage pour profiter encore de l'attention de ses grands yeux veloutés avant de le relâcher.

Depuis que le temps s'est radouci, j'ouvre fréquemment ma fenêtre, jusqu'à l'heure où les insectes, attirés par la lumière de ma lampe, entrent dans le chalet et se glissent dans mon livre. Mais, cette fois, juste après le crépuscule, c'est un énorme papillon qui vient projeter de grandes ombres sur les murs avant de s'accrocher à la cloche de ma prisonnière. Un deuxième arrive à sa suite, puis un autre encore, et vingt minutes après, ils sont trente au moins à tourner dans l'abat-jour de ma lampe ou à se plaquer sur la cage. Je suis d'abord charmée, puis je tente de les chasser en éteignant les lumières, mais il en vient toujours plus, même dans l'obscurité, ils trouvent leur chemin jusqu'à ma captive. Alors, un peu inquiète, je me décide enfin à fermer la fenêtre pour éviter d'en attirer d'autres et je m'endors dans cette « papillonnière », le nez sous mes couvertures.

Au matin, ils sont tous moribonds, épuisés d'avoir trop désiré une femelle inaccessible, mais ma jeune fille est vivante encore, et toujours impassible sous sa cloche. Je balaie les cadavres des prétendants, dont les grandes ailes ont battu en vain une nuit durant, et j'appelle Gwen pour lui faire part de ma découverte.

J'ai séquestré un grand paon femelle, et tant que ma captive sera vierge, elle attirera tous les mâles des environs. Des mâles animés par leur seul désir et capables de sentir son parfum à des kilomètres à la ronde. Des mâles mobiles, immenses et éphémères. Des insectes exclusivement dévolus à la reproduction, anatomiquement incapables de se nourrir, des créatures dont l'unique obsession est de suivre la trace d'une femelle, si lointaine soit-elle, de voler sur leurs réserves jusqu'à elle, de se trouver une partenaire à féconder et de jouir peut-être en expirant. Et encore, ce n'est pas certain, la nature est économe, et il n'est pas utile qu'ils y trouvent satisfaction. Sauf si le souvenir de ce plaisir résiste à la mort et qu'il passe dans la génération suivante, poussant ses fils à se sacrifier à leur tour.

Je décide de renouveler l'expérience le soir même et de relâcher ma captive quand ses galants seront dans la place pour assister à leurs ébats. Ma belle de nuit ne bouge pas une fois la cloche enlevée et le plus rapide des mâles a droit à ses faveurs.

Les vaincus abandonnent aussitôt leur siège et repartent dans la nuit à la poursuite d'un autre parfum. Je laisse les deux amants immobiles collés cul à cul, incapable d'imaginer le plaisir qu'ils peuvent trouver à cet emboîtement grotesque.

À mon réveil, le mâle est mort. Seule reste la femelle, prête à pondre, comme trop lourde pour prendre son envol. Je la repose délicatement sur le tronc où je l'ai trouvée endormie dans son cocon, histoire de ne pas intervenir davantage dans sa minuscule vie d'insecte.

Face au cadavre de l'amant, que je viens de déplier sur une feuille, je songe à mon roman. Si la vie bégaye et que la lignée des Dolorès n'est qu'un disque rayé, W.D.H. mourra comme les autres, comme l'anarchiste aux yeux bleus, comme Augustino, le gitan aux boucles brunes, comme Pablo déchiré par les chiens et le jeune poète sans nom. Il mourra, comme un grand paon en assouvissant son désir, ou même avant, il mourra dévoré par ces roses fauves que j'ai plantées, et son ombre

viendra ensemencer Lola par-delà la mort. On verra
bien.

Je me remets au travail.

*Voilà que je cherche une logique à tous ces destins, une
logique qui se rapprocherait de celle d'un roman. Mais la
vie échappe à toute logique, la vie est un chaos sans nom. Je
confonds tout, on ne peut épingler les gens dans un cahier
comme de vulgaires papillons.*

J'arrête d'écrire pour revenir en arrière et me relire
pour la millième fois avant de poursuivre.

Je me replonge dans le bureau de poste où, assise à
côté de Mauricette, j'attends mon tour pour acheter des
timbres dans le cliquetis de l'horloge et des aiguilles à
tricoter.

*Une voix finit par se détacher du chœur des femmes. Ne
suis-je pas la Parisienne ? La romancière qui loue le gîte au
fond du parc de Nelly ? J'acquiesce. Oui, je me suis installée ici
pour quelques mois, le temps d'écrire un livre ou au moins de
bien l'entamer. Les regards changent aussitôt.*

*Un livre ? Et qu'est-ce que vous écrivez de beau ? Des romans
d'amour ? Est-ce que vous tuez vos personnages à la fin ?*

Un sursaut m'arrache à la poste et me ramène face à
mon ordinateur dans le chalet. Ça tape à la vitre !

Nelly me sourit dans l'encadrement de la fenêtre en
me montrant son panier plein de légumes et de gâteaux.
Elle vient sans doute me reprocher d'avoir mis fin à nos
goûters quotidiens. Comment lui avouer que j'ai peur
d'un bouquet de roses ?

Ma logeuse retire ses bottes crottées sur le seuil et
pose son gros panier sur la table qui me sert de bureau.
Elle a cueilli des asperges pour moi dans son potager.

Je la remercie en embrassant ses joues fraîches, roses de blush, et lui propose un thé. Elle ne veut surtout pas me déconcentrer, mais elle a du mal à m'abandonner tout à fait. Elle sort une boîte pleine de sablés en me disant qu'elle me trouve amaigrie, que je dois prendre soin de moi, que je suis trop absorbée par mon travail.

— Quand je tombe amoureuse, j'oublie de manger moi aussi, je deviens un grand paon de nuit, mon désir m'emplit. Écrire vous fait sans doute le même effet qu'une rencontre amoureuse. C'est aussi une affaire de désir. Mais il faut vous ménager, mon lapin, alors goûtez mes douceurs, s'il vous plaît ! Vous n'aurez qu'à les intégrer à votre roman. Mangez-les pour mieux les écrire ! Ou écrivez-les pour pouvoir les manger. Je ne sais pas dans quel sens ça marche !

Elle a raison, la saveur sucrée, relevée par quelques cristaux de sel, de ses petits gâteaux dorés ranime mes papilles. Nelly m'encourage à les amollir en les trempant dans mon thé, mais je ne m'y résous pas, je déteste voir des miettes flotter dans ma tasse.

— Vous savez que j'ai monté une association d'amateurs de roses. Si vous vous intéressez toujours à ces fleurs, j'ai un truc à vous raconter qui pourrait vous inspirer. Mon amie Pascale s'est blessée à la main avant-hier, une simple épine lui a infecté le tendon, si bien que tout l'avant-bras a enflé et qu'il a fallu l'opérer en urgence à Rennes ce matin, l'ouvrir tout du long pour nettoyer la gaine. Elle ne retrouvera pas l'usage de sa main avant plusieurs mois, mais elle est sauvée. Si Gwen n'avait pas réagi hier soir en voyant son bras rouge et gonflé, le poison serait monté jusqu'au cœur. Il faut toujours porter des gants quand on jardine, conclut Nelly. Les roses ne sont pas aussi aimables qu'elles en ont l'air.

Des fantômes de craie

Ma logeuse ne m'apprend rien cette fois, je ne doute pas de la malveillance de ces fleurs. Nelly sait-elle que les scélérates se sont installées au cœur de sa maison, dans son salon ? Je tente de lui parler du bouquet posé sur sa table basse.

— Vous l'avez remarqué ? C'est Gwen qui me l'a offert, j'ignore où elle a trouvé ces merveilles, ces roses embaument, je n'en ai jamais vu de semblables. Je vais les peindre avant qu'elles ne se fanent.

— Vous peignez ?

— Le papillon, au-dessus de votre lit, c'est l'une de mes œuvres.

— Ah ! Et cette photo ? D'où vient-elle ? Je me suis permis de la sortir de son cadre.

— C'est drôle ! Je l'ai accrochée ici, il y a un bout de temps, je l'avais complètement oubliée.

— Ces enfants s'appelaient Louise et Jean, c'est écrit à l'arrière. N'est-ce pas les prénoms que Mauricette donne à tous les gamins du village ? Et ces morceaux de papier dorés, attachés au dos de l'image, m'ont

315

fait penser à la chambre de Thérèse, la bonne de vos parents.

Nelly se laisse absorber par l'image, elle oublie de sortir son gâteau de son thé. Le sablé se défait dans l'eau chaude jusqu'à fondre et lui échapper des doigts. J'éprouve une pointe de dégoût en le voyant flotter à la surface du liquide. La main immobile juste au-dessus de la tasse, elle repêche des souvenirs anciens.

— Vous n'êtes pas d'ici, mais vous remettez les choses en place, vous me parlez de mon enfance, là. Comment fonctionne l'oubli ? J'ai très peu de souvenirs d'enfance, ma mère les a fait fondre comme des glaçons dans ses verres de whisky. Cette photo, je l'ai en effet récupérée après la mort de Thérèse, elle était dans le fameux trésor que je pensais avoir perdu. Oui, je me souviens que Thérèse aimait ce petit garçon, Jean, qu'elle l'aimait d'amour. Elle l'imaginait adulte, elle me disait que s'il avait vécu, elle l'aurait épousé. Ils avaient tous les deux dans les huit ans quand il lui offrait des papillons et des chocolats emballés dans des papiers dorés qu'il volait pour elle. La chambre de Thérèse était pleine de ce Jean et de toutes les histoires d'amour qu'elle s'inventait. Elle se rêvait des vies entières à ses côtés. Dès que nous nous retrouvions toutes les deux sous les combles, elle me les racontait. J'étais son public. J'adorais écouter ses rêveries à l'eau de rose, même si je trouvais étrange qu'une femme de son âge soit amoureuse d'un garçon du mien. C'est que, dans son esprit, il avait vieilli en même temps qu'elle, il l'accompagnait depuis toujours, ils se rejoignaient tous les soirs dans sa minuscule chambre d'amour. Elle vivait en couple avec un fantôme et c'était notre secret.

— Ces deux enfants sont enterrés avec Marie, la boiteuse.

— Oui, c'est ça. Jean et Louise… les enfants de la boiteuse… Mais je ne suis pas plus sûre de mes souvenirs que de ceux de Thérèse. Certains jours, elle ne parvenait pas à enchanter sa vie et la scène qu'elle me racontait alors était si triste que je préférais ne pas l'écouter, j'allais jouer ailleurs, loin d'elle, pour éviter de la revivre. Il me semble que j'ai assisté au drame, tout en sachant qu'elle me l'a juste relaté. Elle disait qu'elle n'avait rien pu faire, qu'un après-midi, après l'école, tous les élèves avaient suivi les enfants de Marie en les traitant de bâtards, qu'ils s'étaient excités les uns les autres jusqu'à ce que monte en eux le goût du sang, que les gamins du village s'étaient sentis en communion dans la cruauté, se préparant au sacrifice, qu'ils avaient battu Jean avant de pousser Louise dans la rivière pour le mettre en rage. Depuis la berge, ils avaient ri, garçons et filles, en voyant Jean se jeter à l'eau pour tenter de sauver sa petite sœur, ils avaient ri en les regardant se débattre dans leur trou d'eau, ils avaient ri car aucun des deux ne savait nager et que leur pantomime et leurs cris étaient ridicules. Thérèse s'était précipitée au village pour appeler les adultes à l'aide, mais personne n'avait compris l'urgence, on n'y croyait pas à son histoire, les enfants n'étaient pas des brutes, nul n'était intervenu dans cette histoire de gamins, tous avaient laissé faire en haussant les épaules. Pourquoi se mêler de ça? Que ces bâtards se démerdent tout seuls! La boiteuse n'avait qu'à pas les faire avec le mari d'une autre, elle aurait dû y songer avant. C'était pas de leur faute à eux si ces deux-là n'avaient pas de père pour les protéger! Il fallait qu'ils apprennent à se défendre tout seuls! La vie ne leur ferait pas de cadeaux! Thérèse s'en était voulu d'avoir choisi de courir vers le bourg, elle aurait dû aller chercher Marie. Elle était repartie en sens inverse et, en revenant sur ses pas, elle avait croisé les enfants du village. Toute cette bande d'assassins n'avait pas osé parler d'abord, ils n'étaient pas fiers, mais l'un d'eux, le plus grand, le fils du cafetier, je crois, s'était approché d'elle, il l'avait coincée contre un arbre en la tenant au cou. Elle devait se taire, ne rien dire à la boiteuse, ne rien dire à leurs parents, n'en parler à personne. Elle se souvenait qu'il était hors de lui, qu'il en tremblait et que ses vêtements étaient trempés, comme s'il s'était baigné tout habillé. Il avait fini par la lâcher et elle avait marché jusqu'à la plage en tentant de reprendre son souffle. C'est là qu'elle avait vu les deux petits cadavres, soigneusement allongés sur le sable, côte à côte, bien parallèles, les yeux fermés, les plus âgés de la bande les avaient repêchés trop tard. Quelqu'un leur avait joint les mains. Thérèse n'avait jamais parlé de tout ça, elle avait juste pleuré Jean. Et finalement, elle l'avait épousé tant de fois depuis, elle avait vécu mille vies dans sa petite chambre tapissée d'or avec son prince noyé.

— Et qui repasse les noms à la craie sur leur tombe?

— À la mort de Thérèse, il m'est arrivé de le faire. J'aimais bien, ça rendait les vieux hystériques. Ils s'accusaient les uns les autres. Les parents se souvenaient de ne pas avoir pris l'avertissement de Thérèse au sérieux, de ne pas avoir couru à la rivière, et ceux qui avaient l'âge de Jean ou un peu plus avaient vieilli avec ce double meurtre sur la conscience, avec cette terreur de la boiteuse, cette peur qu'elle ne se venge un jour en leur volant leurs propres enfants. Personne n'en parle aujourd'hui, même moi, j'avais tout enfoui.

— Une sorte d'oubli collectif !

— Et vous ravivez les mémoires.

— Je ne suis pas la seule, puisque quelqu'un continue d'écrire leurs noms à la craie.

— Ce n'est pas moi, je vous le jure. Et ceux qui savaient sont tous morts. Sauf le vieux Paul, le patron du bar, mais il est infirme.

— Et Mauricette ?

— Elle n'est pas du village, elle est arrivée bien après tout ça, mais elle a veillé tous les mourants du pays. Elle a un don, vous savez, elle les apaise. Peut-être qu'à force de silence, le souvenir de ce drame s'est enkysté dans chacun des témoins, qu'ils y songeaient encore au moment de mourir et que Mauricette a recueilli leurs confessions. Vous savez, on raconte qu'elle en fait des bocaux, qu'elle garde les derniers souffles des hommes et des arbres dans des pots en verre. Il faudrait faire graver une stèle à ces enfants. On doit pouvoir retrouver leur nom de famille et leurs dates de naissance à la mairie. Je vais m'en occuper.

Qu'est devenue la boiteuse après cette tragédie ?

Une incarnation du malheur et de la faute, une pestiférée. Chaque fois que son pas résonnait dans les rues, le souvenir des petits noyés se levait. La culpabilité a empoisonné le village. Les assassins ont grandi, vieilli, ils sont morts à leur tour, laissant le spectre de cette femme hanter leurs descendants et son pas résonner dans leurs nuits. Ils n'ont même pas aidé Marie à faire graver le nom de ses enfants, espérant que cela précipiterait l'oubli. Pas de traces en surface pour que nul ne se souvienne, pour que la mémoire se referme comme de l'eau, mais des rhizomes ont creusé l'inconscient collectif.

Lola est au carrefour de son histoire familiale et de celle du village, au carrefour des vivants et des morts, là où s'épanouissent les roses fauves et les douleurs anciennes, là où ces fleurs se gorgent de sang et de désir.

Ma grand-mère m'a élevée dans un monde magique, elle était convaincue que j'avais le don dont elle avait toujours rêvé. D'après elle, je voyais les morts. Quelle chance ! Ils me visitaient la nuit pendant mon sommeil et je ne devais pas avoir peur, je devais les écouter, je devais les aider. Mémé se glissait dans mon lit la nuit dans l'espoir de les apercevoir elle aussi. Elle croyait dur comme fer aux fantômes.

Elle espérait retrouver ses cinq frères dans l'au-delà.

Elle est morte comme on se rend à une fête de famille qu'on a longtemps désirée, à l'un de ces joyeux méchouis qu'elle organisait en forêt, car aucun de ces exilés n'avait assez d'espace pour recevoir toute la smala chez lui.

Pour mémé, la mort était aussi vaste que les bois. Elle rêvait de partir avec ses poivrons, son kanoun, sa couscoussière et ses gigantesques plats à paella pour les régaler dans l'au-delà.

Quand mon heure viendra, je voudrais m'en aller sans peur dans les bois à mon tour.

Seras-tu là, mon amour ?

Dernier souvenir du merisier

Je guette Mauricette à la sortie de la cantine et je négocie avec ses petits anges gardiens. Je leur promets que je ne la perdrai pas et que cela lui fera du bien de se promener un peu avec moi. Ils acceptent de me confier la vieille dame souriante. Ravie de marcher à mon bras jusqu'à la maison de la boiteuse, elle se doute de ce que j'attends d'elle et, dès que nous arrivons, elle s'assoit sur le banc, pose son cabas sur la souche de merisier qui le jouxte, sort un pot de confiture vide et m'endort dans ses bras.

Les branches du jeune merisier s'agitent au-dessus de nos têtes, l'une d'elles tape contre la fenêtre de la maison. Les dernières feuilles jaunies par l'automne se collent au carreau comme des oreilles indiscrètes. Le pot que Mauricette a ouvert contient sans doute les souvenirs de cet arbre.

Sous le ciel d'un bleu dur, une jeune femme surgit sur un vélo comme on n'en fait plus, elle le pose contre le mur juste à côté de nous, sans nous voir. Elle fouille dans sa sacoche en cuir épais pleine de courrier et en sort une lettre. Puis elle frappe à la porte en appelant Marie.

Mauricette s'appuie sur ses bras pour se lever, mais je n'ai pas du tout envie de partir, je veux rester à l'ombre du petit merisier et voir cette scène jusqu'au bout, elle m'oblige à la suivre. Le rosier sur le côté du banc, celui que Pierre a planté, est devenu immense, mais toutes ses fleurs sont fanées et les pétales, répandus sur le sol, ont pris une couleur fauve.

La porte de la maison s'ouvre sur une Marie rayonnante, elle tient un petit garçon dans les bras et sourit à la factrice en l'appelant Pierrette. Quand elle la fait entrer, Mauricette m'entraîne et nous nous glissons dans la maison à sa suite. Pierrette s'assoit à table, sa lettre à la main, et Marie regarde l'enveloppe avec gourmandise, en se retenant de la prendre. Elle propose un « jus » bien chaud à sa visiteuse pour la réchauffer. Elle laisse infuser des grains de chicorée dans de l'eau bouillante, tandis que Pierrette tâte la lettre.

Elle est épaisse, il y a sûrement un cadeau dedans.

Marie s'en empare, la respire et l'ouvre au couteau.

Ce sera donc la dernière de cette putain de guerre ! Maintenant, il va pouvoir revenir. Enfin !

Ne te réjouis pas trop vite, Marie. Il paraît que la démobilisation prendra du temps. On n'échappe pas à la guerre si facilement, au bout de toutes ces années, ces pauvres gars devront réapprendre à vivre sans crainte.

Marie reste un moment debout face à la lettre dépliée posée sur la table.

C'est étrange ! Le matin de l'Armistice, justement,

avant même de savoir que la guerre était finie, j'ai eu une fièvre de cheval et j'ai vu Pierre. Je l'ai senti à mes côtés dans mon délire. J'ai été étonnée qu'il revienne si vite, nous nous sommes quittés il y a quinze jours à peine. La guerre ne lâche pas ses soldats si souvent. Il était tellement réel. Je tremblais et il grelottait. Je lui ai fait l'amour dans l'espoir de le réchauffer. Il m'a dit qu'il avait tenu plus longtemps que cette guerre, il m'a dit qu'il reviendrait m'embrasser coûte que coûte, qu'il serait toujours là dans le parfum des roses, je lui ai promis de l'attendre, et nous nous sommes endormis l'un contre l'autre sur un tapis de roses fanées. Au matin, ma fièvre était tombée et il avait disparu.

Et quand il sera là pour de bon. Comment allez-vous faire ? Je veux dire avec Marthe ?

Pierre n'a rien dit à Marthe encore, pour ne pas attiser sa mauvaiseté à mon égard. Mais elle a très bien compris toute seule, cette garce a été la première à remarquer mon ventre quand j'attendais Jean. Elle me détruit auprès de tout le monde. Vivement qu'il rentre. Dès son retour, il demandera le divorce. On a tous nos torts dans cette histoire, mais Jean ne doit pas rester un bâtard. Et Pierre sera à mes côtés quand j'accoucherai du suivant. Tu es enceinte ?

Je n'ai pas de retard, mais, va savoir pourquoi, j'en suis convaincue. Lis-moi sa lettre, s'il te plaît ! J'aime me laisser porter par ta voix, tu sais comme je peine sur les mots sans toi. Après j'y arrive toute seule, c'est l'émotion qui me bloque et m'empêche de déchiffrer comme il faut.

Marie pose les tasses de chicorée sur la table et s'assoit face à Pierrette, tandis que le petit Jean me fixe de ses yeux ronds.

Est-il possible que cet enfant me voie ? Installée à côté de Mauricette sur le lit, je lui souris. Il se cache derrière sa mère qui l'attrape et le hisse sur ses genoux pour qu'il se tienne tranquille.

10 novembre 1918

Marie,

Avant la nuit, je dicte cette lettre pour toi à mon ami Henri.

Il embellit tout, Henri, quand il écrit, il ne respecte ni mes fautes, ni mes silences, ni mes hésitations, ni la désolation alentour, il lisse ma langue pour rendre mes mots présentables. Je ne lui en veux pas, il aime faire des phrases ! Savoir transformer la parole en écrit quand on vit le cul dans la boue, c'est tout aussi miraculeux que de changer l'eau en vin. À trop écrire pour nous tous, depuis trop longtemps, ses mains et sa vareuse bleu ciel sont tachées d'encre noire, de soleil et de poésie.

Ma lettre, cette petite valise pleine de mes mots murmurés et soigneusement pliés, partira demain par le courrier du jour, l'encre porte plus loin qu'un cri, elle s'arrachera à la boue, elle échappera au branle-bas de combat, elle s'en ira par les routes, loin du front, elle ne s'égarera pas, elle filera jusqu'à toi, elle finira dans les sacoches en cuir du vélo de Pierrette. Elle t'arrivera intacte, sans avoir été caviardée par la censure, sans placards sombres, sans taches, sans trous d'obus, sans déchirures, sans cris, sans peur, sans rats, sans fracas, sans douleur,

*sans cauchemars, il n'y aura rien sur le papier que
mes phrases et les tendres baisers qui les accompagnent.
Pierrette tapera à ta porte pour te la donner, tu l'inviteras
à entrer, à s'asseoir devant la table en bois, et elle te la
lira en buvant la chicorée chaude que tu lui auras servie
pour la réchauffer. Elle te la lira parce que tu n'aimes
pas buter sur les mots, je le sais. Merci, Pierrette, de partager nos secrets. Sa belle voix grave te parlera de moi,
de cet instant où nous respirons côte à côte Henri et moi,
assis cul à cul dans un boyau glacé, où nos souffles se
mêlent, blancs, et où, à l'oreille, je tente de cueillir les plus
jolis mots qui soient pour te dire mon amour par la main
d'Henri.*

*Aujourd'hui, je suis vivant, encore vivant, le reste
m'échappe. J'ai tenté de ciseler une petite bague pour toi,
je la glisserai dans l'enveloppe. Elle est comme mes mots,
simple et imparfaite.*

*Sais-tu qu'elle est faite d'une matière qui a traversé le
ciel, qui s'est plantée dans la terre, dans la chair, dans
mon cœur ?*

*Je suis allé dénicher un obus, durant une nuit sans
lune : entre les lignes sous les barbelés j'ai rampé, sans
faire de bruit et à tâtons j'ai cherché, nez dans la boue, ce
que je pouvais glaner au sol, pour t'en faire cette bague.
J'ai rapporté le zinzin qui m'avait manqué de peu cet
après-midi-là, mais avait emporté deux soldats de notre
bataillon, dont notre ami Claude. Cet obus meurtrier, on
l'a découpé et fondu en souvenir de lui. Le cuivre fond
plus facilement que le fer. Nous avons un petit atelier ici,
qu'un poilu, orfèvre de métier, a aménagé, et où nous
travaillons des objets en métal entre deux « métros »*

pour nous vider du fracas qui habite nos têtes. J'ai pris plaisir à changer la mort de Claude en bijou, pour lui, pour toi, mon cœur, et Baptiste a réalisé un beau briquet pour Firmin son aîné. J'ai refusé son aide. Quand on est, comme lui, verrier chez Legras, on peut bien transformer une bombe en beauté et faire de la guerre une étoile filante ou une fleur glissée au doigt léger d'une femme. Moi qui ne suis pas artiste, mais qui passe ma vie les mains dans la terre, j'ai bien du mal à faire du fin et du joli. Elle n'est pas aussi ronde que je l'aurais voulu, mais j'ai fait de mon mieux avec ma pince et mes neuf doigts. Pierrette, dites bien à ma Marie qu'elle est ma rose, ma raison d'espérer, dites-lui que chaque jour, je la remercie d'être à mes côtés. Dites-lui comme je l'aime.

J'ai retrouvé mon rosier, tu sais celui auquel j'ai donné ton nom, celui que j'ai réussi à planter dans la tranchée que nous occupions au début de la guerre et autour duquel nous avons fêté un Noël tous ensemble avec les boches en parlant de nos amours, celui que j'ai bouturé devant ta maison et qui est le miroir de nos désirs. Eh bien, notre ligne a un peu reculé et figure-toi qu'il a réapparu et qu'il tient désormais le milieu du terrain. Il fleurit dans le no man's land, là où rien ne pousse que la mort, et il porte une dernière fleur blanche comme tes seins. C'est incroyable de voir cette rose intacte déployer ses pétales blancs là où tant d'hommes sont tombés, le vent la penche sur l'espace désolé et elle se redresse comme un drapeau. Il me semble qu'elle m'appelle, que son parfum vient à moi, violent. Si je devais mourir dans les ténèbres, il me guiderait jusqu'à toi. Peut-être est-il temps d'oser sortir de nos trous, temps de marcher désarmés et d'agiter *cette fleur blanche en plein milieu des lignes, peut-être qu'en l'offrant aux boches qui, comme nous, n'en peuvent plus de crever pour rien, peut-être qu'en faisant ça on arrêterait la guerre avant de tourner tous fous. Je n'en peux plus, je voudrais rentrer, te retrouver, te serrer dans mes bras, et ce parfum m'enivre.*

Il faut que je te quitte pour quelques heures, la main d'Henri s'enfonce dans la nuit. Ce soir, nous allons boire la gnôle qu'il a rapportée de permission, boire jusqu'à nous abrutir, boire jusqu'au lever du jour, boire pour oublier cet armistice qui ne vient pas. Sois sûre que je rêverai de toi. Nous poursuivrons cette lettre, quand le jour se lèvera.

...

Je roule sous les barbelés et la boue m'est un tapis rouge.

Je suis au front du monde. Qui peut me voir alors que mon amour pour toi me rend invisible, invincible? Je cueillerai cette rose dont le parfum nous grise. Et Henri a beau tenter de m'en empêcher, il peut froncer la nuit tant qu'il voudra, il ne voit plus ses doigts, il ne contrôle plus ni mes mots ni le temps, il ne retient rien de mon élan et la gnôle, qui l'abrutit, m'enflamme.

Je cours entre les lignes sous le feu des boches qui soudain rêvent de m'arracher ma rose. Moi, eux, le feu, la fleur et ce parfum qui nous rend fous. Tous. J'entends des abeilles.

Une balle.

Une balle, aiguë comme une épine quelque part dans ma gorge ou du côté du cœur, une balle suffit à tacher ma fleur contre ma poitrine, mais j'ai réussi, j'ai traversé la nuit et je brandis cette fleur fauve, cette rose salie de sang, de boue, je la brandis de toutes mes forces, tandis qu'Henri m'écrit, me couche sur sa feuille, blanche comme un lit. Elle est pour toi, cette rose, mon amour. Son parfum efface la boue où je m'enfonce.

Tu es à mes côtés, je sens ta peau brûlante, tu as la fièvre, et je suis glacé, tu tentes de me réchauffer entre tes bras, entre tes cuisses. Tu es là, je meurs en toi, mon amour. Et je t'aimerai éternellement, nous nous retrouverons, je t'attendrai sous ce ciel magnifique d'où tombent des étoiles. Je t'attendrai.

Le jour se lève, se lèvera, s'est levé, alors que je n'ai plus la force de dicter à Henri autre chose qu'un râle, mais ce n'est pas grave, il sait ma pensée, il me connaît, il est entré en moi si souvent pour m'écrire, il finira cette lettre à ma place. Je ne suis plus que deux mains jointes sur une fleur qui pisse le sang, mais j'entends par les oreilles d'Henri qui me prête son corps et sa chaleur, j'entends toutes les cloches sonner la fin de la guerre. Il est 11 heures, il est l'heure de la paix, c'est pour moi qu'elles sonnent, ces cloches, c'est moi qui l'ai cueillie, cette paix, je l'ai arrachée à la boue. Embrasse pour moi le petit Jean. Tu lui parleras de son père qu'une rose a rendu fou. Je vous aime et je meurs en paix. C'est déjà ça.

Pierre

La factrice se tait.

Marie, qui a sorti la bague de cuivre de l'enveloppe pendant la lecture, serre trop fort le petit Jean contre elle, si bien qu'il pleurniche et se sauve dans ma direction. Il se fige face à moi et me regarde en souriant. Il n'a pas compris qu'il n'a plus de père. Il joue avec l'anneau qu'il a volé sur la table. Il me le tend, j'essaye de le prendre, mais la bague m'échappe et roule sur le sol jusque dans un coin où elle se niche entre deux dalles.

J'entends la berceuse de Mauricette.

Cette chanson qui console me ramène sur le banc de pierre où je suis toujours allongée dans ses bras au milieu des ronces et des fougères.

Je veux retranscrire tout de suite cette lettre que je viens d'entendre, tenter de l'écrire avant qu'elle ne m'échappe. J'aide Mauricette à se relever et nous entrons dans la maison abandonnée, je m'installe à la table poussiéreuse, sur cette même chaise qu'occupait Marie, il y a un instant, et je rédige de mémoire le dernier courrier de Pierre. Cette lettre résiste étrangement à l'oubli et me revient en tête, intacte, elle n'a pas cette inconsistance vaporeuse des rêves qui se défont dès qu'on veut les saisir.

Marie m'a convoquée ici pour que les noms de ses enfants ne soient plus seulement écrits à la craie dans l'esprit d'une vieille femme et sur un morceau de caillou, pour que leur souvenir remonte à la surface, qu'il éclate en plein soleil. J'ai vu le petit Jean, j'ai vu cet enfant qui n'a jamais vieilli que dans les rêveries d'une Thérèse sous des combles tapissés d'or. Marie m'a convoquée pour me parler de l'amour éternel, de cette énergie des amants.

Je me souviens soudain de l'anneau qui s'est glissé entre deux dalles, il y a presque un siècle, il y a dix minutes, de cette petite bague nichée dans le souvenir du jeune merisier, de l'ultime cadeau d'amour de Pierre à Marie.

Je trouve l'alliance en cuivre dans le coin où elle a roulé.

Nous mourons tous, mais l'amour nous survit.

J'accepte le merveilleux.

Fin de tournage

Je rejoins Nelly qui s'impatiente au volant de sa vieille MG décapotable. Avec son foulard rouge sur la tête, son rouge à lèvres assorti et ses énormes lunettes de soleil, elle ressemble à une actrice des années soixante.

— Lola ne nous accompagnera pas, me dit-elle, elle n'a pas envie d'assister à la fin du tournage. Elle ne veut ni gêner William, ni voir Pierre mourir. Vous croyez que W.D.H. l'aimera toujours quand il ne sera plus obsédé par son rôle ?

— Et pourquoi ne l'aimerait-il plus ?

— Il me semble que cet homme a perdu pied, que la réalité ne fait plus que servir ses fictions et que, sans ses rôles, il ne serait plus grand-chose. J'ai peur qu'il utilise Lola pour interpréter son personnage, qu'elle ne soit qu'un appui, une béquille.

— Il a l'air sincère.

— Oui. C'est un excellent comédien, affirme-t-elle.

— N'est-ce pas plutôt la mort qui mène la danse ?

— La mort ?

Arrivées au relais-château, nous rejoignons Esther

dans le grand salon bleu. La maquilleuse est très inquiète, elle a veillé à ce que personne ne conduise W.D.H. chez Lola en début d'après-midi après les prises du matin. Il est à bout de forces, elle l'a couché dans sa chambre comme un enfant et lui a imposé quelques heures de repos avant de repasser au maquillage et de jouer l'ultime soupir de son personnage. Elle ne l'a pas quitté avant d'être certaine qu'il s'était endormi.

— Il s'est blessé à la poitrine et à la main en tombant de cheval hier soir et il a beaucoup de mal à respirer, mais il refuse de voir un médecin. Le réalisateur a travaillé avec une doublure pour les plans larges de ce matin, mais il veut W.D.H. prêt à tourner à 18 heures. Ils sont aussi têtus l'un que l'autre, ils s'engueulent constamment, s'insultent, pourtant ils s'entendent sur l'essentiel, ils iront au bout du film coûte que coûte. Ce pauvre William dit qu'il n'a jamais tant aimé, ou plutôt qu'il n'a jamais été tant aimé, il dit que c'est pareil, que cette façon dont Lola le regarde le comble. Il voudrait l'épouser, comme Pierre aurait épousé Marie si la mort avait eu pitié. Il lui fera sa demande dès demain. Il attend le clap final comme la fin d'une guerre. Il veut en finir au plus vite. Si vous deviez écrire ça dans un roman, qu'est-ce que vous choisiriez ? Je veux dire comme fin ? Les histoires d'amour finissent toutes par une mort, une séparation, ou un éternel ennui, non ? me demande Esther en sortant deux feuilles de sa poche qu'elle me tend.

— À moins que l'amour nous survive, que cette énergie dépasse tout, même la mort, comme dans les contes.

— Tenez, je voulais vous montrer ça, c'est une copie

de la lettre à partir de laquelle le personnage de Pierre a été construit. Le réalisateur en a distribué une à chacun des membres de l'équipe pour nous impliquer dans cette aventure. Cette lettre a bouleversé W.D.H. et l'a poussé à accepter le rôle de Pierre, même si l'histoire a bougé.

— Elle est rédigée en français? demande Nelly.

— Le réalisateur est américain, mais son grand-père Henri, l'auteur de cette lettre, venait d'Hennebont. C'était un fils d'industriel, il avait fait des études à Paris et Pierre, le vrai Pierre, était d'ici, de Trébuailles.

— Vous permettez que je la lise tout de suite?

Le 11 novembre 1918

Ma Louise,

Aujourd'hui, nous avons gagné la guerre, mais les cloches ont beau sonner la fin de cette maudite boucherie, pour moi elles sonnent le glas. J'ai perdu mon ami Pierre. Ce garçon que je connaissais assez pour devancer ses pensées en écrivant ses lettres. Il disait que je n'écoutais plus sa voix, que j'inventais ce qu'il tentait d'exprimer, que je conjuguais son discours au futur. Et c'était vrai, je ne prenais d'abord qu'un peu d'avance sur ce qu'il me dictait, je le devinais, puis la course de mon trait sur le papier s'emballait jusqu'à froncer le temps, jusqu'à galoper loin devant. Parfois sa lettre était déjà finie, alors qu'il butait encore sur sa première phrase. Écrire pour lui n'était pas naturel, il préférait que je m'y colle.

D'après Pierre, je voyageais à la fois en lui et dans le temps en rédigeant son courrier. Il était bien plus poète qu'il ne l'imaginait, il disait que si je trempais un jour ma plume dans leur sang, je leur inventerais un destin, je criblerais leurs corps de mots fous, je recoudrais visages et paysages, je signerais ce fameux armistice qu'on nous promettait. Il disait que grâce à moi nous serions déjà demain, nous serions la semaine prochaine, ce serait le printemps, nous serions sortis d'affaire. Mais non, la poésie ne protège de rien, j'ai écrit tout à l'heure sa dernière lettre et je l'ai achevée seul.

Pierre, mon ami jardinier, était un garçon doux aux poches pleines de graines et de bulbes, qui a réussi à nous offrir un jardin dans cet enfer.

Cette lettre partira en même temps que la sienne par le courrier du jour, l'encre porte plus loin qu'un cri, elle s'arrachera à la boue, elle ira par les routes, loin du front triste de la guerre, elle ne s'égarera pas, elle filera vers Hennebont, les hautes cheminées lui serviront de phare, elle remontera la rue de la gare, passera devant les ateliers, devant le feu des forges, elle croisera ceux qui ont continué de marcher en plein air, ceux que la guerre n'a pas enterrés vivants, ceux qui respirent le ciel à pleins poumons comme plus jamais Pierre ne le respirera et elle te trouvera, toi, dans la rue Paradis où, bientôt, je te rejoindrai, mon amour.

Sa lettre à lui sera une flèche qui ira se planter dans le cœur de Marie. Marie, c'est la femme qu'il aime, mais ce n'est pas sa femme. Juste avant son départ, il a accepté d'en épouser une autre par dépit, par faiblesse, pour contenter sa mère. Je sais que tu détestes ces histoires d'adultère, mais quand la mort nous cerne comme elle nous a cernés, il arrive que le monde qu'on s'est construit s'écroule, que tous les masques tombent et qu'un seul visage subsiste. Ce soir d'effroi où nous avons cru vivre nos derniers instants, c'est Marie qui s'est dressée à ses côtés, c'est son lumineux souvenir qui a éclairé sa nuit, comme le tien a éclairé la mienne. Après une telle révélation tout au bord de la mort, on ne peut plus se mentir.

Lors de notre baptême du feu, Pierre, Claude, Baptiste et moi, nous nous sommes réfugiés dans le même trou d'obus, la mort nous encerclait, la nuit était pleine de râles d'hommes et de chevaux. J'étais touché à la jambe, Pierre m'avait traîné jusque-là avec ses mains en sang et ce n'est qu'après m'avoir installé dans ce creux de terre qu'il a compté ses doigts et qu'il a vu qu'il lui en manquait un. Notre escadron était décimé, nous sommes restés tous les quatre, ensevelis sous les cadavres, nous persuadant que la mort tombait rarement deux fois exactement au même endroit dans la même nuit. Pour tenir, nous nous sommes raconté nos amours, la mort et le désir se sont mêlés dans cette terre où nous étions comme enterrés vivants. Vous étiez là soudain, toi, la bonne amie de Baptiste, la fiancée de Claude, et Marie, la boiteuse, cette jeune femme que Pierre avait désirée de toutes ses forces depuis l'enfance. C'était en 14, nous avions tous vingt ans, nous nous sommes recroquevillés dans la glaise, bien au chaud entre vos cuisses. Et nous nous sommes abandonnés tous les quatre à nos jouissances, en nous disant que, quitte à mourir, mieux valait mourir en se branlant, que ce serait toujours ça de pris! Et nous riions en faisant la nique à la mort! Quatre pauvres gars déjà à moitié crevés qui se donnaient du bon temps dans un trou en plein milieu d'un charnier, quatre pauvres gars qui tentaient d'oublier ce merdier en pensant aux femmes qu'ils aimaient, qui refusaient de se faire baiser par la camarde et préféraient partir joyeux. Quand on nous a évacués, nous étions plus légers d'avoir ensemencé la terre.

C'est dans ce trou que Pierre a trouvé l'églantier qui lui a servi à créer son rosier à floraison continue, il l'a nommé « Marie » et son parfum nous a tous rendus fous. Ces fleurs gorgées de sang et de foutre, de mort et de désir se sont multipliées. Pierre nous disait qu'elles n'étaient pas vraiment des fleurs, qu'aucune vraie fleur n'aurait pu si bien pousser dans cette désolation, qu'elles étaient les filles de nos désirs et de ceux des morts. Ce qui avait germé là, c'était à la fois le pire et le meilleur, c'était des fauves, c'était nos cauchemars et nos rêves, nos folies de jeunes gens, nous avions baisé la terre ce soir-là et elle nous offrait ces fleurs pour nous encourager à revenir dans la glaise, à revenir y jouir ou y crever.

Pierre a planté des graines dans nos éclats de rire, dans nos têtes, dans nos boyaux de terre et de chair, dans nos nuits sans sommeil et nos jours morts. Il a fait germer ses rêves et, finalement, il nous a permis de tenir en nous faisant exploser un printemps dans le crâne. Jamais je n'ai été aussi sensible aux saisons qu'à ras de terre dans l'horreur de cette guerre. Nous sentions la sève nous monter à la tête, nous admirions la moindre touffe d'herbe. Je suis vivant grâce à lui.

Cette nuit, comme pris de fièvre, Pierre a quitté les lignes pour rejoindre son étrange rosier au beau milieu du no man's land. J'étais trop ivre pour le retenir. Était-il persuadé qu'aucun boche ne tirerait ? Que l'armistice dont on nous rebattait les oreilles avait endormi toute *inimitié ? A-t-il pensé mettre fin à cette guerre en brandissant une fleur blanche entre les deux lignes ?*

Ces roses fauves, qui s'empiffraient de nos désirs, comme de nos cadavres, étaient ses filles, elles ne l'auraient pas lâché. Rien ne pouvait les rassasier que sa mort !

C'est trop bête de crever au dernier jour de la guerre.

J'espère qu'ils nous libéreront vite. Les planqués s'imaginent que la riflette nous a ensauvagés et qu'il faut nous en sevrer avant de nous rendre à nos familles pour de bon. Quels cons !

Je t'embrasse, ma grande chérie,

Ton Henri qui t'aime

Un ange passe

C'est extraordinaire d'avoir cette lettre entre les mains, le pendant de celle que j'ai retranscrite. Il me semble que je vis dans un roman, que plus rien n'est réel, que mon imagination maladive a tout envahi, que je suis dévorée par les roses, qu'il est inutile de lutter et qu'il vaut mieux se laisser porter par le courant.

Au moment où je repose la lettre sur la table, le réalisateur passe dans le salon au rythme tranquille qui est le sien, il promène son air un peu absent, comme s'il vivait lui aussi dans un songe. Seul son comédien parvient parfois à l'extraire de cette bulle, invisible cuirasse, en le faisant sortir de ses gonds. Son habitat naturel est le plateau, dehors un rêve l'occupe et tient le reste du monde à distance.

Esther se lève quand il arrive à notre hauteur et l'arrête. Il la fixe un moment comme un somnambule qu'on tenterait d'éveiller. Elle nous présente et lui dit que W.D.H. n'est pas en état de tourner cette dernière scène, qu'il faudrait la reporter, l'obliger à voir un médecin, l'emmener à l'hôpital, qu'il ne parviendra même pas à se déplacer seul jusqu'au décor, qu'il faudra le porter, qu'il perd la tête et refuse de parler à qui que ce soit, sauf à sa rose. Elle affirme que toute l'équipe sait que William ne tiendra pas longtemps dans un tel état de faiblesse, qu'il est bien le seul à être persuadé qu'il ne s'agit que de jeu.

Le réalisateur lui sourit avant de lui répondre très calmement que l'acteur est certes un peu affaibli, qu'il a visiblement perdu du poids, mais qu'il ne le croit pas quand il se plaint de la poitrine, qu'il est persuadé que tout cela n'est que fiction, rien qu'un hallucinant caprice de star, que sa chute était sans gravité, qu'il a pu rentrer à pied. Non vraiment, d'après lui, les acteurs sont une espèce à part. Et W.D.H. est peut-être le plus grand de tous, l'être le plus curieux du monde. Il essaye de devenir un autre, c'est une forme de gymnastique.

— Il est passionnant, vraiment. Il se pense vide, mais il ne l'est pas, bien au contraire, il est une foule, murmure-t-il comme pour lui-même. Il évolue en tension entre le vide et le plein. Physiquement même, il devient n'importe qui avec une facilité qui me sidère. Il est une anguille, il se faufile dans toutes les carcasses. Je me laisse flouer moi aussi. Mais non, il n'est ni mourant, ni même malade, il n'est sans doute même pas amoureux de cette postière qui le bouleverse. Il est juste poreux. Son personnage aime, il aime. Son personnage agonise, il agonise. C'est bien parce qu'il y croit si fort qu'il nous bluffe tous. Je n'interromprai pas le tournage parce que mon comédien est un génie. Je le laisserai vivre l'amour de Pierre, la douleur de Pierre, la mort de Pierre jusqu'au bout. Il ne désire rien d'autre, et si vous tentez de l'empêcher de mourir ce soir, vous verrez W.D.H. resurgir, comme un diable furieux, avec l'énergie hystérique, colérique et capricieuse que vous lui reprochiez tous au début de ce tournage. Si vous l'empêchez de vivre son destin de personnage, il vous haïra. Combien de temps lui faudrait-il alors pour retrouver cet état? Pour redevenir Pierre? Peut-être ne le retrouverait-il jamais! Vous verrez, dès que cette dernière scène sera dans la boîte, il viendra boire avec nous et dansera jusqu'à l'aube. Ah! Cet acteur est stupéfiant! Allez donc le réveiller, il est temps pour Pierre de mourir! Sa rose l'attend. Mesdames, vous êtes les bienvenues sur le plateau.

Derrière le miroir

Lola croit s'éveiller dans la nuit.

L'ombre de Marie est là dans sa chambre, debout face à son lit, cette ombre qui attend Dieu sait quoi.

Lola hurle, comme elle le fait à chaque fois, elle hurle pour dissiper l'apparition, elle n'utilise pas la formulette que je lui ai soufflée, elle ne propose pas son aide au fantôme, elle se fiche de ce que Marie attend d'elle, de ce que j'ai pu imaginer, elle hurle pour chasser cette femme qui la hante et son cri brise la nuit.

Un fracas sec et cristallin la tire du sommeil en sursaut.

Paniquée, la rêveuse allume la lumière.

Le miroir de l'armoire de noces a volé en éclats sans autre raison que son cauchemar.

Il y a du verre partout. Elle ne voit que ça, des débris au sol.

Quel désastre ! Il faut nettoyer ! Lola enfile ses chaussons et allume le plafonnier. Elle se coupe la main en regroupant les plus gros morceaux en tas.

Au moment où elle s'apprête à quitter la pièce pour

passer sa blessure sous l'eau froide, elle lève les yeux vers l'armoire et découvre ce que le miroir cachait : le portrait sculpté de Maylis n'a pas été détruit comme elle le croyait, juste recouvert, et l'épouse folle de ce Jean Coadic, qui a planté le chêne dont est fait le meuble, la fixe étrangement.

Lola en a la chair de poule. Il lui semble que l'aïeule bretonne veut vivre au-delà de sa propre existence, qu'elle cherche à sucer le sang de ses descendants, comme une mère abusive exige de rester l'unique amour de son enfant grandi ou comme certains pères refusent de céder la place, d'être détrônés, dépassés par leur fils. Il y a dans ce regard de bois mort une terrible volonté de posséder, de déposséder. Elle signifie aux enfants des enfants de ses enfants que toute sa lignée lui appartient, qu'elle peut s'éterniser à volonté dans leurs caboches, qu'elle s'octroie le droit de les habiter comme des maisons vides. Lola l'entend rugir : « Vous m'êtes tous sortis du ventre ! La chair de ma chair reste ma chair ! »

Mais, face au portrait, Lola ne tremble pas. Elle refuse d'être un vivant tombeau où se promèneraient ses ancêtres, elle exige que les morts la laissent en paix, tranquille dans son jardin, que tous ceux qui prétendent régenter sa vie se taisent, que son cœur batte à son rythme tant qu'il bat. Elle ne porte plus la moindre douleur, elle se fiche de l'histoire familiale, de l'histoire du village, de l'histoire que j'écris, elle se fiche d'être une boiteuse, d'être une bâtarde, de s'appeler Dolorès, elle s'est libérée de tout héritage, elle se sent libre de choisir sa vie. Personne ne commandera plus ses désirs.

Ses ancêtres, ses parents sont des plaies, qui n'ont pas su l'aimer, qui n'ont pas su s'aimer, qu'on n'a pas su aimer ! Elle l'a compris grâce au cœur d'Inès Dolorès. Elle veut sortir de la boucle, se libérer de l'éternel retour. Elle veut qu'on la dépeuple !

Elle ne sera pas la gardienne des douleurs familiales, elle va détruire les cœurs et l'armoire, allumer un feu de joie. Rien n'est écrit, elle échappe à son destin, à ma fiction, elle échappe à tous ceux qui prétendent la contenir, elle m'échappe.

Lola ne ressemble ni à Inès Dolorès, ni à l'homme qui l'a élevée et encore moins à cette Maylis dont elle ne descend sans doute pas. Le sang qui coule dans ses veines ne porte aucun destin.

Face au portrait, elle regarde son sang goutter le long de sa main blessée et elle se découvre libre et forte. Libre d'aimer son enfant, si elle en a un, un jour, libre de l'élever sans l'étouffer, sans l'oublier et sans trembler, libre de ne pas reproduire les erreurs de ses aïeules. Son amour sera la clef qui déverrouillera toutes les portes, son amour n'enfermera personne, jamais, bien au contraire, son cœur et ses bras de mère et d'amante seront toujours ouverts. Et même si tout ce qui naît est condamné à mourir... La mort n'attrape que le vivant et elle veut vivre intensément.

Elle ouvre sa fenêtre en grand pour laisser entrer le parfum des fleurs folles que la douceur de ce printemps rend plus enveloppant et capiteux que jamais.

De grands paons crépusculaires surgissent des

broussailles. Lola regarde la nuit comme on se penche au-dessus d'un puits.

Debout dans son jardin, Pierre attend, livide, parmi les roses fauves. Il lève ses yeux trop pâles vers elle.

Marie le rejoint sous le ciel d'où tombent des étoiles.

Ma valise est grande ouverte sur le lit.

Mes trois mois de solitude sont écoulés. Je jette un dernier regard à ce chalet où j'ai vécu en recluse. J'ai abandonné *Barbe-Bleue* en route, mais ce lieu m'a inspiré un roman que je finirai un jour, c'est sûr.

Le bouquet de roses, qui était là à mon arrivée, a bruni et séché. Nelly m'en a cueilli un autre tout frais à rapporter chez moi. Je le jetterai à la gare, je n'ai jamais trop aimé les roses.

Par la fenêtre, je contemple le bouleau centenaire que ma logeuse s'est résignée à faire abattre. Quelle folie de détruire un tel arbre! Chaque feuille vibre, sa frondaison s'agite, bruisse, scintille, offerte au soleil et au vent.

Mauricette dans son manteau bleu ciel enlace le tronc en chantonnant. Elle a posé au pied du bouleau l'un de ses bocaux vides. Espère-t-elle y enfermer ses mille et un souvenirs?

Le bûcheron arrive. Je ne veux pas voir l'arbre tomber.

Je me dépêche de débarrasser mon bureau encore encombré de livres et de fleurs. Je raccroche aux murs

346

les photos en noir et blanc encadrées d'or, dans lesquelles j'ai vécu mon aventure inachevée. Celle des deux enfants d'abord, celle du cuirassier aux neuf doigts, celle de la jolie jeune femme blonde tellement sérieuse et droite appuyée sur sa canne au milieu des roses blanches, la photo de Nelly entourée de ses amies folles de roses, de toutes ces dames souriantes, posées sur des chaises dépareillées, des chaises où je me suis assise si souvent lors de mes journées passées à leur côté.

Je remets les livres sur la guerre d'Espagne et les poilus dans la bibliothèque, j'y laisse les fleurs que j'ai glissées entre les pages et les deux lettres qui m'ont tant inspirée. J'entasse les magazines people dans les toilettes. J'abandonne les sabots que Gwen m'a prêtés à l'entrée. Je ne garde que les emballages dorés des chocolats, que j'ai soigneusement défroissés.

Je ferme ma valise, pose sur la table la carte postale qui m'a conduite ici et je quitte mon roman pour regagner le monde.

Dans ma poche, un anneau roule sous mes doigts.

Composition : PCA
Achevé d'imprimer
par CPI Firmin-Didot
à Mesnil-sur-l'Estrée, en septembre 2020
Dépôt légal : septembre 2020
Premier dépôt légal : juin 2020
Numéro d'imprimeur : 159996

ISBN : 978-2-07-278891-8/Imprimé en France

375155